3-2
중 학 수 학

1등급 비밀!

최강 TOT

1등급 비밀! **TOP OF THE TOP**

1등급 비밀!

최강 TOT

3-2

중학수학

강남 상위권의 비밀을 담은 교재

학업성취도 우수 중학교의
기출 문제 중 변별력이 있는
우수 문제를 선별하여 담았습니다.

작은 차이로 실력을 높이는 교재

작은 차이로 실수를 유발했던 기출 문제를 통해
개념은 더욱 정확히 이해하게 하고,
함정에 빠질 위험은 줄였습니다.

진짜 수학 잘하는 학생이 보는 교재

수학적 사고력이 필요한 문제, 창의적이고 융합적인
문제를 함께 담아 사고력 및 응용력을 높였습니다.

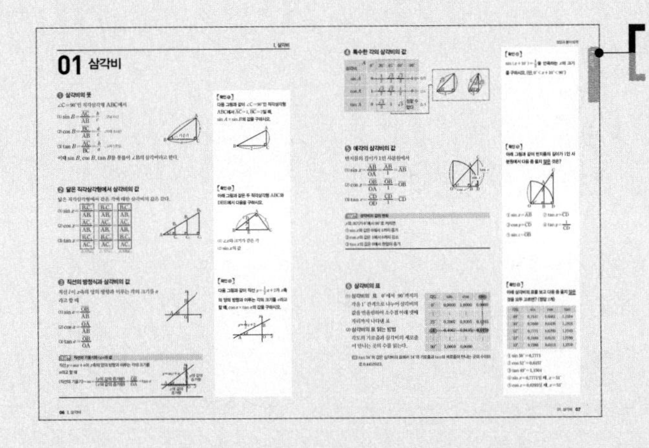

핵심 개념 & 확인 문제

중단원별 핵심 개념과 함께
쉽지만 그냥 넘길 수 없는 확인 문제를 담았습니다.

STEP 1 억울하게 울리는 문제

'왜 틀렸지?' 하고 문제를 다시 보면
그때서야 함정이 보이는 실수 유발 문제를 담았습니다.

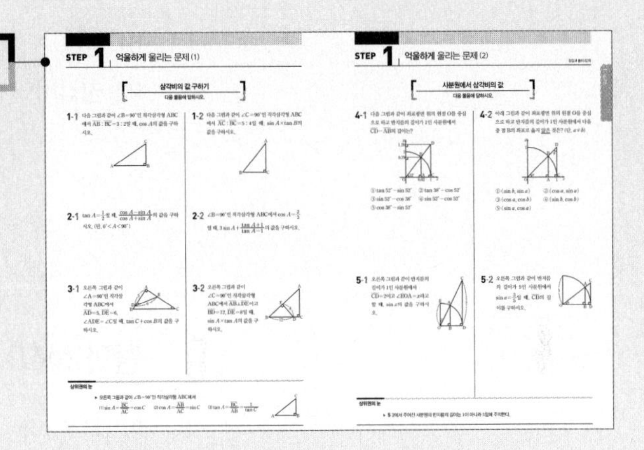

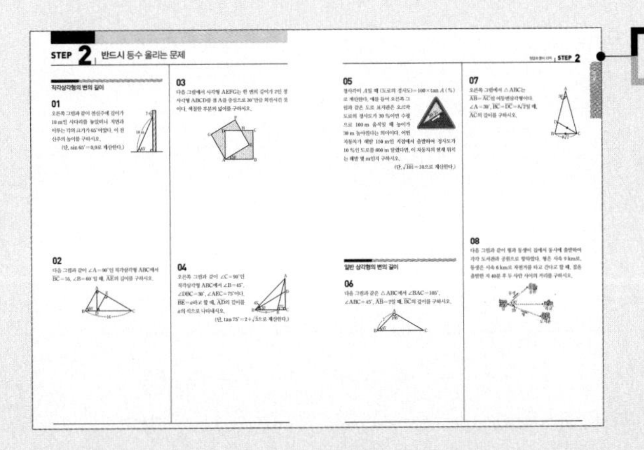

STEP 2 반드시 등수 올리는 문제

상위권 학생을 위한 여러 가지 유형의
변별력 문제를 담았습니다.

STEP 3 전교1등 확실하게 굳히는 문제

종합적 사고력이 필요한 창의 융합 문제 및
서술형 문제를 담았습니다.

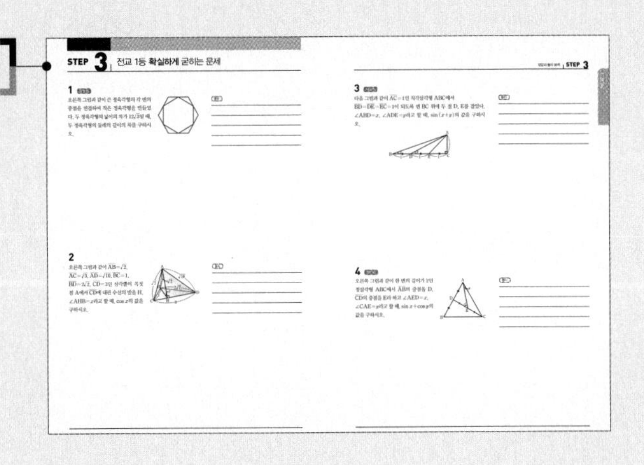

차례 >>

CONTENTS

I

삼각비

01 삼각비

❶ 삼각비의 뜻

$\angle C=90^\circ$인 직각삼각형 ABC에서

(1) $\sin B=\dfrac{\overline{AC}}{\overline{AB}}=\dfrac{b}{c}$ ∠B의 사인

(2) $\cos B=\dfrac{\overline{BC}}{\overline{AB}}=\dfrac{a}{c}$ ∠B의 코사인

(3) $\tan B=\dfrac{\overline{AC}}{\overline{BC}}=\dfrac{b}{a}$ ∠B의 탄젠트

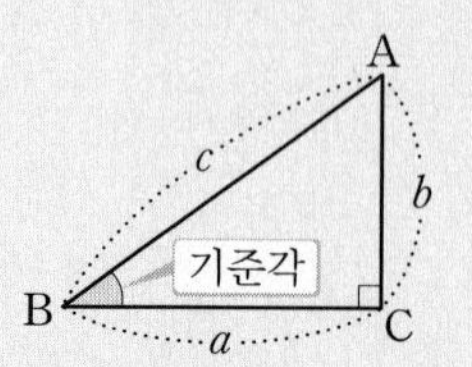

이때 $\sin B$, $\cos B$, $\tan B$를 통틀어 ∠B의 삼각비라고 한다.

[확인 ❶]

다음 그림과 같이 $\angle C=90^\circ$인 직각삼각형 ABC에서 $\overline{AC}=1$, $\overline{BC}=2$일 때, $\sin A\times\sin B$의 값을 구하시오.

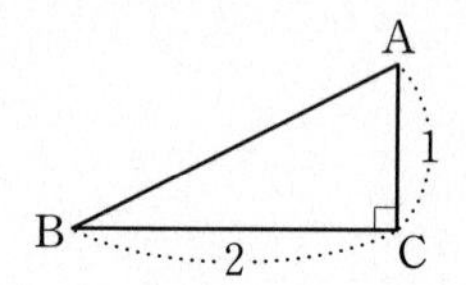

❷ 닮은 직각삼각형에서 삼각비의 값

닮은 직각삼각형에서 같은 각에 대한 삼각비의 값은 같다.

(1) $\sin x=\dfrac{\overline{B_1C_1}}{\overline{AB_1}}=\dfrac{\overline{B_2C_2}}{\overline{AB_2}}=\dfrac{\overline{B_3C_3}}{\overline{AB_3}}$

(2) $\cos x=\dfrac{\overline{AC_1}}{\overline{AB_1}}=\dfrac{\overline{AC_2}}{\overline{AB_2}}=\dfrac{\overline{AC_3}}{\overline{AB_3}}$

(3) $\tan x=\dfrac{\overline{B_1C_1}}{\overline{AC_1}}=\dfrac{\overline{B_2C_2}}{\overline{AC_2}}=\dfrac{\overline{B_3C_3}}{\overline{AC_3}}$

$\triangle AB_1C_1$ $\triangle AB_2C_2$ $\triangle AB_3C_3$

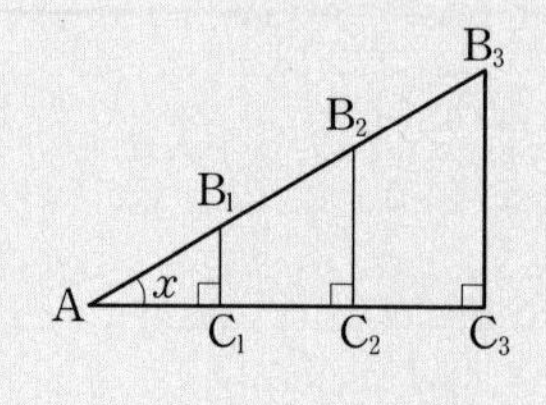

[확인 ❷]

아래 그림과 같은 두 직각삼각형 ABC와 DBE에서 다음을 구하시오.

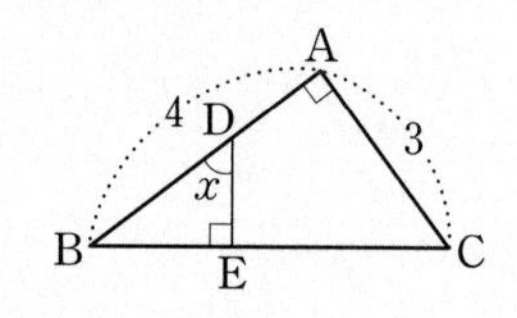

(1) $\angle x$와 크기가 같은 각

(2) $\sin x$의 값

❸ 직선의 방정식과 삼각비의 값

직선 l이 x축의 양의 방향과 이루는 각의 크기를 α라고 할 때

(1) $\sin\alpha=\dfrac{\overline{OB}}{\overline{AB}}$

(2) $\cos\alpha=\dfrac{\overline{OA}}{\overline{AB}}$

(3) $\tan\alpha=\dfrac{\overline{OB}}{\overline{OA}}$

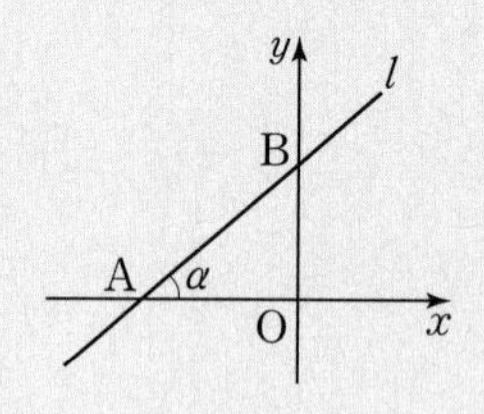

개념+ 직선의 기울기와 tan의 값

직선 $y=mx+n$이 x축의 양의 방향과 이루는 각의 크기를 α라고 할 때

(직선의 기울기)$=m=\dfrac{(y\text{의 값의 증가량})}{(x\text{의 값의 증가량})}=\dfrac{\overline{OB}}{\overline{OA}}=\tan\alpha$

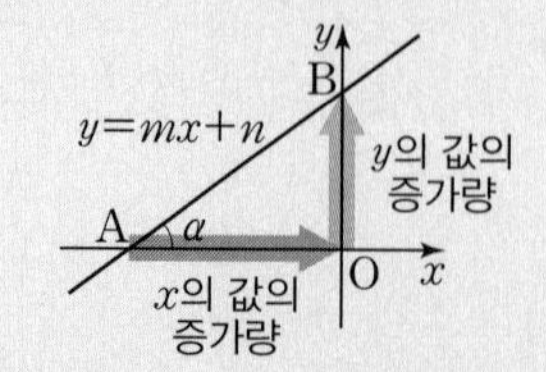

[확인 ❸]

다음 그림과 같이 직선 $y=\frac{1}{2}x+2$가 x축의 양의 방향과 이루는 각의 크기를 α라고 할 때, $\cos\alpha\times\tan\alpha$의 값을 구하시오.

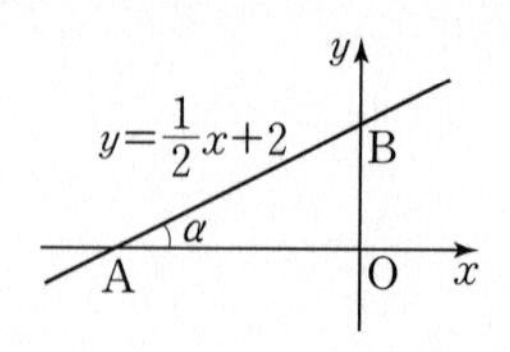

④ 특수한 각의 삼각비의 값

삼각비 \ A	$0°$	$30°$	$45°$	$60°$	$90°$	
$\sin A$	0	$\frac{1}{2}$	$\frac{\sqrt{2}}{2}$	$\frac{\sqrt{3}}{2}$	1	증가
$\cos A$	1	$\frac{\sqrt{3}}{2}$	$\frac{\sqrt{2}}{2}$	$\frac{1}{2}$	0	감소
$\tan A$	0	$\frac{\sqrt{3}}{3}$	1	$\sqrt{3}$	정할 수 없다.	증가

⑤ 예각의 삼각비의 값

반지름의 길이가 1인 사분원에서

(1) $\sin x=\frac{\overline{AB}}{\overline{OA}}=\frac{\overline{AB}}{1}=\overline{AB}$

(2) $\cos x=\frac{\overline{OB}}{\overline{OA}}=\frac{\overline{OB}}{1}=\overline{OB}$

(3) $\tan x=\frac{\overline{CD}}{\overline{OD}}=\frac{\overline{CD}}{1}=\overline{CD}$

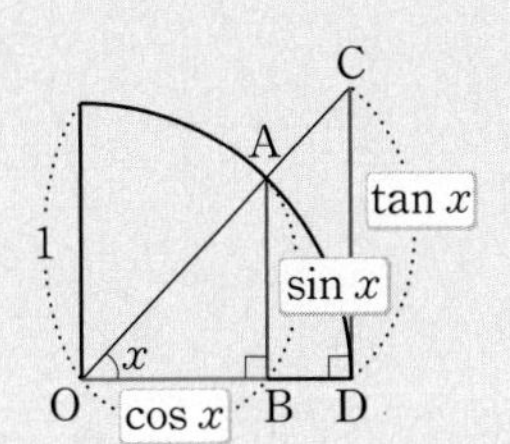

개념+ 삼각비의 값의 변화

x의 크기가 $0°$에서 $90°$로 커지면

① $\sin x$의 값은 0에서 1까지 증가

② $\cos x$의 값은 1에서 0까지 감소

③ $\tan x$의 값은 0에서 한없이 증가

⑥ 삼각비의 표

(1) 삼각비의 표 $0°$에서 $90°$까지의 각을 $1°$ 간격으로 나누어 삼각비의 값을 반올림하여 소수점 아래 넷째 자리까지 나타낸 표

(2) 삼각비의 표 읽는 방법
각도의 가로줄과 삼각비의 세로줄이 만나는 곳의 수를 읽는다.

각도	sin	cos	tan
$0°$	0.0000	1.0000	0.0000
⋮	⋮	⋮	⋮
$23°$	0.3907	0.9205	0.4245
$24°$	0.4067	0.9135	0.4452
⋮	⋮	⋮	⋮
$90°$	1.0000	0.0000	

예 $\tan 24°$의 값은 삼각비의 표에서 $24°$의 가로줄과 tan의 세로줄이 만나는 곳의 수이므로 0.4452이다.

[확인 ④]

$\sin(x+10°)=\frac{1}{2}$을 만족하는 x의 크기를 구하시오. (단, $0°<x+10°<90°$)

[확인 ⑤]

아래 그림과 같이 반지름의 길이가 1인 사분원에서 다음 중 옳지 않은 것은?

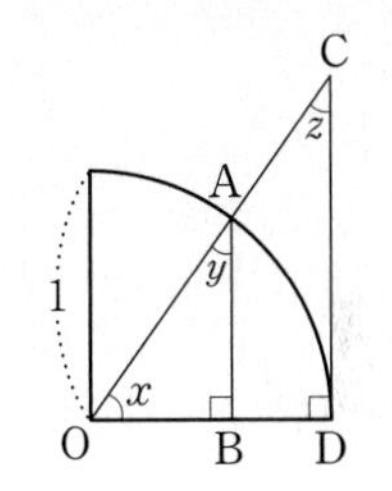

① $\sin x=\overline{AB}$ ② $\tan x=\overline{CD}$

③ $\cos y=\overline{CD}$ ④ $\tan y=\frac{1}{\overline{CD}}$

⑤ $\sin z=\overline{OB}$

[확인 ⑥]

아래 삼각비의 표를 보고 다음 중 옳지 않은 것을 모두 고르면? (정답 2개)

각도	sin	cos	tan
$49°$	0.7547	0.6561	1.1504
$50°$	0.7660	0.6428	1.1918
$51°$	0.7771	0.6293	1.2349
$52°$	0.7880	0.6157	1.2799
$53°$	0.7986	0.6018	1.3270

① $\sin 50°=0.7771$

② $\cos 52°=0.6157$

③ $\tan 49°=1.1504$

④ $\sin x=0.7771$일 때, $x=51°$

⑤ $\cos x=0.6293$일 때, $x=53°$

STEP 1 억울하게 울리는 문제 (1)

삼각비의 값 구하기

다음 물음에 답하시오.

1-1 다음 그림과 같이 $\angle B=90^\circ$인 직각삼각형 ABC에서 $\overline{AB}:\overline{BC}=3:2$일 때, $\cos A$의 값을 구하시오.

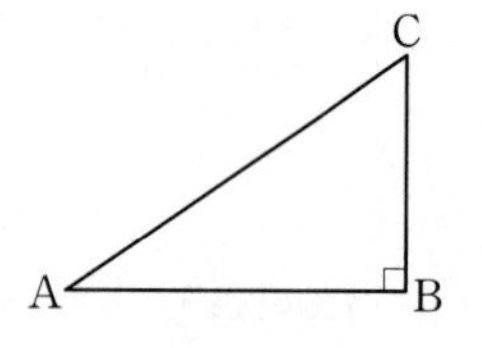

1-2 다음 그림과 같이 $\angle C=90^\circ$인 직각삼각형 ABC에서 $\overline{AC}:\overline{BC}=5:4$일 때, $\sin A\times\tan B$의 값을 구하시오.

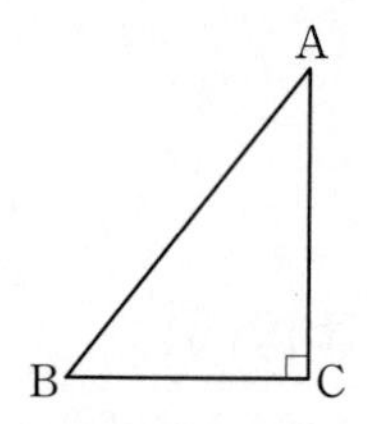

2-1 $\tan A=\frac{1}{2}$일 때, $\frac{\cos A-\sin A}{\cos A+\sin A}$의 값을 구하시오. (단, $0^\circ<A<90^\circ$)

2-2 $\angle B=90^\circ$인 직각삼각형 ABC에서 $\cos A=\frac{2}{3}$일 때, $3\sin A+\frac{\tan A+1}{\tan A-1}$의 값을 구하시오.

3-1 오른쪽 그림과 같이 $\angle A=90^\circ$인 직각삼각형 ABC에서 $\overline{AD}=5$, $\overline{DE}=6$, $\angle ADE=\angle C$일 때, $\tan C+\cos B$의 값을 구하시오.

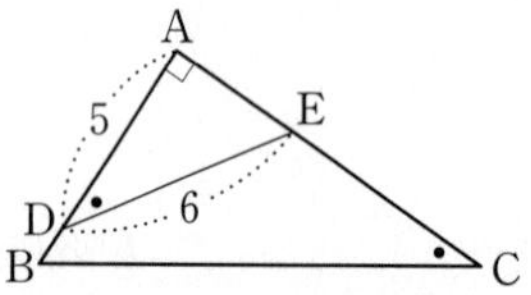

3-2 오른쪽 그림과 같이 $\angle C=90^\circ$인 직각삼각형 ABC에서 $\overline{AB}\perp\overline{DE}$이고 $\overline{BD}=12$, $\overline{DE}=8$일 때, $\sin A\times\tan A$의 값을 구하시오.

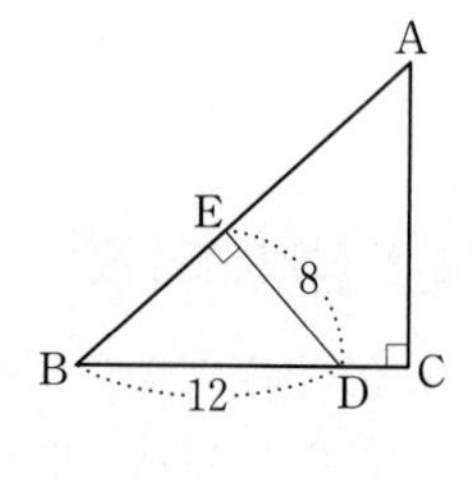

상위권의 눈

▶ 오른쪽 그림과 같이 $\angle B=90^\circ$인 직각삼각형 ABC에서

(1) $\sin A=\frac{\overline{BC}}{\overline{AC}}=\cos C$ (2) $\cos A=\frac{\overline{AB}}{\overline{AC}}=\sin C$ (3) $\tan A=\frac{\overline{BC}}{\overline{AB}}=\frac{1}{\tan C}$

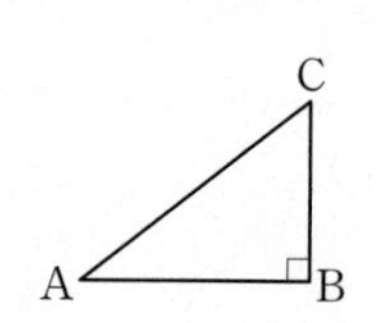

사분원에서 삼각비의 값

다음 물음에 답하시오.

4-1 다음 그림과 같이 좌표평면 위의 원점 O를 중심으로 하고 반지름의 길이가 1인 사분원에서 $\overline{CD}-\overline{AB}$의 길이는?

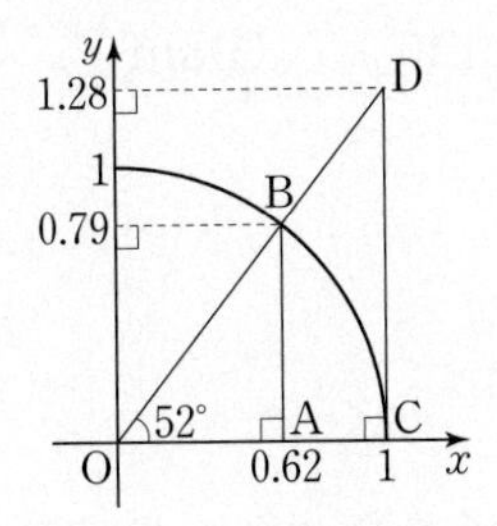

① $\tan 52^\circ - \sin 52^\circ$ ② $\tan 38^\circ - \cos 52^\circ$
③ $\sin 52^\circ - \cos 38^\circ$ ④ $\sin 52^\circ - \cos 52^\circ$
⑤ $\cos 38^\circ - \sin 52^\circ$

4-2 아래 그림과 같이 좌표평면 위의 원점 O를 중심으로 하고 반지름의 길이가 1인 사분원에서 다음 중 점 B의 좌표로 옳지 않은 것은? (단, $a \neq b$)

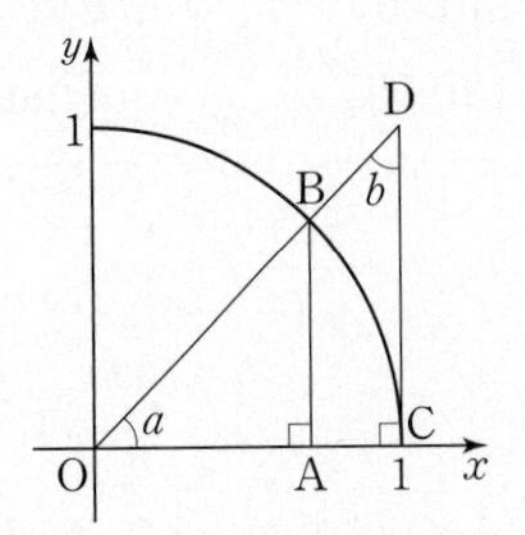

① $(\sin b, \sin a)$ ② $(\cos a, \sin a)$
③ $(\cos a, \cos b)$ ④ $(\sin b, \cos b)$
⑤ $(\sin a, \cos a)$

5-1 오른쪽 그림과 같이 반지름의 길이가 1인 사분원에서 $\overline{CD}=2$이고 $\angle EOA = x$라고 할 때, $\sin x$의 값을 구하시오.

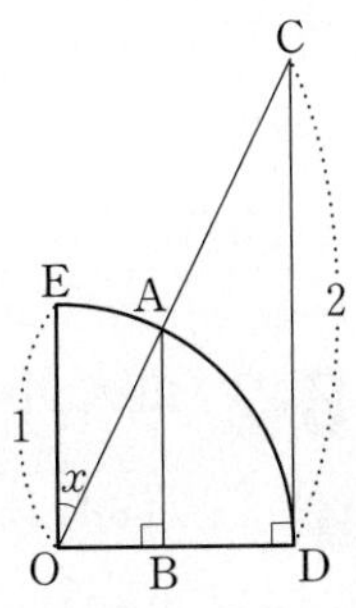

5-2 오른쪽 그림과 같이 반지름의 길이가 5인 사분원에서 $\sin a = \frac{3}{5}$일 때, $\overline{CD}$의 길이를 구하시오.

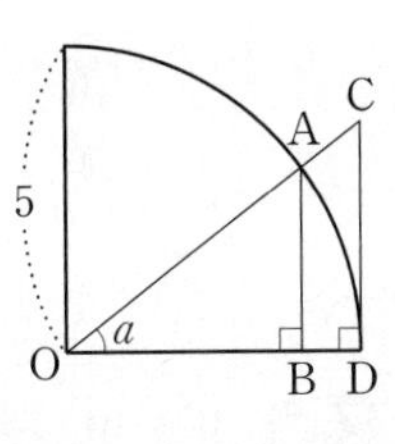

상위권의 눈

▸ 5-2에서 주어진 사분원의 반지름의 길이는 1이 아니라 5임에 주의한다.

정답과 풀이 04쪽

삼각비의 대소 관계

다음 물음에 답하시오.

6-1 다음 삼각비의 값을 작은 것부터 차례로 나열하시오.

㉠ $\sin 20°$	㉡ $\cos 45°$
㉢ $\tan 50°$	㉣ $\sin 90°$

6-2 다음 삼각비의 값을 작은 것부터 차례로 나열할 때, 두 번째에 해당하는 것은?

① $\tan 70°$ ② $\cos 65°$ ③ $\sin 65°$
④ $\tan 45°$ ⑤ $\sin 0°$

7-1 $0° \le A \le 90°$일 때, 다음 중 삼각비에 대한 설명으로 옳지 않은 것은?

① A의 크기가 커지면 $\sin A$의 값도 증가한다.
② $\tan A$의 최솟값은 0이고, 최댓값은 1이다.
③ $\sin A$의 최솟값은 0이고, 최댓값은 1이다.
④ $\sin A = \cos A$이면 $A = 45°$이다.
⑤ $\sin A \le \tan A$이다.

7-2 다음 중 옳은 것을 모두 고르면? (정답 2개)

① 닮은 두 삼각형에서 대응하는 각에 대한 삼각비의 값은 같다.
② $45° < x < 90°$이면 $\tan x < \cos x < \sin x$이다.
③ x의 크기가 $0°$에서 $90°$로 커지면 $\sin x$의 값은 0에서 1까지 증가한다.
④ x의 크기가 $0°$에서 $90°$로 커지면 $\cos x$의 값은 0에서 1까지 증가한다.
⑤ x의 크기가 $0°$에서 $90°$로 커지면 $\tan x$의 값은 0에서 1까지 증가한다.

8-1 $0° < A < 45°$이고

$$\sqrt{(\sin A - \cos A)^2} + \sqrt{(\sin A + \cos A)^2} = \frac{6}{5}$$

일 때, $\tan A$의 값을 구하시오.

8-2 $45° < A < 90°$이고

$$\sqrt{(\sin A + \cos A)^2} + \sqrt{(\cos A - \sin A)^2} = \frac{5}{3}$$

일 때, $\cos A \times \tan A$의 값을 구하시오.

상위권의 눈

▶ $\sin x$, $\cos x$, $\tan x$의 대소 관계
(1) $0° \le x < 45°$이면 $\sin x < \cos x$
(2) $x = 45°$이면 $\sin x = \cos x < \tan x$
(3) $45° < x < 90°$이면 $\cos x < \sin x < \tan x$

삼각비의 값

01

오른쪽 그림과 같이 $\angle B=90^\circ$인 직각삼각형 ABC에서 $\overline{AC}$의 중점을 M이라고 하자. $\overline{BC}=4$, $\overline{BM}=3$이고 $\angle ABM=x$라고 할 때, $\cos x$의 값을 구하시오.

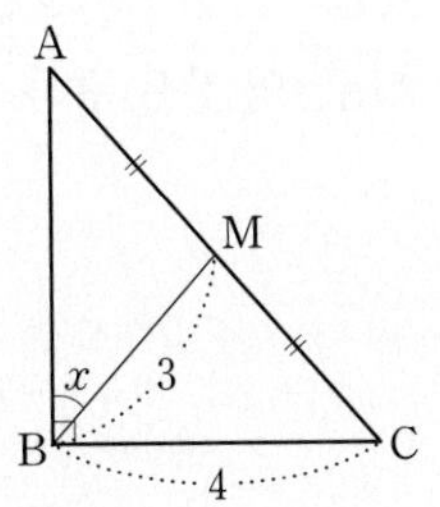

02

$\angle C=90^\circ$인 직각삼각형 ABC에서 $\sin A=\frac{\sqrt{3}}{3}$일 때, 다음 중 옳지 않은 것은?

① $\cos A=\frac{\sqrt{6}}{3}$
② $\tan A=\sqrt{2}$
③ $\cos B=\frac{\sqrt{3}}{3}$
④ $\tan A\times\tan B=1$
⑤ $\sin B+\cos A=\frac{2\sqrt{6}}{3}$

03

$\cos A=\frac{12}{13}$일 때, $\tan\frac{A}{2}$의 값을 구하시오. (단, $0^\circ<A<90^\circ$)

04

이차방정식 $9x^2-6x+1=0$의 해가 $\cos A$일 때, $3\sin A-\tan A$의 값을 구하시오. (단, $0^\circ<A<90^\circ$)

05

다음 중 식을 계산하였을 때, 그 값이 가장 큰 것은? (단, $0^\circ<A<90^\circ$)

① $\sin A=\frac{4}{5}$일 때, $\cos A+\tan A$
② $\sin A=\frac{4}{5}$일 때, $\cos A\times\tan A$
③ $\cos A=\frac{4}{5}$일 때, $\sin A+\tan A$
④ $\cos A=\frac{4}{5}$일 때, $\sin A\times\tan A$
⑤ $\tan A=\frac{4}{5}$일 때, $\sin A\times\cos A$

06

다음 그림과 같이 $\overrightarrow{PX}$ 위의 두 점 A, B를 지름의 양 끝으로 하는 반원 O가 $\overrightarrow{PY}$ 위의 점 T에서 접한다. $\sin x=\frac{4}{7}$일 때, $\frac{\overline{PT}}{\overline{PA}}$의 값을 구하시오.

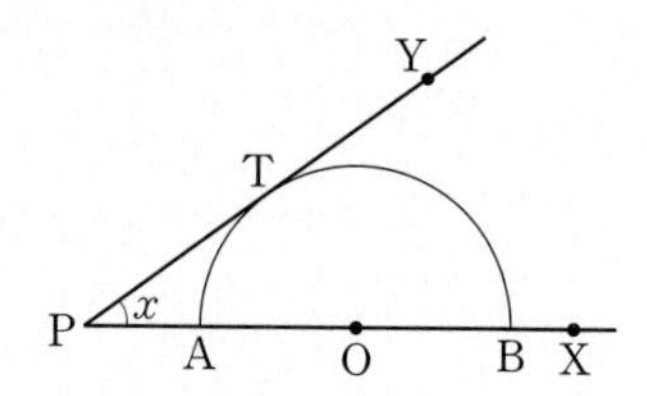

07

다음 그림과 같이 $\angle A=90°$인 직각삼각형 ABC의 점 A에서 $\overline{BC}$에 내린 수선의 발을 D, 점 D에서 $\overline{AB}$에 내린 수선의 발을 E라고 하자. $\overline{AE}=3$ cm, $\overline{BE}=4$ cm이고 $\angle CAD=x$, $\angle BAD=y$라고 할 때, $\cos x+\sin y$의 값을 구하시오.

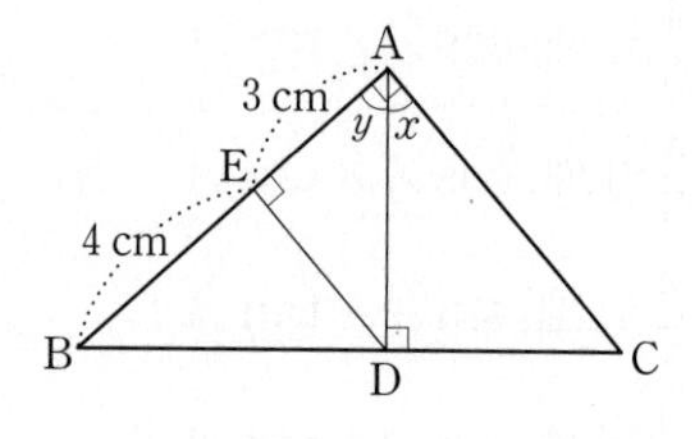

08

오른쪽 그림과 같이 $\angle B=90°$인 직각삼각형 ABC에서 $\overline{AB}=\overline{BD}=\overline{DC}$이고 $\overline{AD}=2\sqrt{2}$이다. $\angle CAD=x$일 때, $\tan x$의 값을 구하시오.

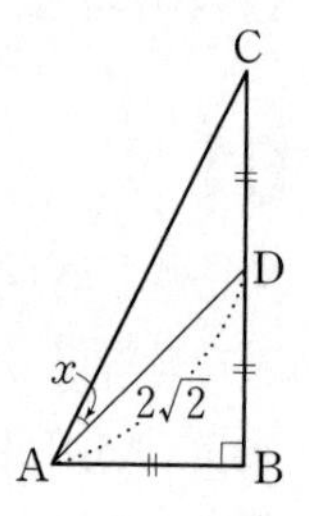

09

다음 그림과 같이 세로의 길이가 5인 직사각형 모양의 종이 ABCD를 $\overline{PQ}$를 접는 선으로 하여 점 D가 점 B에 오도록 접었더니 $\overline{PD}=13$이 되었다. $\angle BPQ=x$라고 할 때, $\cos x$의 값을 구하시오.

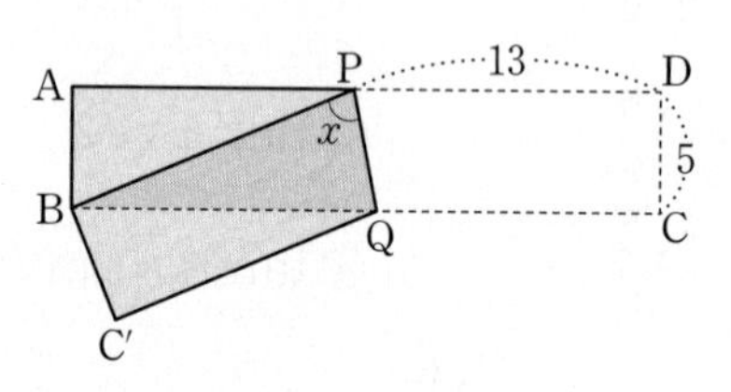

10

오른쪽 그림과 같은 두 직각삼각형 ADC와 ADE에서 $\angle C=\angle E=90^{\circ}$, $\overline{BD}=\overline{BC}=3$이다. $\angle BAC=x$, $\angle DAE=y$, $\sin x=\frac{1}{3}$일 때, $\cos y$의 값을 구하시오.

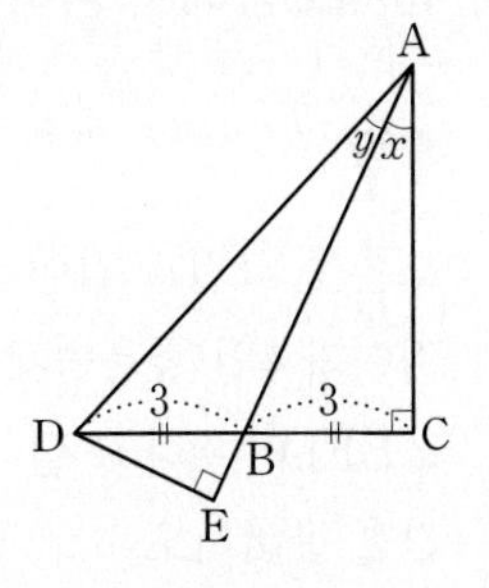

13

오른쪽 그림과 같은 정사각형 ABCD에서 대각선 BD 위의 한 점 E에 대하여 $\overline{AE}$의 연장선이 $\overline{DC}$와 만나는 점을 F라고 하자. $\angle BAE=60^{\circ}$일 때, $\sin x+\cos x$의 값을 구하시오.

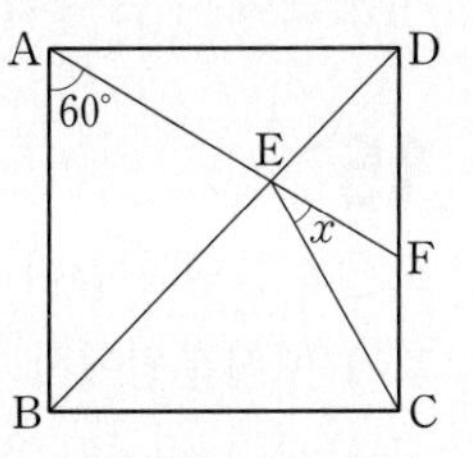

특수한 각의 삼각비의 값

11

$\tan(x+15^{\circ})=\frac{\sqrt{3}}{3}$일 때, $\sin 2x+\cos 6x$의 값을 구하시오. (단, $0^{\circ}<x<75^{\circ}$)

12

다음 그림과 같이 $\angle C=90^{\circ}$인 직각삼각형 ABC에서 $\angle B=15^{\circ}$, $\angle ADC=30^{\circ}$, $\overline{BD}=4$일 때, $\tan 15^{\circ}$의 값을 구하시오.

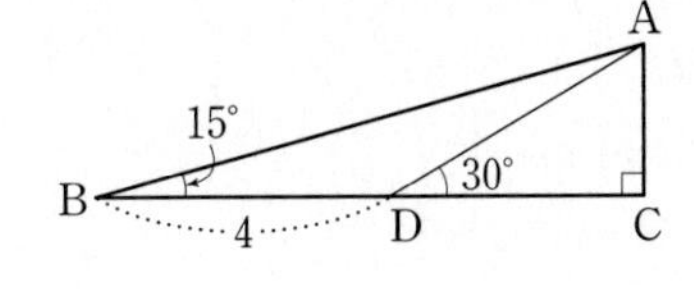

14

오른쪽 그림과 같은 두 직각삼각형 ABC와 CBD에서 $\angle ABC=30^{\circ}$, $\overline{AC}=2$, $\overline{BD}=\overline{CD}$이다. 점 A에서 $\overline{BD}$에 내린 수선의 발을 E, 점 C에서 $\overline{AE}$에 내린 수선의 발을 F라 하고 $\overline{AE}$와 $\overline{BC}$가 만나는 점을 G라고 할 때, $\tan 75^{\circ}$의 값을 구하시오.

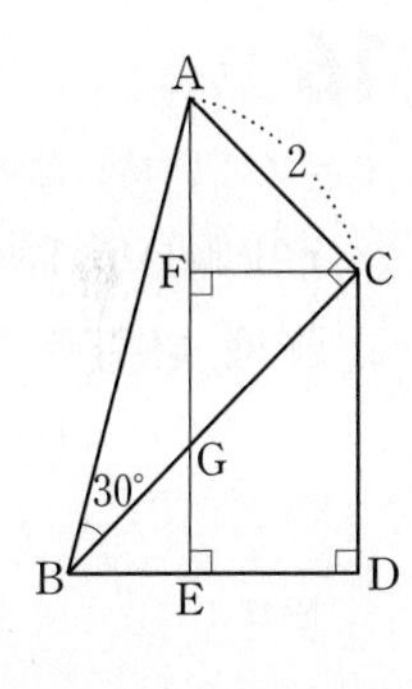

사분원에서 삼각비의 값

15

오른쪽 그림과 같이 반지름의 길이가 1인 사분원에서 ∠BAC$=x$라고 할 때, 다음 중 □BCED의 넓이는?

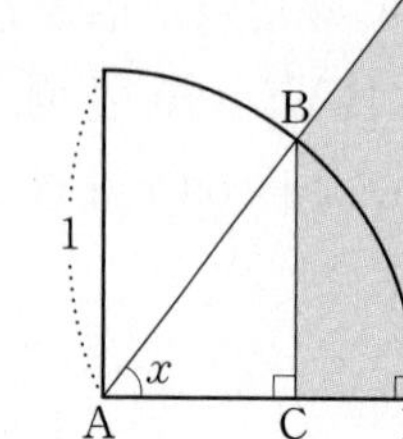

① $\tan x+\sin x$

② $\tan x+\cos x$

③ $\frac{1}{2}(\sin x+\tan x)$

④ $\frac{1}{2}(\sin x+\tan x)(1-\sin x)$

⑤ $\frac{1}{2}(\sin x+\tan x)(1-\cos x)$

16

오른쪽 그림과 같이 반지름의 길이가 r인 사분원에서 ∠AOB$=x$라고 할 때, 다음 중 $\overline{AC}$의 길이는? (단, $45° < x < 90°$)

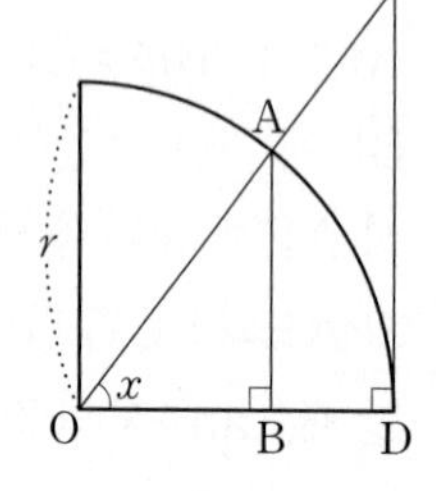

① $\frac{1}{\sin x}-1$

② $\frac{1}{\cos x}-1$

③ $r\left(\frac{1}{\sin x}-1\right)$

④ $r\left(\frac{1}{\cos x}-1\right)$

⑤ $r\left(\frac{1}{\cos x}-\frac{1}{\sin x}\right)$

입체도형에서 삼각비의 값

17

오른쪽 그림과 같이 한 모서리의 길이가 4인 정육면체에서 ∠BFD$=x$라고 할 때, $\sin x$의 값을 구하시오.

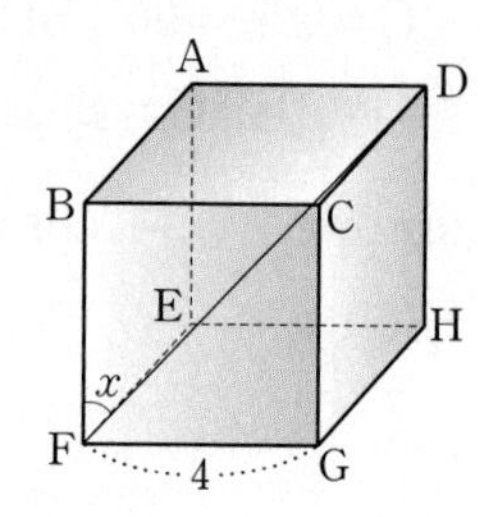

18

오른쪽 그림과 같은 직육면체의 대각선 AG의 중점을 M, 꼭짓점 F에서 대각선 AG에 내린 수선의 발을 I라고 하자. ∠MFI$=x$라고 할 때, $\cos x$의 값을 구하시오.

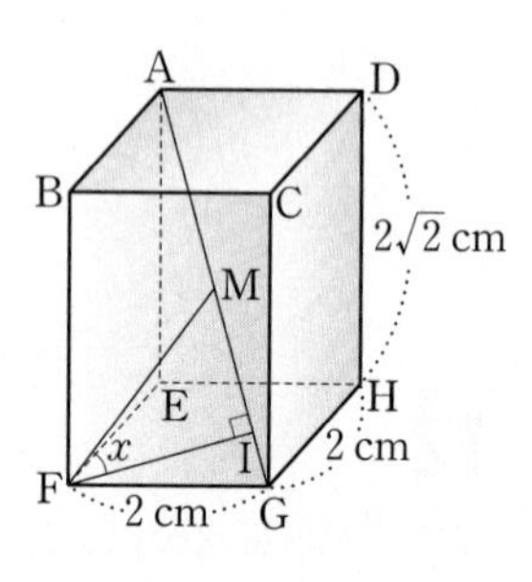

19

다음 그림과 같이 모서리의 길이가 모두 2인 정사각뿔에서 두 점 M, N은 각각 모서리 AB, CD의 중점이다. $\angle VMN = x$라고 할 때, $\sin x : \cos x : \tan x$는?

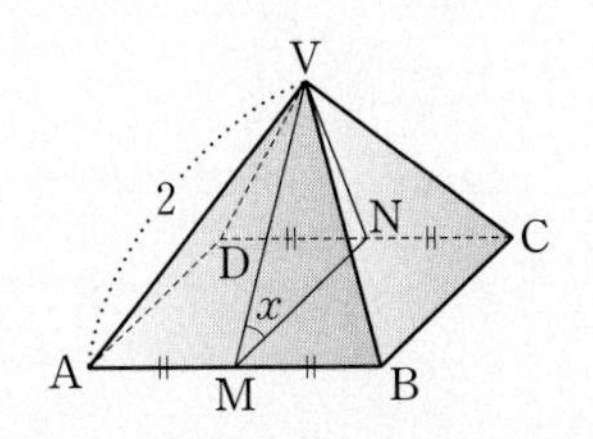

① $1 : \sqrt{2} : 3$　② $\sqrt{2} : 1 : \sqrt{6}$
③ $\sqrt{2} : \sqrt{5} : 2$　④ $\sqrt{3} : \sqrt{2} : 1$
⑤ $\sqrt{3} : \sqrt{5} : 2$

직선과 삼각비의 값

20

다음 그림과 같이 일차방정식 $3x+8y-24=0$의 그래프가 x축, y축과 만나는 점을 각각 A, B라고 하자. 원점 O와 $\overline{AB}$의 중점 M을 지나는 직선이 x축의 양의 방향과 이루는 각의 크기를 a라고 할 때, $\tan(90° - a)$의 값을 구하시오.

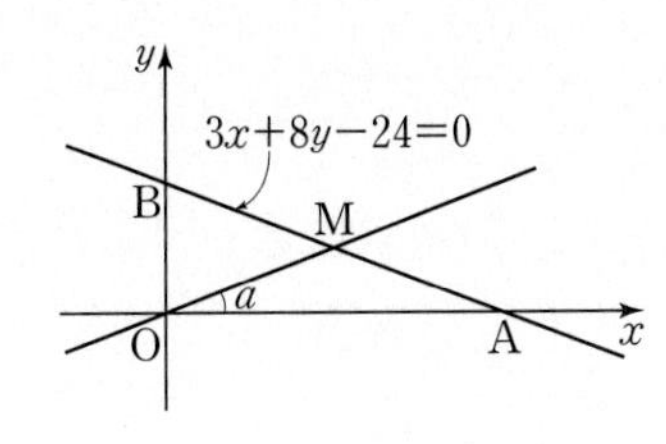

21

다음 그림과 같이 좌표평면 위의 세 점 A(3, 5), B(−2, 0), C(2, −2)에 대하여 $\angle ACB = x$라고 할 때, $\tan x$의 값을 구하시오.

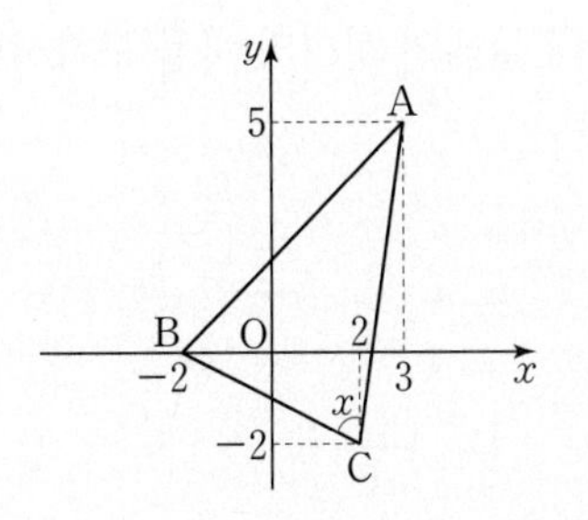

22

다음 그림과 같이 직선 $y=ax+b$와 x축, y축의 교점을 각각 A, B라고 하자. $\overline{AB} \perp \overline{OH}$, $\overline{OH}=4$이고 $\tan A = \frac{8}{15}$일 때, 상수 a, b에 대하여 $b-a$의 값을 구하시오. (단, $0° < A < 90°$)

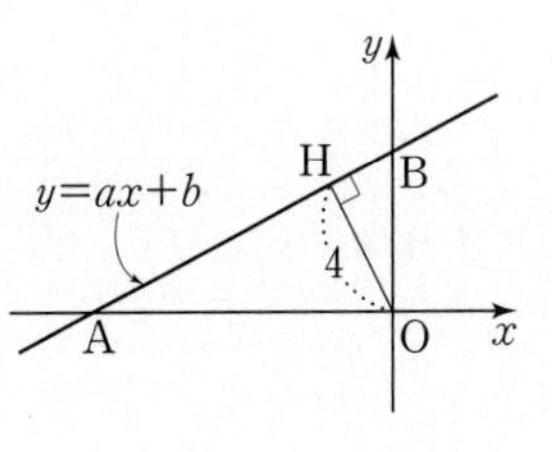

STEP 3 전교 1등 확실하게 굳히는 문제

1 융합형

오른쪽 그림과 같이 큰 정육각형의 각 변의 중점을 연결하여 작은 정육각형을 만들었다. 두 정육각형의 넓이의 차가 $12\sqrt{3}$일 때, 두 정육각형의 둘레의 길이의 차를 구하시오.

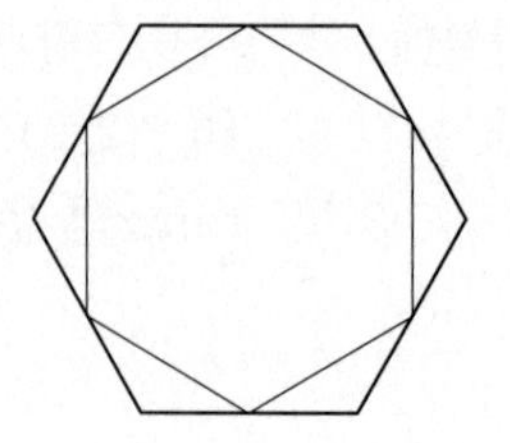

풀이

2

오른쪽 그림과 같이 $\overline{AB}=\sqrt{2}$, $\overline{AC}=\sqrt{3}$, $\overline{AD}=\sqrt{10}$, $\overline{BC}=1$, $\overline{BD}=2\sqrt{2}$, $\overline{CD}=3$인 삼각뿔의 꼭짓점 A에서 $\overline{CD}$에 내린 수선의 발을 H, $\angle AHB=x$라고 할 때, $\cos x$의 값을 구하시오.

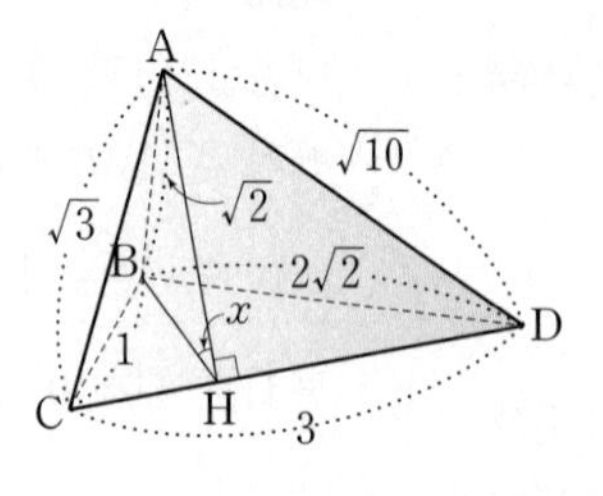

풀이

3 서술형

다음 그림과 같이 $\overline{AC}=1$인 직각삼각형 ABC에서 $\overline{BD}=\overline{DE}=\overline{EC}=1$이 되도록 변 BC 위에 두 점 D, E를 잡았다. $\angle ABD=x$, $\angle ADE=y$라고 할 때, $\sin(x+y)$의 값을 구하시오.

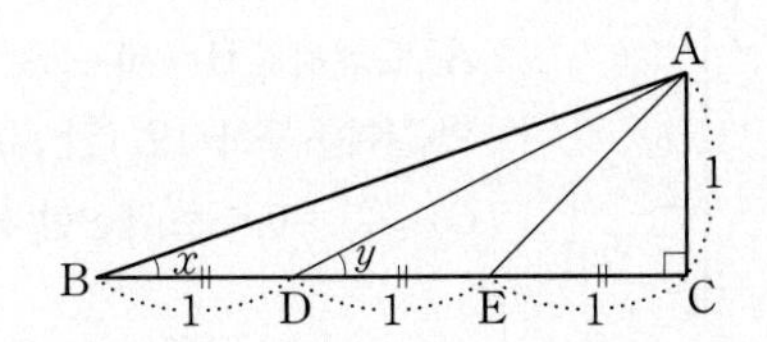

풀이

4 창의력

오른쪽 그림과 같이 한 변의 길이가 2인 정삼각형 ABC에서 $\overline{AB}$의 중점을 D, $\overline{CD}$의 중점을 E라 하고 $\angle AED=x$, $\angle CAE=y$라고 할 때, $\sin x+\cos y$의 값을 구하시오.

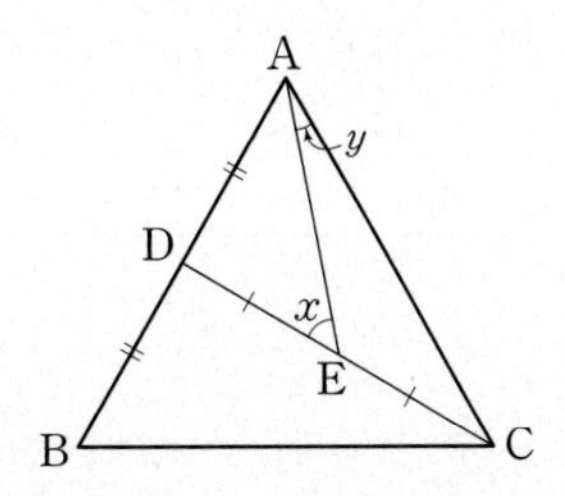

풀이

02 삼각비의 활용

❶ 직각삼각형의 변의 길이

$\angle C=90°$인 직각삼각형 ABC에서

(1) $\angle B$의 크기와 빗변의 길이 c를 알 때

① $\cos B=\dfrac{a}{c}$에서 $a=c\cos B$

② $\sin B=\dfrac{b}{c}$에서 $b=c\sin B$

(2) $\angle B$의 크기와 밑변의 길이 a를 알 때

① $\tan B=\dfrac{b}{a}$에서 $b=a\tan B$ ② $\cos B=\dfrac{a}{c}$에서 $c=\dfrac{a}{\cos B}$

(3) $\angle B$의 크기와 높이 b를 알 때

① $\tan B=\dfrac{b}{a}$에서 $a=\dfrac{b}{\tan B}$ ② $\sin B=\dfrac{b}{c}$에서 $c=\dfrac{b}{\sin B}$

[확인 ❶]
다음 그림과 같이 $\angle C=90°$인 직각삼각형 ABC에서 $\overline{AB}=20$, $\angle A=58°$일 때, $\overline{BC}$의 길이를 구하시오. (단, $\sin 32°=0.53$, $\cos 32°=0.85$로 계산한다.)

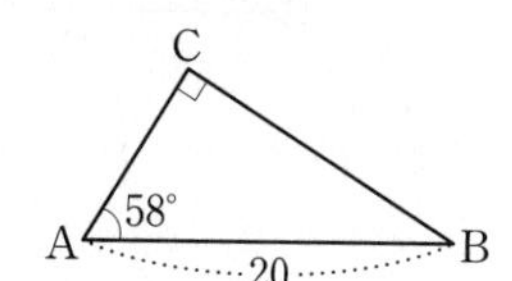

❷ 일반 삼각형의 변의 길이

(1) $\triangle ABC$에서 두 변의 길이 a, c와 그 끼인각 $\angle B$의 크기를 알 때

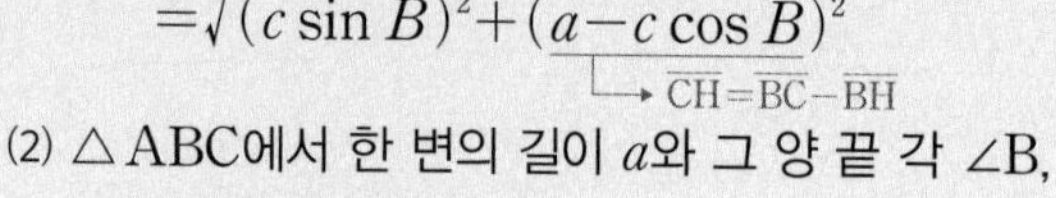

$$\overline{AC}=\sqrt{\overline{AH}^2+\overline{CH}^2}=\sqrt{(c\sin B)^2+(a-c\cos B)^2}$$

→ $\overline{CH}=\overline{BC}-\overline{BH}$

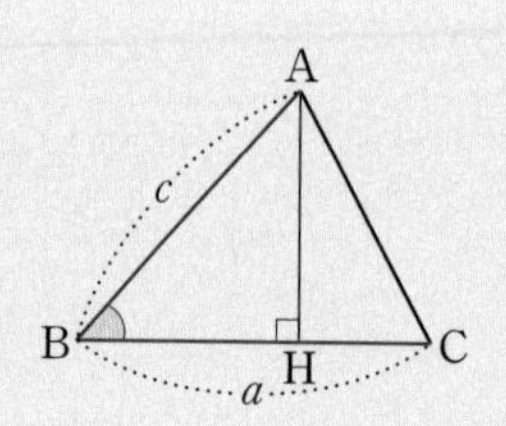

(2) $\triangle ABC$에서 한 변의 길이 a와 그 양 끝 각 $\angle B$, $\angle C$의 크기를 알 때

① $\overline{AB}=\dfrac{\overline{BH}}{\sin A}=\dfrac{a\sin C}{\sin A}$

② $\overline{AC}=\dfrac{\overline{CH'}}{\sin A}=\dfrac{a\sin B}{\sin A}$

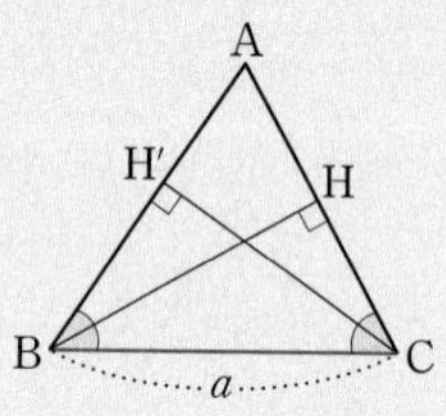

[확인 ❷]
다음 그림과 같은 $\triangle ABC$에서 $\overline{AB}=4$, $\overline{BC}=6$, $\angle B=60°$일 때, $\overline{AC}$의 길이를 구하시오.

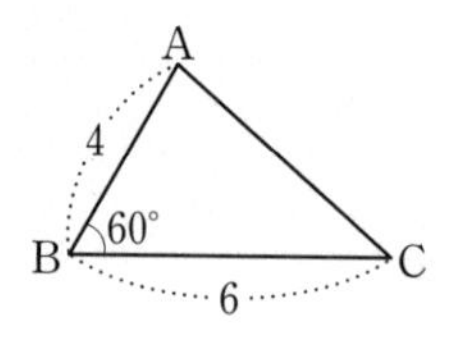

❸ 삼각형의 높이

$\triangle ABC$에서 한 변의 길이 a와 그 양 끝 각 $\angle B$, $\angle C$의 크기를 알 때, 높이 h는

(1) $\angle B$, $\angle C$가 예각일 때

$a=\overline{BH}+\overline{CH}=h\tan x+h\tan y$

$\therefore h=\dfrac{a}{\tan x+\tan y}$

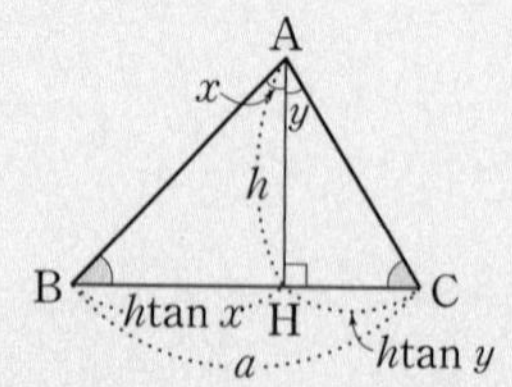

(2) $\angle B$, $\angle C$ 중 하나가 둔각일 때

$a=\overline{BH}-\overline{CH}=h\tan x-h\tan y$

$\therefore h=\dfrac{a}{\tan x-\tan y}$

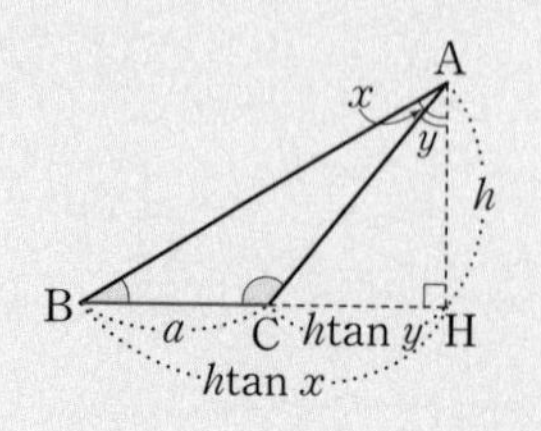

[확인 ❸]
다음 그림과 같은 $\triangle ABC$에서 $\overline{AH}\perp\overline{BC}$이고 $\overline{BC}=20$, $\angle B=30°$, $\angle C=60°$일 때, $\overline{AH}$의 길이를 구하시오.

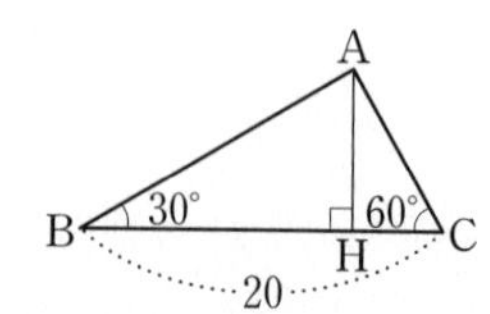

④ 삼각형의 넓이

$\triangle$ABC에서 두 변의 길이 a, c와 그 끼인각 $\angle$B의 크기를 알 때, 넓이 S는

(1) $\angle$B가 예각인 경우

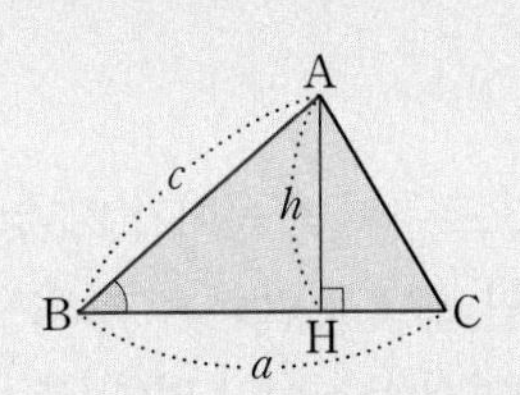

$\triangle ABC=\frac{1}{2}ac\sin B$ (→ h)

(2) $\angle$B가 둔각인 경우

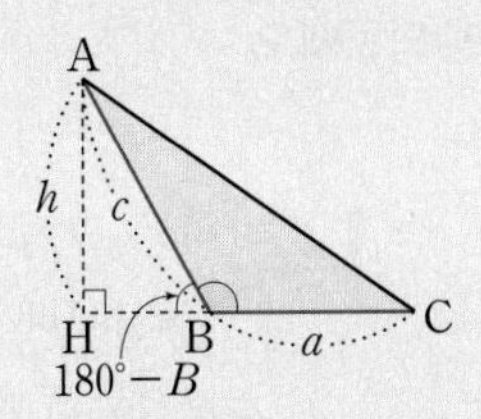

$\triangle ABC=\frac{1}{2}ac\sin(180^\circ-B)$ (→ h)

[확인 ④]
다음 그림과 같이 $\overline{AB}=\overline{AC}=8$, $\angle B=75^\circ$인 이등변삼각형 ABC의 넓이를 구하시오.

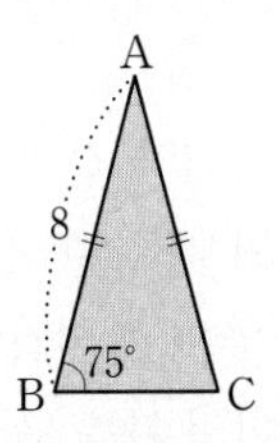

⑤ 평행사변형의 넓이

평행사변형 ABCD의 이웃하는 두 변의 길이가 a, b이고 그 끼인각 x가 예각일 때, 넓이 S는

$$S=ab\sin x$$

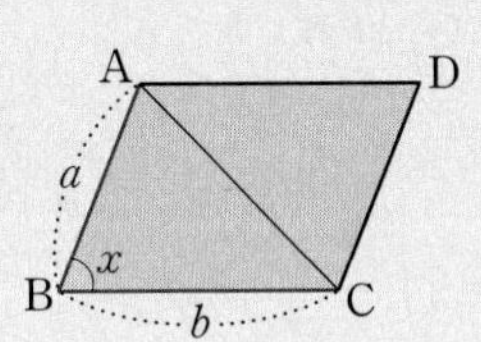

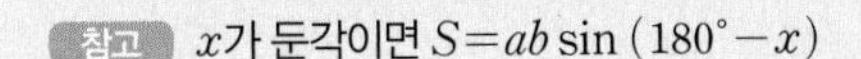

참고 x가 둔각이면 $S=ab\sin(180^\circ-x)$

[확인 ⑤]
다음 그림과 같이 $\overline{BC}=4$, $\angle C=135^\circ$인 마름모 ABCD의 넓이를 구하시오.

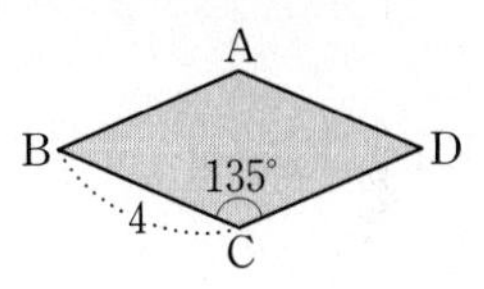

⑥ 사각형의 넓이

(1) 두 삼각형의 넓이를 더해서 구하기

$$\square ABCD=\triangle ABC+\triangle ACD$$
$$=\frac{1}{2}ab\sin B+\frac{1}{2}cd\sin D$$

(단, $\angle$B, $\angle$D는 예각)

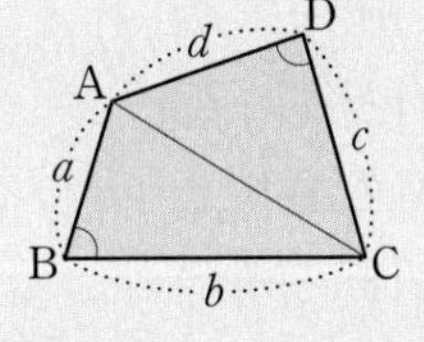

예 아래 왼쪽 그림과 같은 사각형의 넓이는 오른쪽 그림처럼 보조선을 그어 구한다.

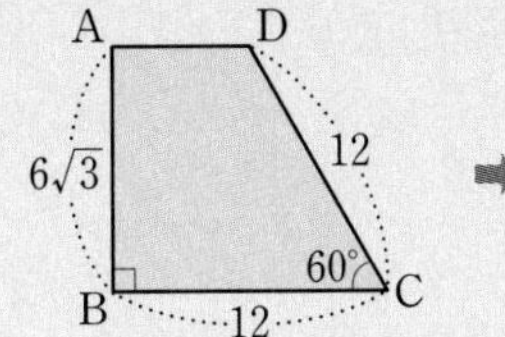

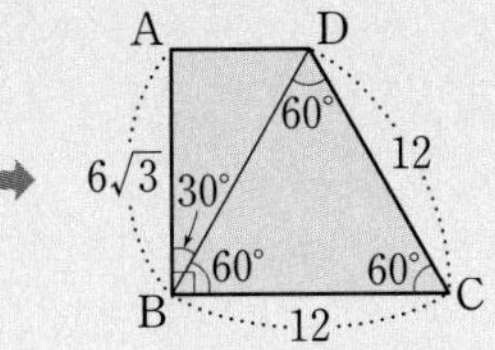

$\therefore \square ABCD=\triangle ABD+\triangle DBC$
$=\frac{1}{2}\times 6\sqrt{3}\times 12\times\sin 30^\circ+\frac{1}{2}\times 12\times 12\times\sin 60^\circ$
$=54\sqrt{3}$

(2) $\square$ABCD의 두 대각선의 길이가 a, b이고 두 대각선이 이루는 각 x가 예각일 때, 넓이 S는

$$S=\frac{1}{2}ab\sin x$$

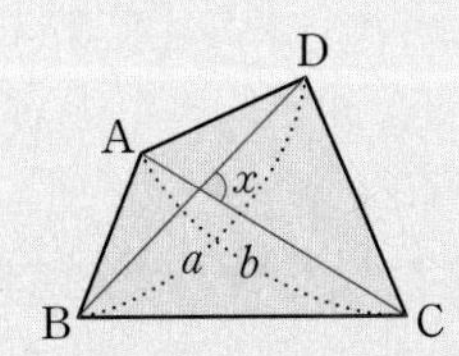

참고 x가 둔각이면 $S=\frac{1}{2}ab\sin(180^\circ-x)$

[확인 ⑥]
다음 그림과 같은 $\square$ABCD의 넓이를 구하시오.

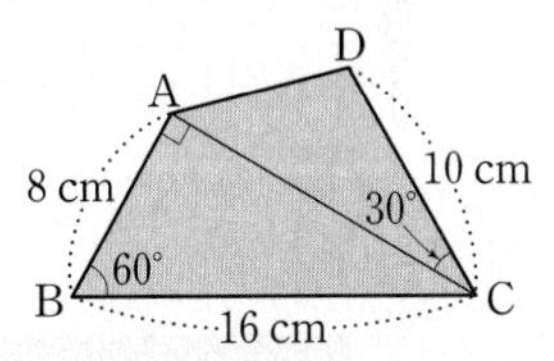

[확인 ⑦]
다음 그림과 같이 $\overline{AC}=12$, $\overline{BD}=10$, $\angle DBC=55^\circ$, $\angle ACB=35^\circ$인 $\square$ABCD의 넓이를 구하시오.

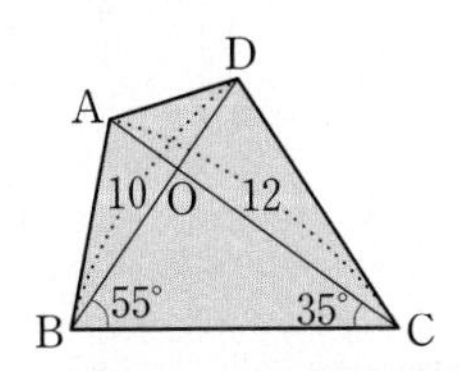

STEP 1 억울하게 울리는 문제 (1)

실생활에서 직각삼각형의 변의 길이

다음 물음에 답하시오.

1-1 다음 그림과 같이 길이가 50 cm인 실에 매달린 추가 좌우로 60°의 각도를 유지하면서 움직이고 있다. 추가 A 지점에 있을 때와 B 지점에 있을 때의 높이의 차를 구하시오.

(단, 추의 크기는 생각하지 않는다.)

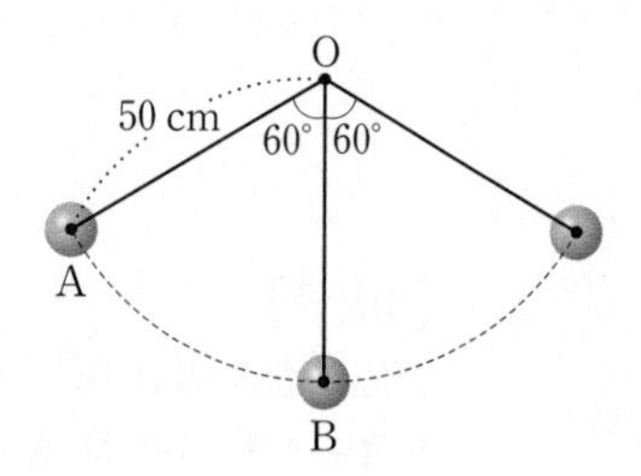

1-2 다음 그림과 같이 지면으로부터의 높이가 2.5 m인 천장에 길이가 2 m인 줄에 매달린 추가 좌우로 50°의 각도를 유지하면서 움직이고 있다. 추가 가장 높은 위치에 있을 때, 지면으로부터의 높이를 구하시오. (단, $\sin 50^\circ = 0.8$, $\cos 50^\circ = 0.6$으로 계산하고, 추의 크기는 생각하지 않는다.)

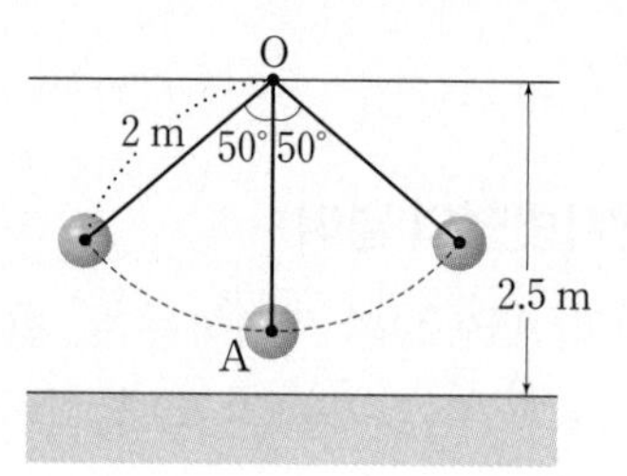

2-1 다음 그림과 같이 C지점에서 수직으로 밤하늘에 불꽃을 쏘아 올렸다. 이때 불꽃을 올려다본 각의 크기가 30°인 B지점에서 불꽃이 터진 뒤 10초 후에 폭발하는 소리를 들었다. C지점에서 불꽃이 폭발한 중심 A지점까지의 높이를 구하시오. (단, 소리의 속력은 초속 340 m이고, 사람 키는 생각하지 않는다.)

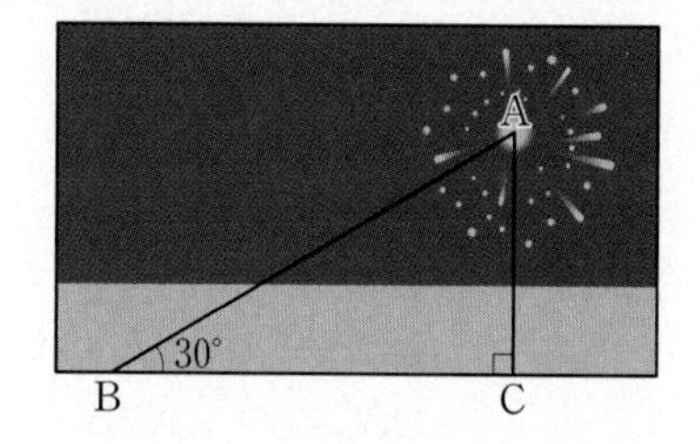

2-2 다음 그림과 같이 비행기가 지면의 A 지점에서 10°의 각을 유지하면서 초속 200 m의 속력으로 이륙하였다. 비행기가 이륙한 지 몇 초 후에 2000 m 상공에 있는지 구하시오.

(단, $\cos 80^\circ = 0.2$로 계산한다.)

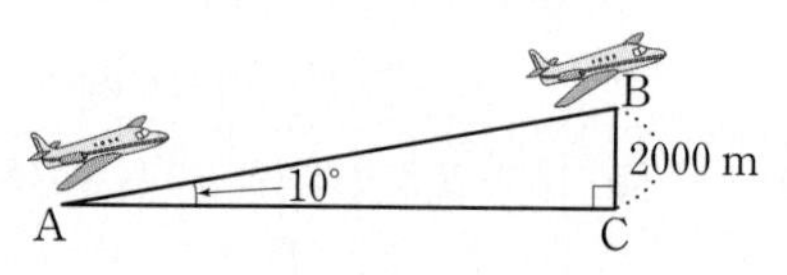

상위권의 눈

▶ 삼각비와 실생활 문제에서는 주어진 그림에서 직각삼각형을 찾는다.

삼각형, 사각형의 넓이

다음 물음에 답하시오.

3-1 다음 그림과 같이 한 변의 길이가 3인 정사각형 ABCD에서 $\overline{BP}:\overline{PC}=2:1$, $\overline{CQ}:\overline{QD}=1:2$이다. $\angle PAQ=x$라 할 때, $\sin x$의 값을 구하시오.

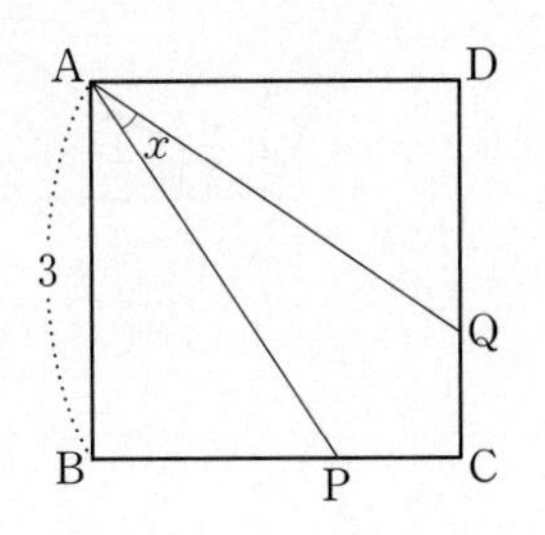

3-2 다음 그림과 같은 직사각형 ABCD의 넓이는 $96\ cm^2$이다. $\overline{AB}:\overline{BC}=2:3$이고 $\overline{BE}=2\overline{EC}$, $\overline{CF}=\overline{DF}$일 때, $\sin x$의 값을 구하시오.

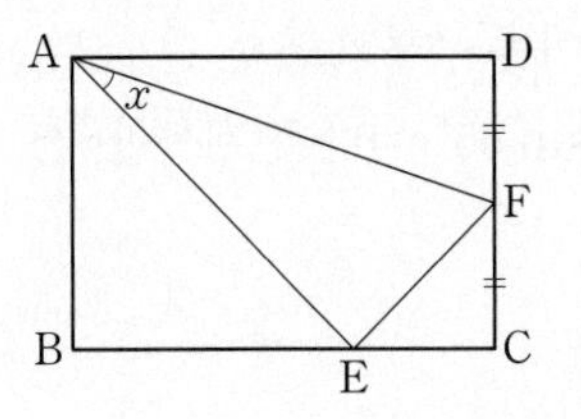

4-1 다음 그림과 같은 사각형 ABCD에서 두 대각선이 이루는 각의 크기가 45°이고 $\overline{BD}=2\overline{AC}$이다. □ABCD의 넓이가 $8\sqrt{2}$일 때, $\overline{BD}$의 길이를 구하시오.

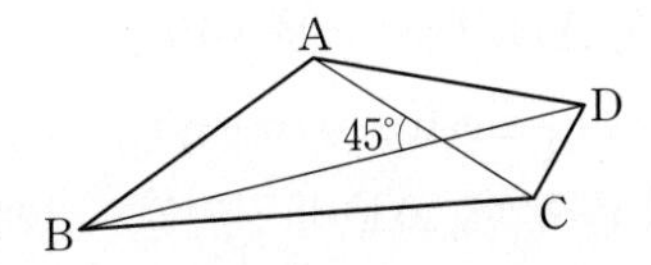

4-2 두 대각선의 길이가 10 cm, 4 cm이고 두 대각선이 이루는 예각의 크기가 x인 사각형에서 긴 대각선의 길이를 3 cm 줄이면 사각형의 넓이는 $4\ cm^2$만큼 줄어든다고 한다. 이때 $\cos x$의 값을 구하시오.

상위권의 눈

▸ △ABC에서 두 변의 길이 a, c와 그 끼인각 ∠B의 크기를 알 때, 넓이 S는

(1) ∠B가 예각인 경우

$S=\frac{1}{2}ac\sin B$

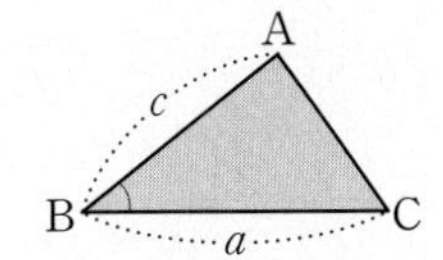

(2) ∠B가 둔각인 경우

$S=\frac{1}{2}ac\sin(180°-B)$

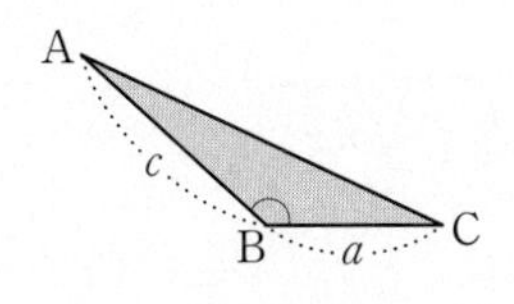

STEP 2 반드시 등수 올리는 문제

직각삼각형의 변의 길이

01

오른쪽 그림과 같이 전신주에 길이가 10 m인 사다리를 놓았더니 지면과 이루는 각의 크기가 $65°$이었다. 이 전신주의 높이를 구하시오.

(단, $\sin 65° = 0.9$로 계산한다.)

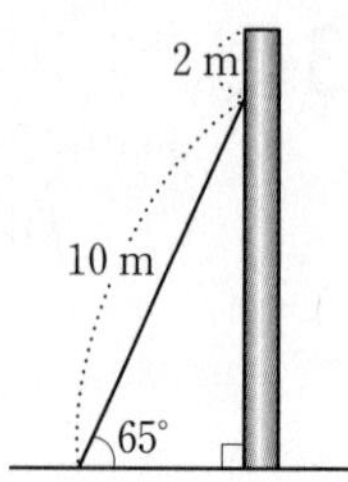

02

다음 그림과 같이 $\angle A = 90°$인 직각삼각형 ABC에서 $\overline{BC} = 16$, $\angle B = 60°$일 때, $\overline{AE}$의 길이를 구하시오.

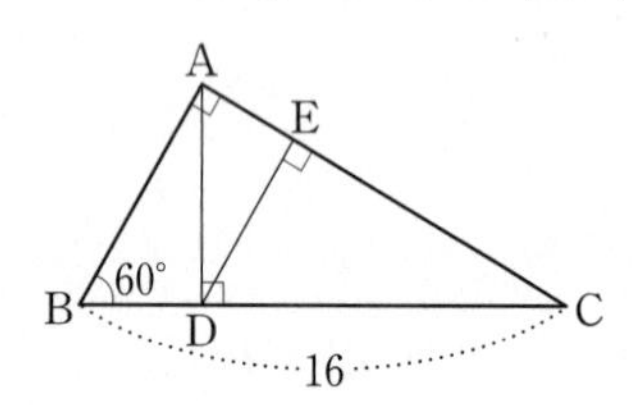

03

다음 그림에서 사각형 AEFG는 한 변의 길이가 2인 정사각형 ABCD를 점 A를 중심으로 $30°$만큼 회전시킨 것이다. 색칠한 부분의 넓이를 구하시오.

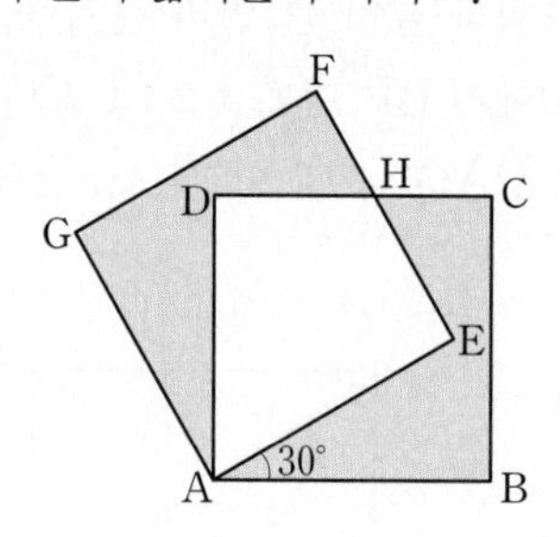

04

오른쪽 그림과 같이 $\angle C = 90°$인 직각삼각형 ABC에서 $\angle B = 45°$, $\angle DBC = 30°$, $\angle AEC = 75°$이다. $\overline{BE} = a$라고 할 때, $\overline{AD}$의 길이를 a의 식으로 나타내시오.

(단, $\tan 75° = 2 + \sqrt{3}$으로 계산한다.)

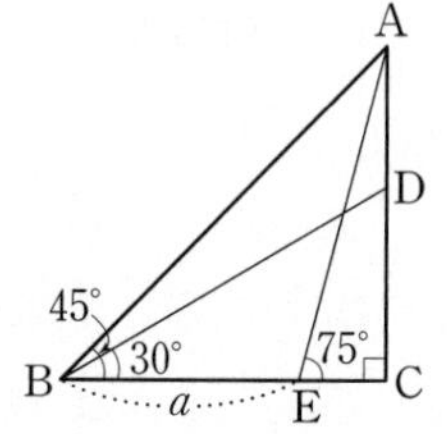

05

경사각이 A일 때 (도로의 경사도)$=100\times\tan A$ (%)로 계산한다. 예를 들어 오른쪽 그림과 같은 도로 표지판은 오르막 도로의 경사도가 30 %이면 수평으로 100 m 움직일 때 높이가 30 m 높아진다는 의미이다. 어떤 자동차가 해발 150 m인 지점에서 출발하여 경사도가 10 %인 도로를 800 m 달렸다면, 이 자동차의 현재 위치는 해발 몇 m인지 구하시오.

(단, $\sqrt{101}=10$으로 계산한다.)

일반 삼각형의 변의 길이

06

다음 그림과 같은 △ABC에서 ∠BAC$=105°$, ∠ABC$=45°$, $\overline{AB}=2$일 때, $\overline{BC}$의 길이를 구하시오.

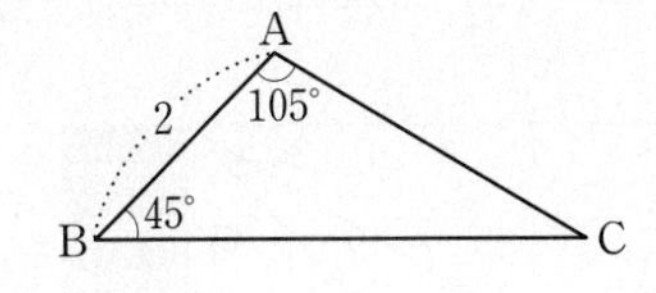

07

오른쪽 그림에서 △ABC는 $\overline{AB}=\overline{AC}$인 이등변삼각형이다. ∠A$=30°$, $\overline{BC}=\overline{DC}=8\sqrt{2}$일 때, $\overline{AC}$의 길이를 구하시오.

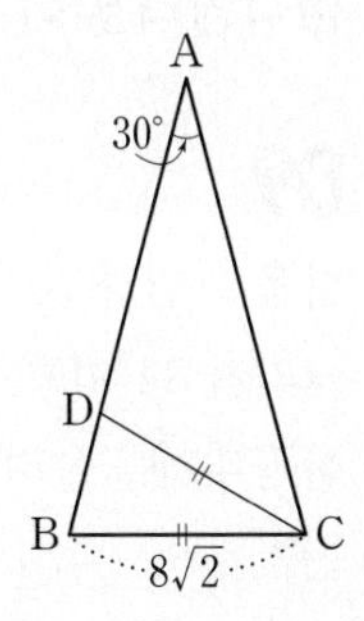

08

다음 그림과 같이 형과 동생이 집에서 동시에 출발하여 각각 도서관과 공원으로 향하였다. 형은 시속 9 km로, 동생은 시속 6 km로 자전거를 타고 간다고 할 때, 집을 출발한 지 40분 후 두 사람 사이의 거리를 구하시오.

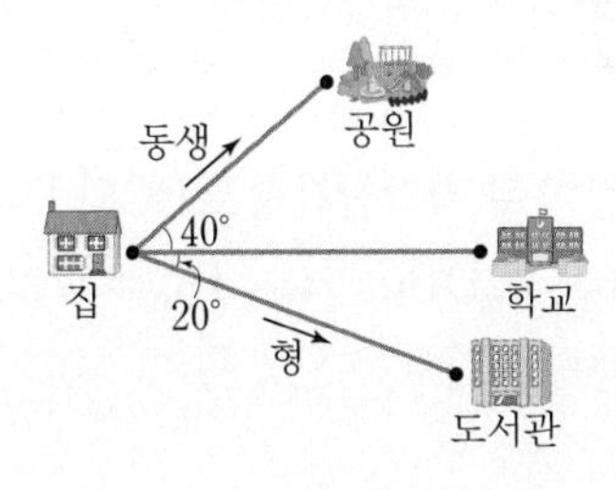

삼각형의 높이

09

다음 그림과 같이 A 지점에서 산꼭대기를 올려다본 각의 크기가 34°이고, A 지점에서 100 m 떨어진 B 지점에서 산꼭대기를 올려다본 각의 크기가 42°일 때, 이 산의 높이는?

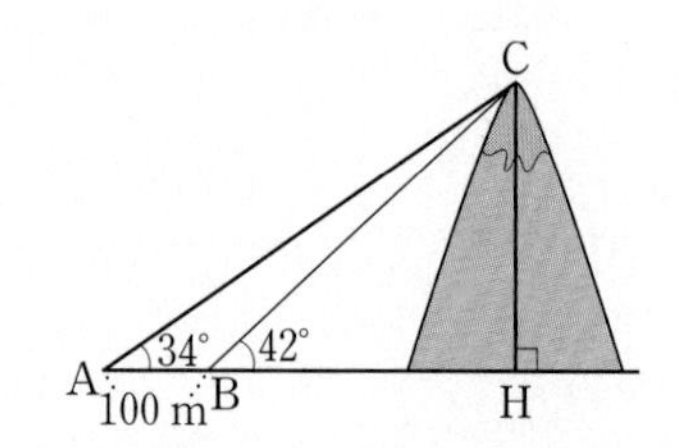

① $\dfrac{100}{\tan 56^\circ - \tan 48^\circ}$ m ② $\dfrac{100}{\tan 42^\circ - \tan 34^\circ}$ m

③ $\dfrac{100}{\tan 56^\circ - \tan 34^\circ}$ m ④ $\dfrac{100}{\tan 48^\circ - \tan 34^\circ}$ m

⑤ $\dfrac{100}{\tan 56^\circ - \tan 42^\circ}$ m

10

다음 그림과 같이 두 직각삼각형 ABC와 DBC가 겹쳐져 있다. $\angle A=60^\circ$, $\angle DBC=45^\circ$, $\overline{DC}=3\sqrt{2}$일 때, 색칠한 부분의 넓이를 구하시오.

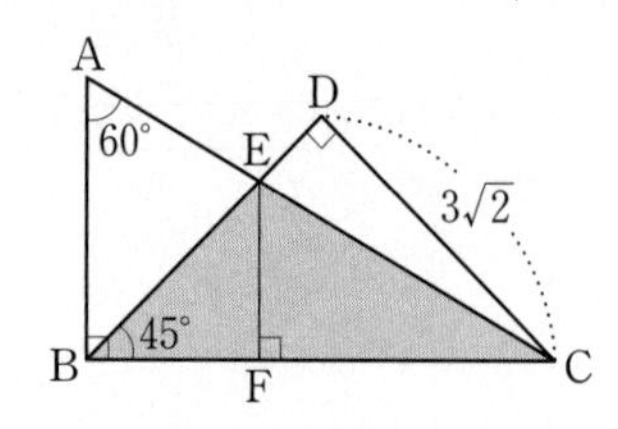

11

다음 그림과 같이 강의 양쪽에 있는 두 지점 A, B 사이의 거리를 구하기 위하여 B 지점과 같은 쪽에 $\overline{BC}=150$ m인 C 지점을 잡았다. 두 지점 A, B 사이의 거리를 구하시오.

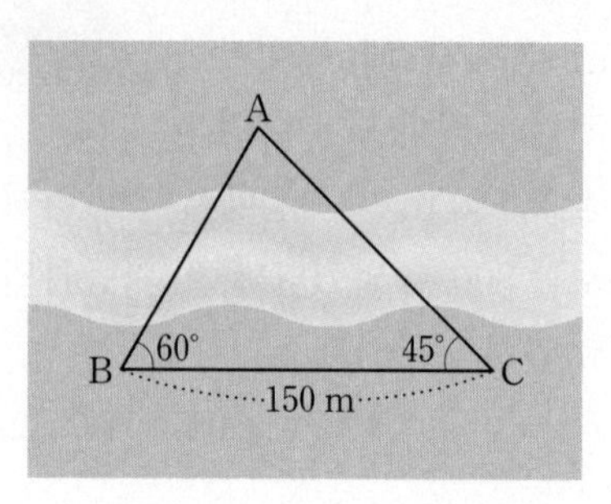

12

지면으로부터 200 m 높이에 있는 빌딩의 T 지점에서 직선 도로 위를 일정한 속력으로 달리는 자동차를 내려다보고 있다. 자동차가 A 지점에 있을 때 전망대 T에서 자동차를 내려다본 각의 크기는 45°이었으며 10초 후에 자동차가 B 지점에 있을 때 자동차를 내려다본 각의 크기가 30°이었다. 이 자동차의 속력은 초속 몇 m인지 구하시오.

(단, 자동차는 일직선으로 움직인다.)

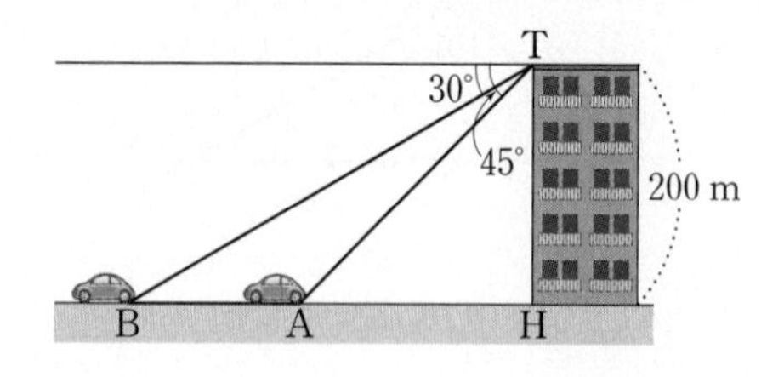

삼각형의 넓이

13

다음 그림과 같은 $\triangle ABC$에서 $\overline{AB}=15$, $\overline{AC}=9$이고 $\angle A=60°$이다. $\overline{AD}$는 $\angle A$의 이등분선일 때, $\overline{AD}$의 길이를 구하시오.

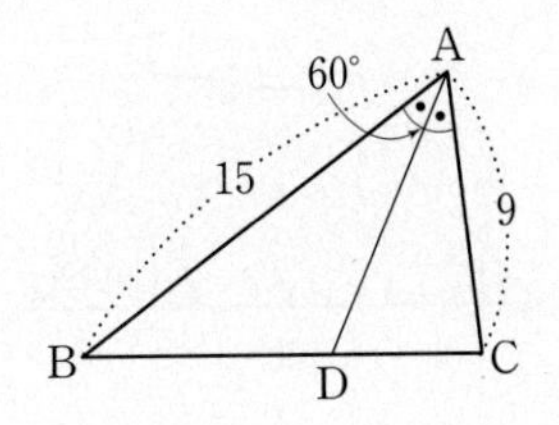

14

길이가 a, b, c인 세 선분 중 각각 2개씩의 선분을 골라 다음 그림과 같이 작도한 세 삼각형 A, B, C의 넓이가 모두 같을 때, $a^2 : b^2 : c^2$은?

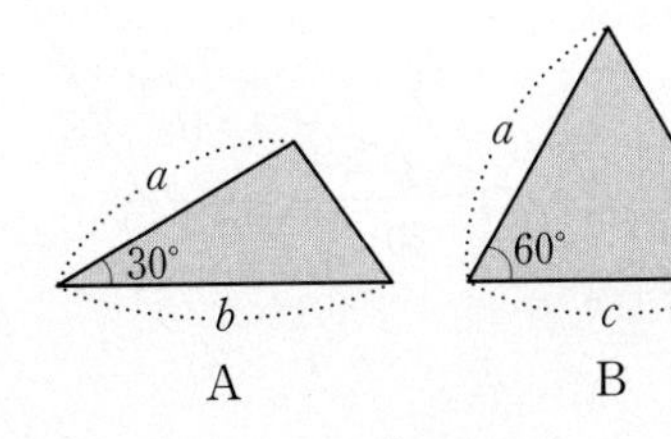

① 1 : 2 : 3 ② 2 : 1 : 3 ③ 2 : 3 : 1
④ 3 : 1 : 2 ⑤ 3 : 2 : 1

15

다음 그림에 주어진 텐트의 출입문은 점 O를 중심으로 하는 반원 모양이다. 이때 중심각의 크기가 60°가 되도록 출입문을 열었더니 빗금친 부분처럼 활꼴 모양으로 바깥으로 젖혀졌다. 이 빗금친 부분의 넓이가 $\frac{1}{6}(2\pi-3\sqrt{3})\ \mathrm{m}^2$일 때, 반원 모양의 출입문의 반지름의 길이를 구하시오.

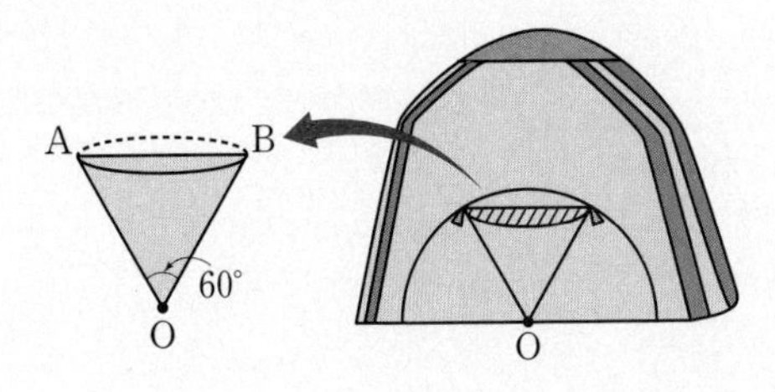

16

오른쪽 그림과 같이 반지름의 길이가 6 cm인 사분원 AOB를 $\overline{BC}$를 접는 선으로 하여 접으면 중심 O가 $\widehat{AB}$ 위의 점 D와 일치한다. 이때 색칠한 부분의 넓이를 구하시오.

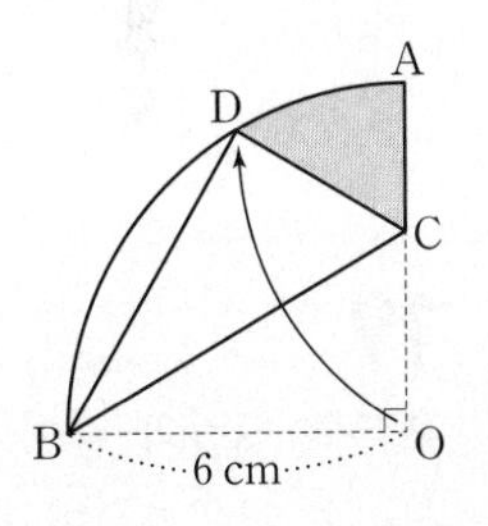

17

오른쪽 그림과 같이 반지름의 길이가 3인 원 O에 크기가 같은 원 6개가 내접하면서 서로 접하고 있을 때, 색칠한 부분의 넓이를 구하시오.

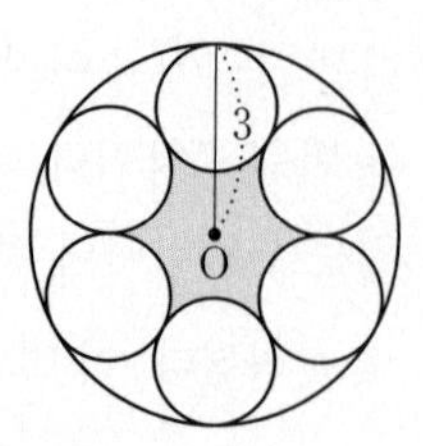

18

오른쪽 그림과 같이 한 변의 길이가 10인 정삼각형 ABC의 세 변 AB, BC, CA를 1 : 4로 나누는 점을 D, E, F라고 할 때, $\triangle$DEF의 둘레의 길이를 구하시오.

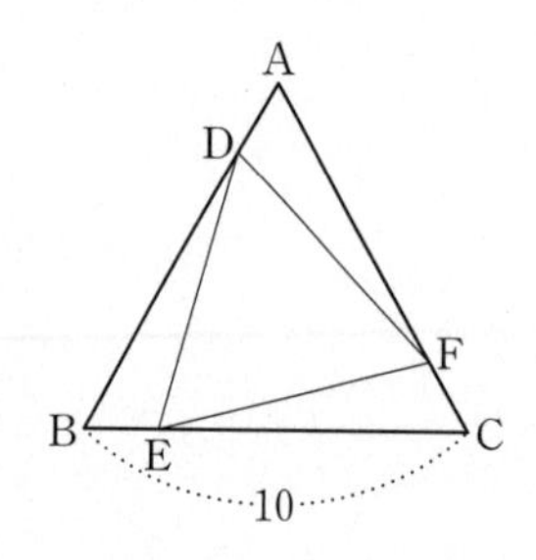

19

오른쪽 그림과 같이 한 모서리의 길이가 4인 정사각뿔에서 $\overline{AB}$, $\overline{CD}$의 중점을 각각 M, N이라고 하자. $\angle$MON$=x$라고 할 때, $\sin x$의 값을 구하시오.

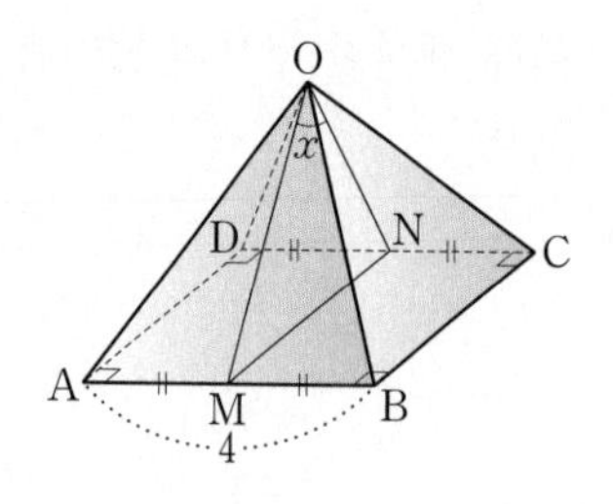

사각형의 넓이

20

다음 그림과 같이 $\overline{AB}=8\sqrt{2}$, $\overline{BC}=20$, $\overline{CD}=10$이고, $\angle B=45°$, $\angle ACD=30°$인 □ABCD의 넓이를 구하시오.

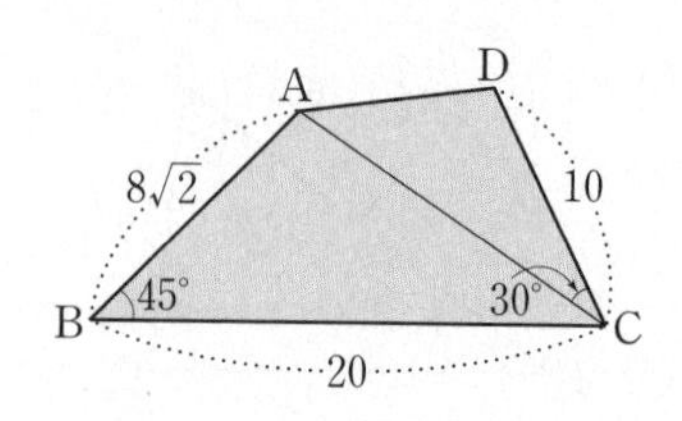

21

오른쪽 그림과 같이 $\overline{AB}=10$, $\overline{AD}=12$인 평행사변형 ABCD에서 $\angle B=60°$, $\overline{CN}:\overline{ND}=1:2$일 때, $\triangle$DBN의 넓이를 구하시오.

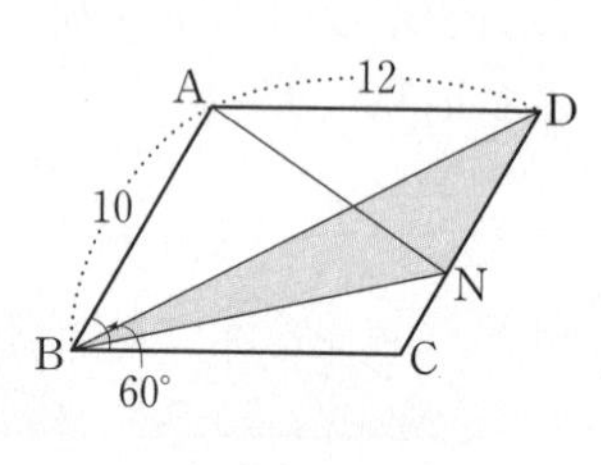

22

폭이 각각 6 cm, 8 cm로 일정한 종이테이프가 다음 그림과 같이 겹쳐져 있을 때, 겹쳐진 부분인 ABCD의 넓이를 구하시오.

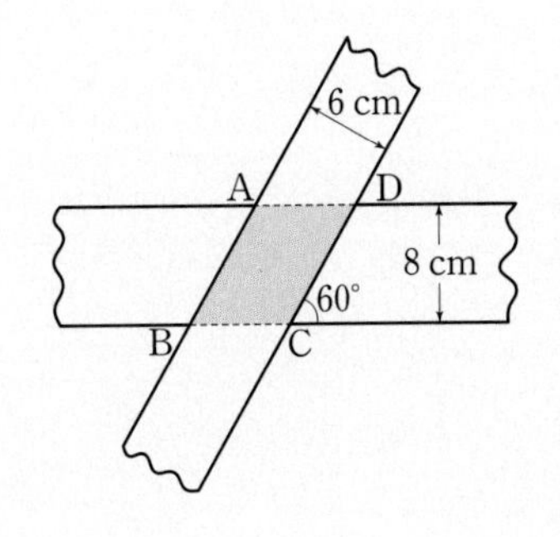

23

오른쪽 그림에서 원 O 안의 6개의 사각형은 모두 합동인 마름모이고 서로 한 변씩 접하면서 원 O에 내접하고 있다. 원의 지름의 길이가 $24\sqrt{3}$ cm일 때, 색칠한 부분의 넓이를 구하시오.

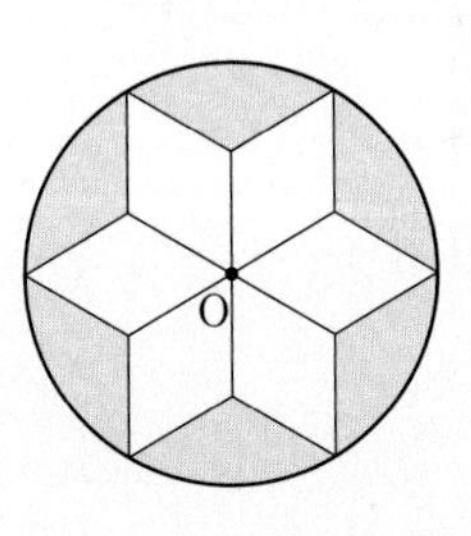

다각형의 넓이

24

오른쪽 그림과 같이 원 O에 내접하는 정십이각형의 넓이가 60일 때, 원 O의 넓이를 구하시오.

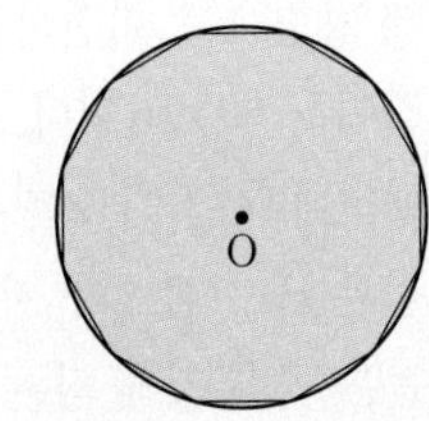

25

오른쪽 그림과 같이 한 변의 길이가 a인 정팔각형의 넓이를 a의 식으로 나타내시오.

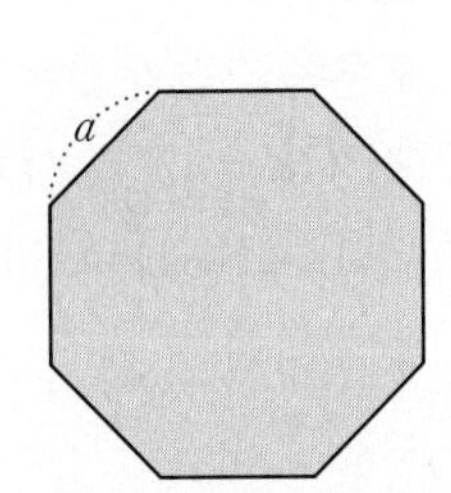

STEP 3 전교 1등 확실하게 굳히는 문제

1 창의력

오른쪽 그림과 같이 원 모양의 자전거 바퀴 조형물이 있다. 이 바퀴는 1초에 $0.5°$씩 시계 방향으로 회전하고, 바퀴의 지름 AB의 길이는 60 cm이다. 현재 $\overline{AB}$와 지면이 평행하다고 할 때, 2분 후 자전거 바퀴의 A 지점은 B 지점보다 지면으로부터 몇 cm 더 높은 곳에 있게 되는지 구하시오.

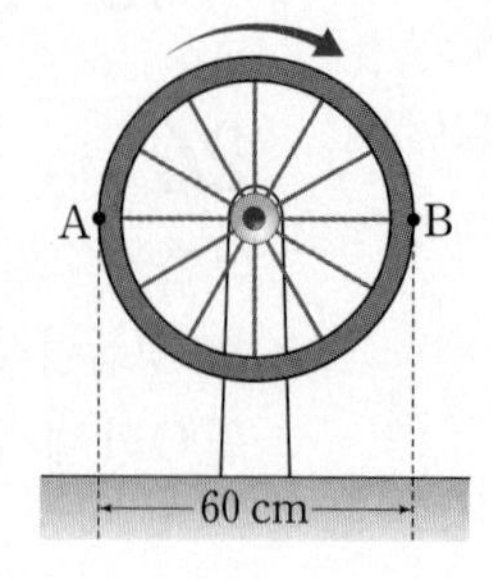

풀이

2

오른쪽 그림과 같은 직육면체에서 $\angle BGF=45°$, $\angle DGH=60°$, $\overline{GH}=4$이다. $\angle BGD=x$라고 할 때, $\sin x$의 값을 구하시오.

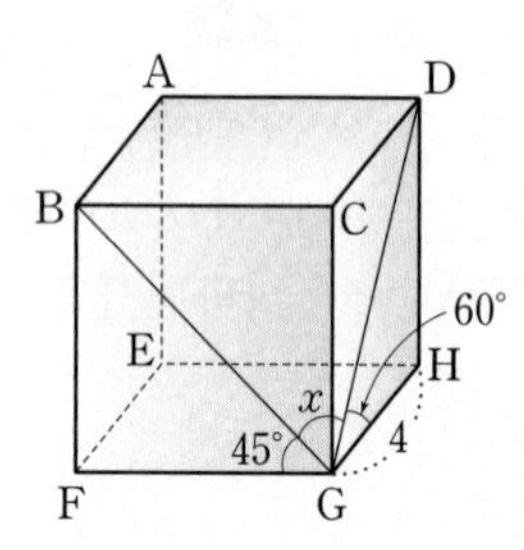

풀이

3 창의+융합

정육면체 모양의 서로 다른 두 개의 주사위 A, B가 있다. A 주사위에는 1부터 6까지의 자연수가 각각 적혀 있고, B 주사위에는 30°, 45°, 60°, 120°, 135°, 150°가 각각 적혀 있다. A 주사위를 두 번 던져서 나온 수를 삼각형의 두 변의 길이로 하고 B 주사위를 한 번 던져서 나온 각도를 A 주사위를 두 번 던져서 나온 두 변의 끼인각으로 하여 삼각형을 그릴 때, 그려진 삼각형의 넓이가 자연수일 확률을 구하시오.

풀이

4

다음 그림과 같이 $\overline{BC}=6$, $\overline{CD}=4$인 평행사변형 ABCD에서 점 M은 $\overline{AB}$의 중점이고 두 점 E, F는 $\overline{AD}$를 3등분한 점이다. $\angle A=120^\circ$이고, $\angle MCF=x$라고 할 때, $\sin x$의 값을 구하시오.

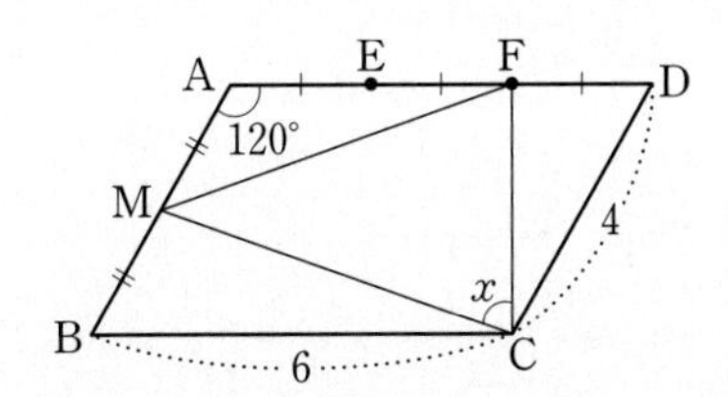

풀이

5 융합형

오른쪽 그림과 같이 한 변의 길이가 2인 정오각형 ABCDE에서 점 G가 두 대각선 AC, BE의 교점일 때, 색칠한 부분의 넓이를 sin 36°를 사용하여 나타내시오.

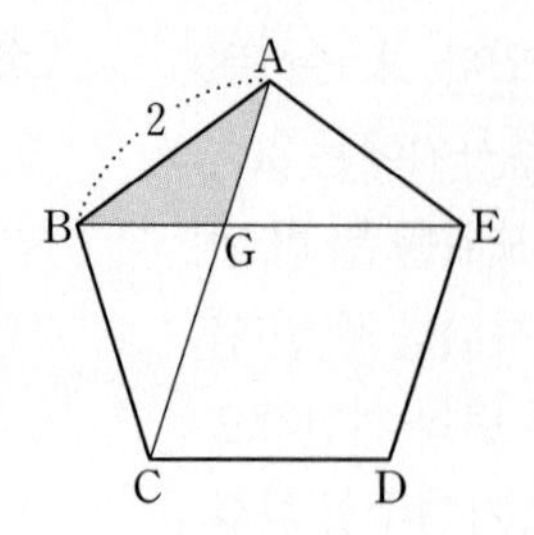

풀이

6

오른쪽 그림과 같이 한 모서리의 길이가 12 cm인 정사면체에서 점 M은 모서리 BC의 중점, 두 점 E, F는 모서리 AD의 삼등분점이다. $\angle EMF = x$라고 할 때, $\sin x$의 값을 구하시오.

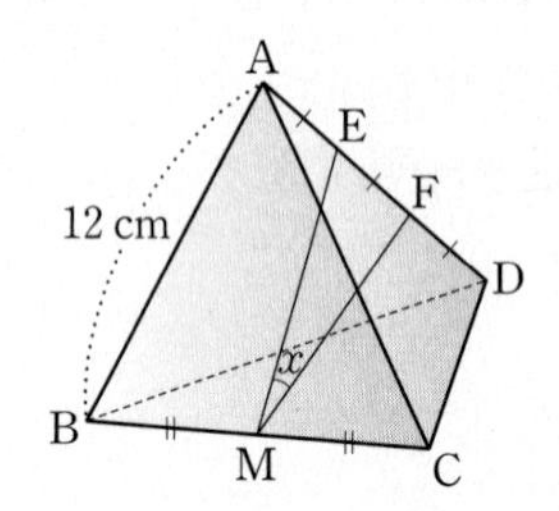

풀이

Ⅱ 원의 성질

01 원과 직선

❶ 원의 중심과 현의 수직이등분선

(1) 원의 중심에서 현에 내린 수선은 그 현을 이등분한다.

➡ $\overline{OM}\perp\overline{AB}$이면 $\overline{AM}=\overline{BM}$

(2) 원에서 현의 수직이등분선은 그 원의 중심을 지난다.

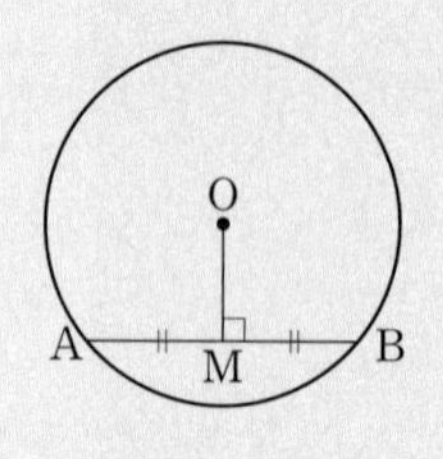

개념+

오른쪽 그림의 원 O에서 다음이 성립한다.

(1) $\overline{OA}=\overline{OC}=\overline{OM}+\overline{MC}$

(2) $\overline{AM}=\overline{BM}$

(3) $\angle OMA=\angle OMB=90°$

(4) $\triangle OAM$에서 $\overline{OA}^2=\overline{AM}^2+\overline{OM}^2$

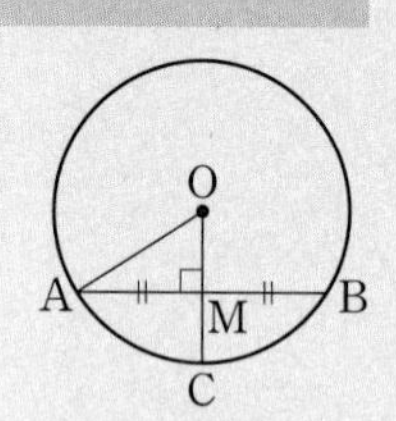

[확인 ❶]

다음 그림과 같이 반지름의 길이가 8인 원 O에서 $\overline{OC}\perp\overline{AB}$, $\overline{OM}=\overline{MC}$일 때, $\overline{AB}$의 길이를 구하시오.

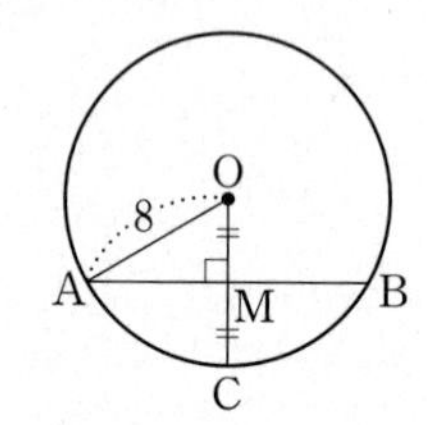

❷ 원의 중심과 현의 길이

한 원에서

(1) 중심으로부터 같은 거리에 있는 두 현의 길이는 서로 같다.

➡ $\overline{OM}=\overline{ON}$이면 $\overline{AB}=\overline{CD}$

(2) 길이가 같은 두 현은 원의 중심으로부터 서로 같은 거리에 있다.

➡ $\overline{AB}=\overline{CD}$이면 $\overline{OM}=\overline{ON}$

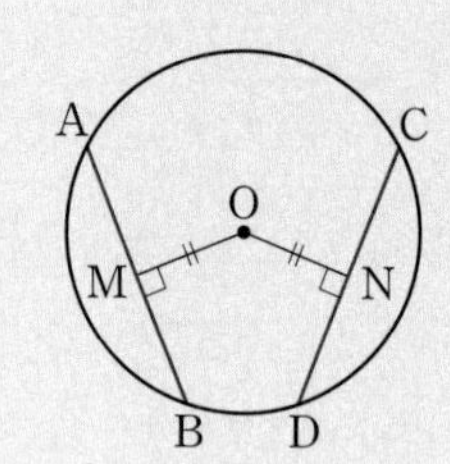

[확인 ❷]

다음 그림의 원 O에서 $\angle x$의 크기를 구하시오.

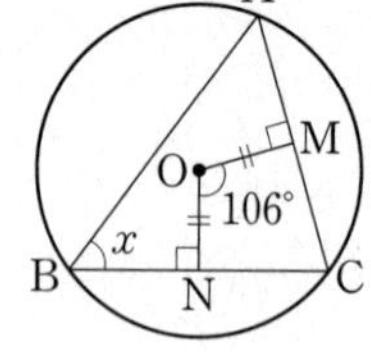
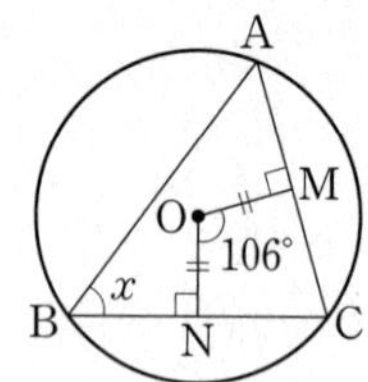

❸ 원의 접선의 성질

(1) 원 밖의 한 점에서 원에 그을 수 있는 접선은 2개이다.

(2) 원 밖의 한 점에서 원에 두 접선을 그을 때, 그 점에서 두 접점까지의 거리는 서로 같다.

➡ $\overline{PA}=\overline{PB}$

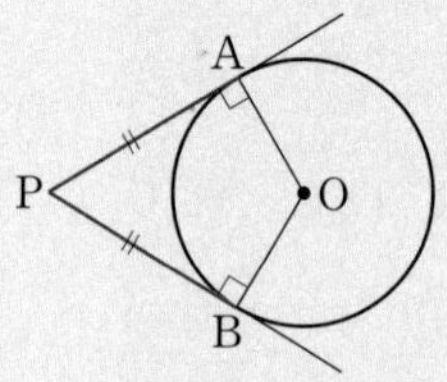

개념+ 원의 접선의 성질의 활용

오른쪽 그림에서 $\overrightarrow{AD}$, $\overrightarrow{AE}$, $\overline{BC}$는 원 O의 접선이고 세 점 D, E, F는 접점일 때

(1) $\overline{AD}=\overline{AE}$, $\overline{BD}=\overline{BF}$, $\overline{CE}=\overline{CF}$

(2) ($\triangle ABC$의 둘레의 길이)

$=\overline{AB}+(\overline{BF}+\overline{CF})+\overline{AC}$

$=(\overline{AB}+\overline{BD})+(\overline{CE}+\overline{AC})$

$=\overline{AD}+\overline{AE}=2\overline{AD}$

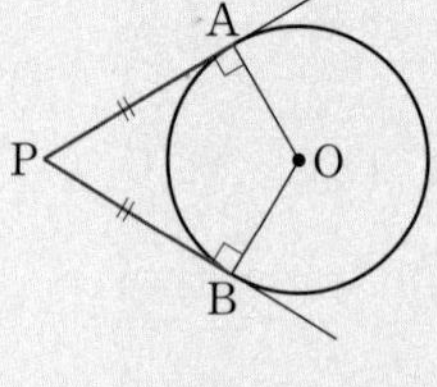

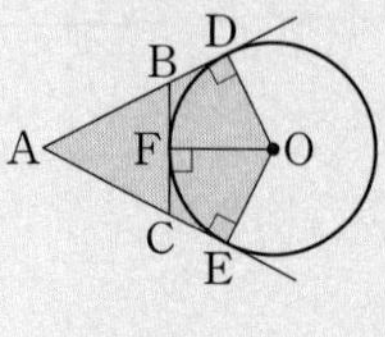

[확인 ❸]

다음 그림과 같이 $\overline{PA}$, $\overline{PB}$는 원 O의 접선이고 두 점 A, B는 접점이다. $\overline{PQ}=\overline{QO}=6$일 때, $\overline{PA}$의 길이를 구하시오.

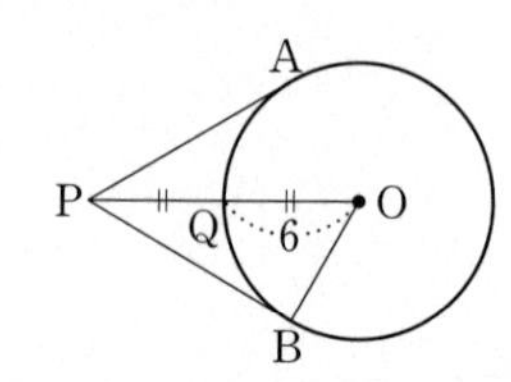

❹ 삼각형의 내접원

반지름의 길이가 r인 원 O가 △ABC의 내접원이고 세 점 D, E, F가 접점일 때

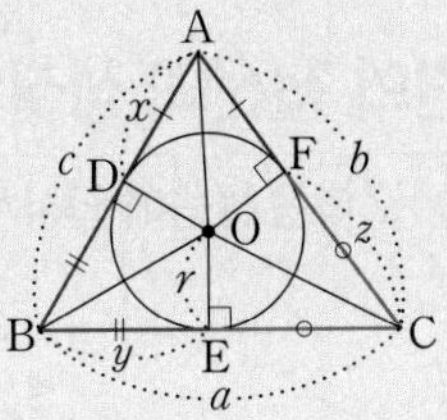

(1) $\overline{AD}=\overline{AF}$, $\overline{BD}=\overline{BE}$, $\overline{CE}=\overline{CF}$

(2) (△ABC의 둘레의 길이)$=a+b+c$
$=2(x+y+z)$

(3) $\triangle ABC=\frac{1}{2}r(a+b+c)$

설명 (2) $\overline{AF}=\overline{AD}=x$, $\overline{BD}=\overline{BE}=y$, $\overline{CE}=\overline{CF}=z$이므로
$a=y+z$, $b=x+z$, $c=x+y$
∴ (△ABC의 둘레의 길이)$=a+b+c$
$=(y+z)+(x+z)+(x+y)$
$=2(x+y+z)$

(3) $\triangle ABC=\triangle OAB+\triangle OBC+\triangle OCA$
$=\frac{1}{2}cr+\frac{1}{2}ar+\frac{1}{2}br$
$=\frac{1}{2}r(a+b+c)$

개념+ 직각삼각형의 내접원

오른쪽 그림과 같이 반지름의 길이가 r인 원 O가 $\angle C=90°$인 직각삼각형 ABC의 내접원이고 세 점 D, E, F가 접점일 때

(1) □OECF는 한 변의 길이가 r인 정사각형이다.

(2) 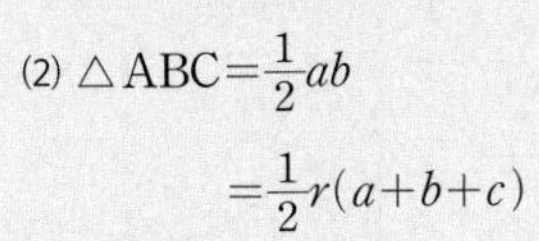
$\triangle ABC=\frac{1}{2}ab$
$=\frac{1}{2}r(a+b+c)$

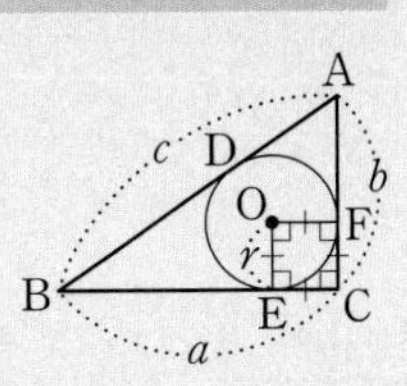

[확인 ❹]

다음 그림과 같이 원 O는 △ABC의 내접원이고 세 점 D, E, F는 접점이다. △ABC의 둘레의 길이가 38 cm이고 $\overline{BE}=6$ cm, $\overline{CF}=8$ cm일 때, $\overline{AD}$의 길이를 구하시오.

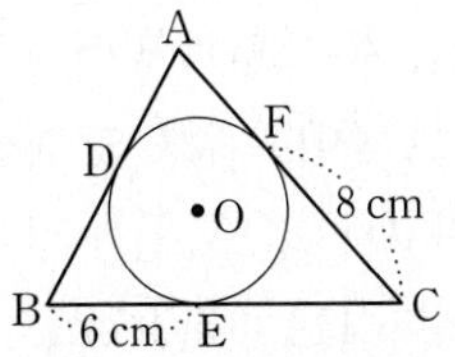

❺ 원에 외접하는 사각형의 성질

(1) 원에 외접하는 사각형의 두 쌍의 대변의 길이의 합은 서로 같다.
➡ $\overline{AB}+\overline{CD}=\overline{AD}+\overline{BC}$

(2) 두 쌍의 대변의 길이의 합이 서로 같은 사각형은 원에 외접한다.

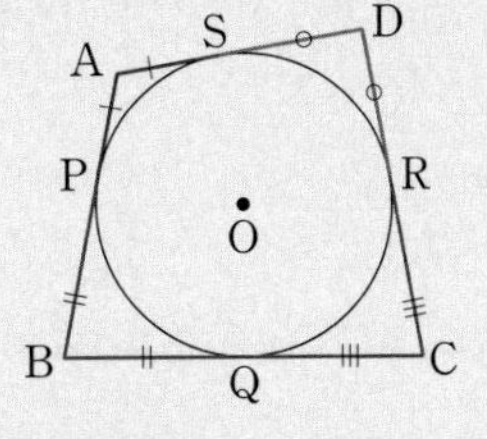

설명 (1) 위 그림과 같이 원 O와 이 원에 외접하는 □ABCD의 네 접점을 각각 P, Q, R, S라 고 하면
$\overline{AP}=\overline{AS}$, $\overline{BP}=\overline{BQ}$, $\overline{CQ}=\overline{CR}$, $\overline{DR}=\overline{DS}$
∴ $\overline{AB}+\overline{CD}=(\overline{AP}+\overline{BP})+(\overline{CR}+\overline{DR})$
$=(\overline{AS}+\overline{BQ})+(\overline{CQ}+\overline{DS})$
$=(\overline{AS}+\overline{DS})+(\overline{BQ}+\overline{CQ})$
$=\overline{AD}+\overline{BC}$

[확인 ❺]

다음 그림과 같이 $\angle A=\angle B=90°$인 사다리꼴 ABCD에 원 O가 내접하고 있다. $\overline{AB}=5$ cm, $\overline{CD}=7$ cm일 때, □ABCD의 넓이를 구하시오.

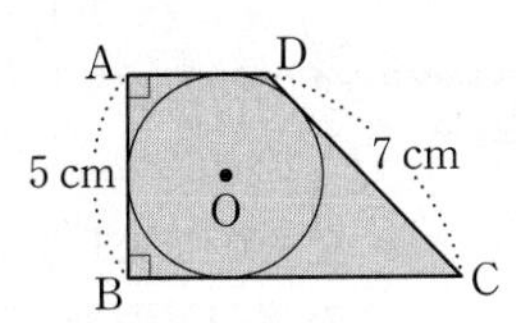

STEP 1 억울하게 울리는 문제 (1)

원의 접선의 성질의 활용

다음 물음에 답하시오.

1-1 오른쪽 그림과 같이 $\overrightarrow{PA}$, $\overrightarrow{PB}$는 원 O의 접선이고 두 점 A, B는 접점이다. $\overline{PA}=5\sqrt{3}$ cm, $\overline{OA}=5$ cm일 때, $\overline{AB}$의 길이와 색칠한 부분의 둘레의 길이의 합을 구하시오.

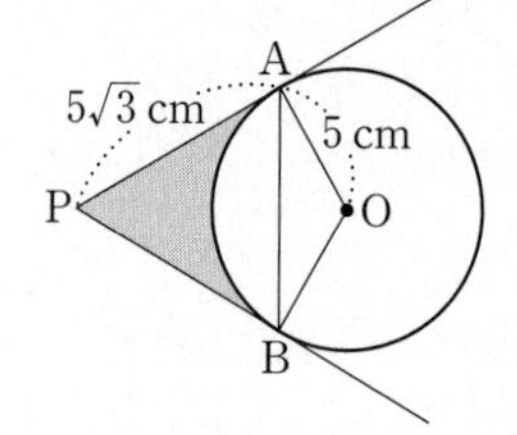

1-2 오른쪽 그림과 같이 점 O를 중심으로 하고 반지름의 길이가 각각 3 cm, 6 cm인 두 원이 있다. $\overline{AB}$, $\overline{AC}$는 큰 원 위의 한 점 A에서 작은 원에 그은 접선이고 두 점 D, E는 접점일 때, 색칠한 부분의 넓이를 구하시오.

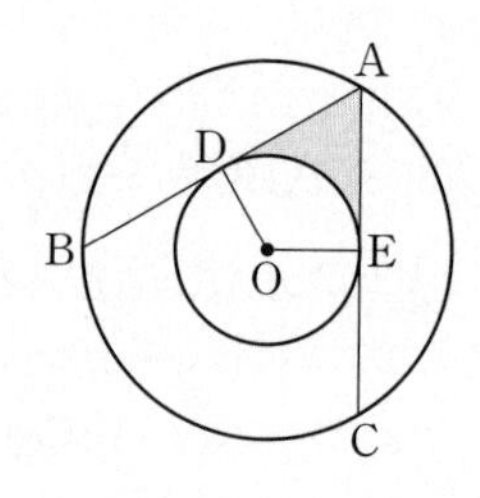

2-1 오른쪽 그림과 같이 원 O의 지름의 양 끝점 A, B에서 그은 두 접선과 원 위의 한 점 P에서 그은 접선의 교점을 각각 C, D라고 하자. $\overline{AC}=5$ cm, $\overline{BD}=9$ cm일 때, 원 O의 반지름의 길이를 구하시오.

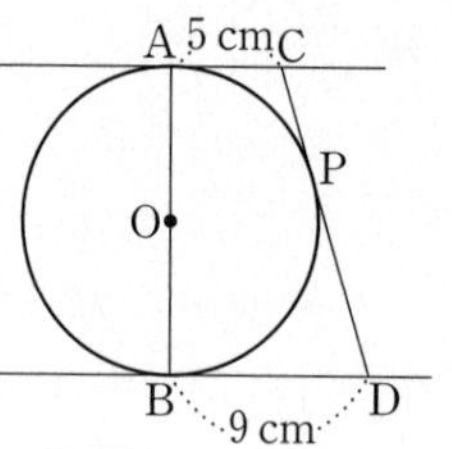

2-2 오른쪽 그림과 같이 $\overline{BC}$는 반원 O의 지름이고 $\overline{AB}$, $\overline{AD}$, $\overline{CD}$는 각각 점 B, E, C를 접점으로 하는 반원 O의 접선이다. $\overline{AB}=6$ cm, $\overline{AD}=8$ cm일 때, 반원 O의 넓이를 구하시오.

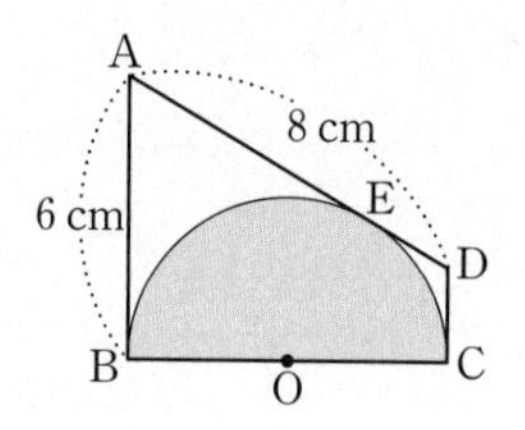

상위권의 눈

▶ 오른쪽 그림과 같이 $\overline{PA}$, $\overline{PB}$가 원 O의 접선이고 두 점 A, B가 접점일 때

(1) $\angle APB+\angle AOB=180°$

(2) $\triangle APO\equiv\triangle BPO$ (RHS 합동)

(3) $\angle APO=\angle BPO$

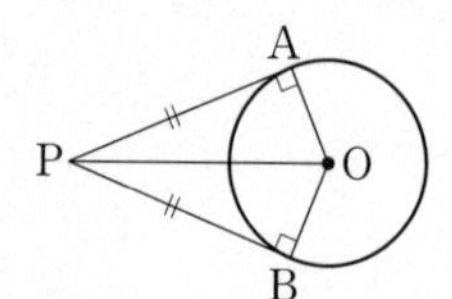

▶ 오른쪽 그림과 같이 $\overline{AB}$, $\overline{AD}$, $\overline{CD}$가 반원 O의 접선일 때

(1) $\overline{AD}=\overline{AB}+\overline{DC}$

(2) 점 A에서 $\overline{CD}$에 내린 수선의 발을 H라고 하면 $\triangle AHD$에서 $\overline{BC}=\overline{AH}=\sqrt{\overline{AD}^2-\overline{DH}^2}$

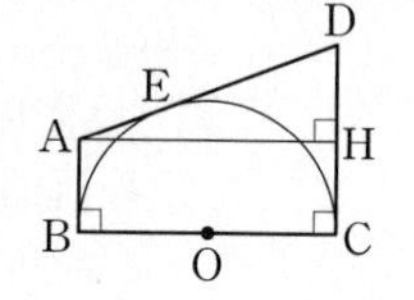

STEP 1 억울하게 울리는 문제 (2)

삼각형의 내접원과 원에 외접하는 사각형

다음 물음에 답하시오.

3-1 다음 그림과 같이 원 O는 $\angle A=90^\circ$인 직각삼각형 ABC의 내접원이고 세 점 D, E, F는 접점이다. $\overline{BC}=15$ cm, $\overline{OE}=3$ cm일 때, $\overline{AC}$의 길이를 구하시오. (단, $\overline{AB}>\overline{AC}$)

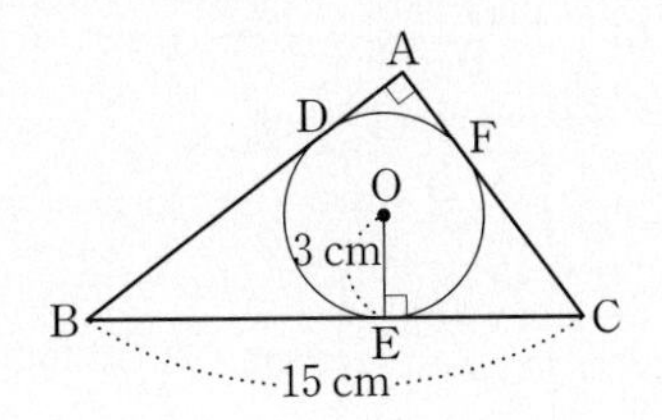

3-2 다음 그림과 같이 원 O는 $\angle C=90^\circ$인 직각삼각형 ABC의 외접원이고 원 O′은 △ABC의 내접원이다. 두 원 O, O′의 반지름의 길이가 각각 10, 4일 때, △ABC의 넓이를 구하시오.

(단, $\overline{BC}>\overline{AC}$)

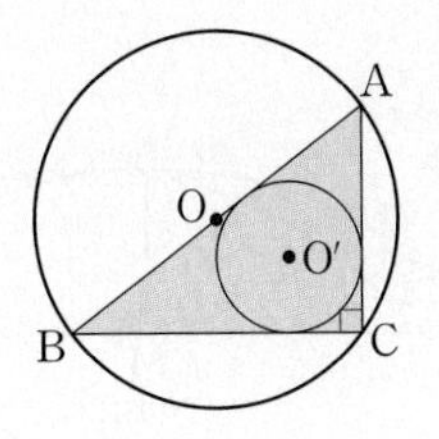

4-1 다음 그림과 같이 원 O는 직사각형 ABCD의 세 변 및 $\overline{DE}$와 접하고 네 점 P, Q, R, S는 접점이다. $\overline{AB}=6$, $\overline{AD}=8$일 때, $\overline{DE}$의 길이를 구하시오.

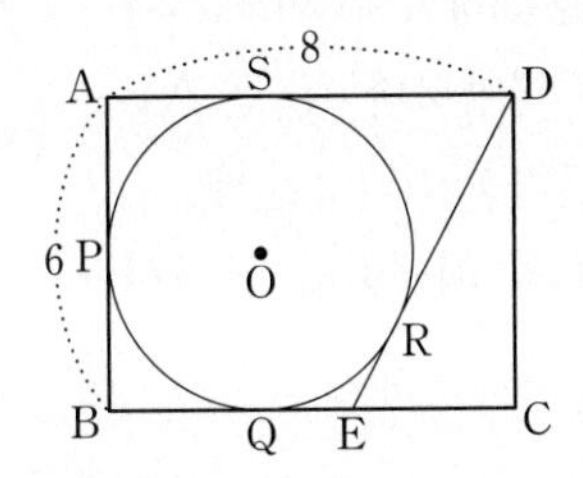

4-2 다음 그림과 같이 원 O는 직사각형 ABCD의 세 변 및 $\overline{BE}$와 접하고 네 점 P, Q, R, S는 접점이다. $\overline{AB}=4$ cm, $\overline{BC}=5$ cm일 때, □EBCD의 넓이를 구하시오.

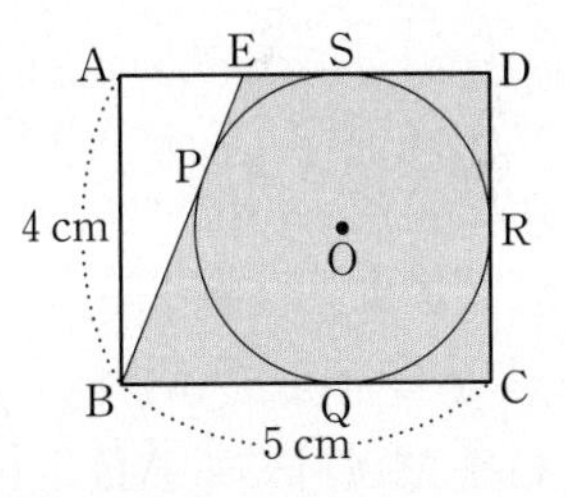

상위권의 눈

▶ 오른쪽 그림과 같이 원 O는 $\angle B=90^\circ$인 직각삼각형 ABC의 내접원이고 세 점 D, E, F가 접점일 때

(1) □DBEO는 정사각형이다.

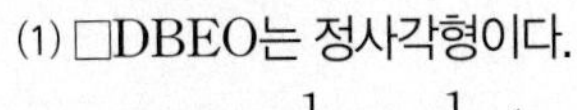
(2) $\triangle ABC=\frac{1}{2}ac=\frac{1}{2}r(a+b+c)$

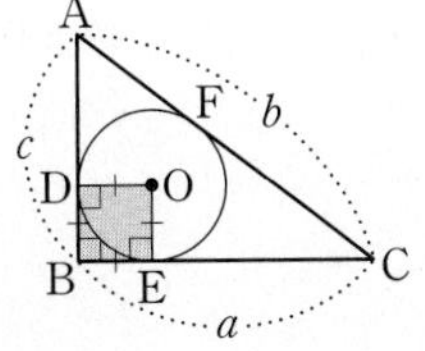

▶ 오른쪽 그림과 같이 원 O가 직사각형 ABCD의 세 변 및 $\overline{DE}$와 접하고 네 점 P, Q, R, S가 접점일 때

(1) $\overline{DE}=\overline{DR}+\overline{ER}=\overline{DS}+\overline{EQ}$

(2) $\overline{AB}+\overline{ED}=\overline{AD}+\overline{BE}$

(3) △DEC에서 $\overline{DE}^2=\overline{CE}^2+\overline{CD}^2$

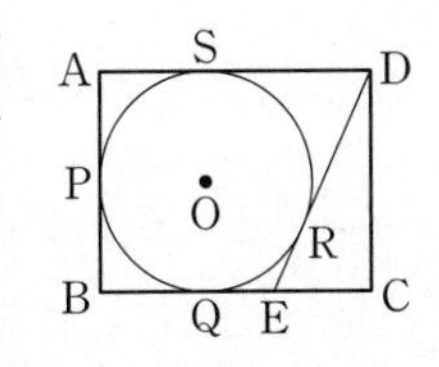

STEP 2 반드시 등수 올리는 문제

원의 중심과 현의 수직이등분선

01

다음 그림과 같이 구름다리의 두 지점을 각각 A, B라고 하고 이 구름다리를 따라 두 지점 A, B를 연결하면 반지름의 길이가 4 m인 원의 일부가 된다. $\overline{AB}$의 중점을 M, 점 M을 지나고 $\overline{AB}$에 수직인 직선과 $\widehat{AB}$의 교점을 N이라고 하자. $\overline{AB}=6$ m일 때, $\overline{MN}$의 길이를 구하시오.

(단, $\overline{MN}<4$)

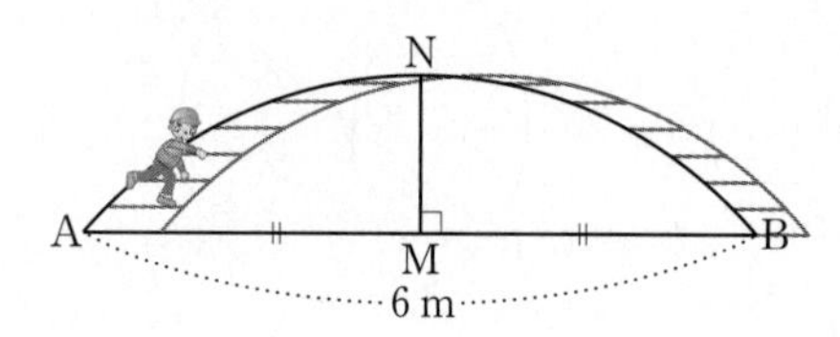

02

오른쪽 그림과 같이 반지름의 길이가 3 cm인 원 O 위의 한 점이 원의 중심 O에 겹쳐지도록 $\overline{AB}$를 접는 선으로 하여 접었을 때, 색칠한 부분의 넓이를 구하시오.

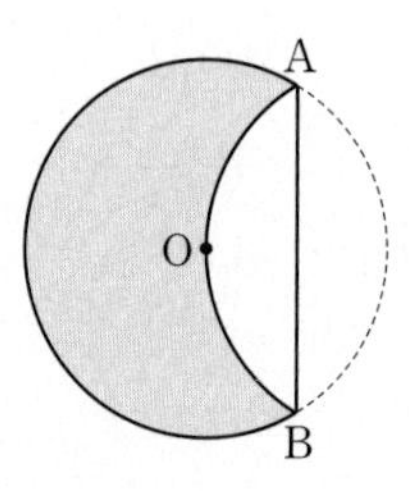

03

반지름의 길이가 10인 원의 중심 O로부터 8만큼 떨어져 있는 점 P가 있다. 이때 점 P를 지나고 그 길이가 자연수인 현의 개수를 구하시오.

04

오른쪽 그림과 같이 반지름의 길이가 2인 원 O에서 두 현 AB와 CD는 서로 평행하다. 두 현 AB와 CD 사이의 거리가 2일 때, $\overline{AB}^2+\overline{CD}^2$의 최댓값을 구하시오.

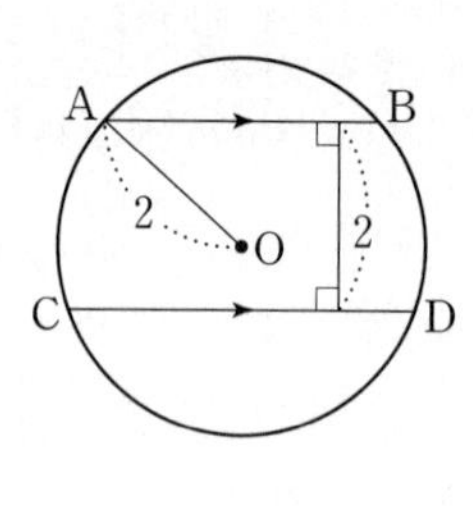

원의 중심과 현의 길이

05

원에서 길이가 6인 현을 오른쪽 그림과 같이 원을 따라 한 바퀴 돌렸을 때, 현이 지나간 부분의 넓이를 구하시오.

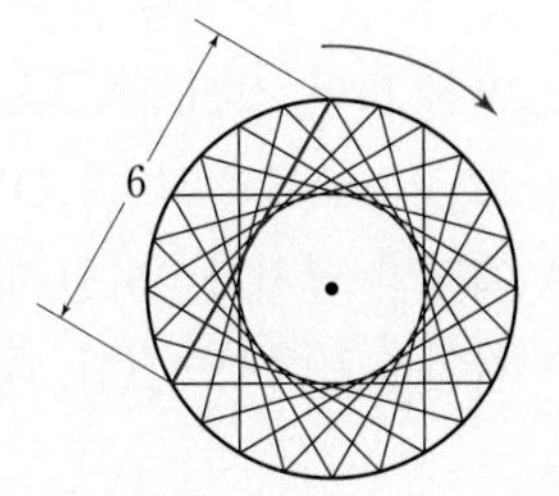

07

다음 그림과 같이 반지름의 길이가 9 cm인 원을 밑면으로 하는 원기둥을 실로 감아 점 P의 위치에서 들어 올렸다. 점 P와 원기둥의 최단 거리가 9 cm일 때, 실의 길이를 구하시오.

(단, 원기둥은 지표면과 평행하게 들어 올린다.)

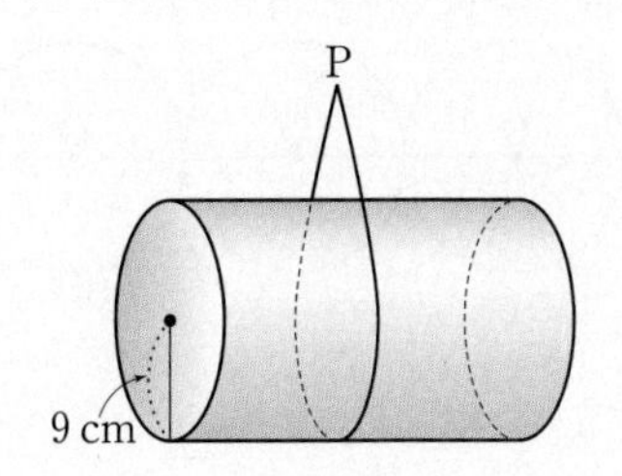

원의 접선의 성질

06

오른쪽 그림과 같이 중심이 O로 같고 반지름의 길이가 각각 6, 10인 두 원에서 큰 원의 두 현 AB, AC와 $\overline{CF}$는 작은 원의 접선이고 세 점 D, E, F는 접점이다. 색칠한 부분의 둘레의 길이를 구하시오.

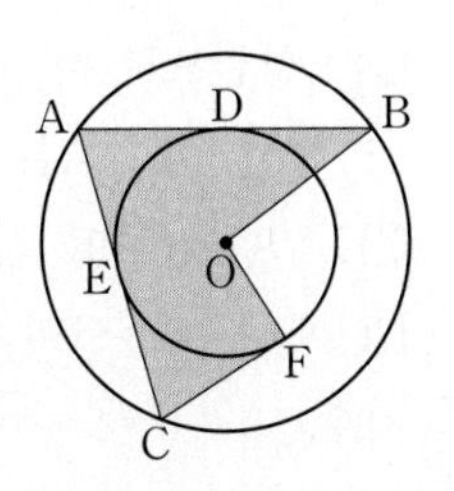

08

오른쪽 그림과 같이 원 밖의 한 점 P에서 원 O에 그은 두 접선의 접점을 각각 A, B라고 하면 $\angle P=40^\circ$이고 $\widehat{AB}$ 위의 점 C에 대하여 $\widehat{AC}:\widehat{BC}=4:3$이다. $\overline{OC}$의 연장선과 $\overrightarrow{PB}$의 교점을 D라고 할 때, $\angle ODB$의 크기를 구하시오.

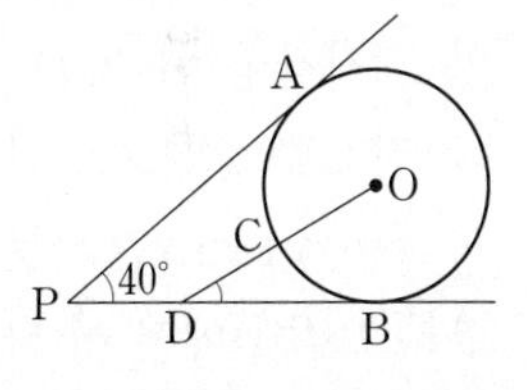

09

다음 그림과 같이 지름의 길이가 8 cm로 같은 세 원 O, O′, O″가 서로 외접하고 있다. $\overrightarrow{AB}$는 원 O 위의 점 A에서 원 O″에 그은 접선이고 점 B는 접점이다. $\overrightarrow{AB}$와 원 O′의 교점을 각각 C, D라고 할 때, $\overline{CD}$의 길이를 구하시오.

(단, 네 점 A, O, O′, O″는 한 직선 위에 있다.)

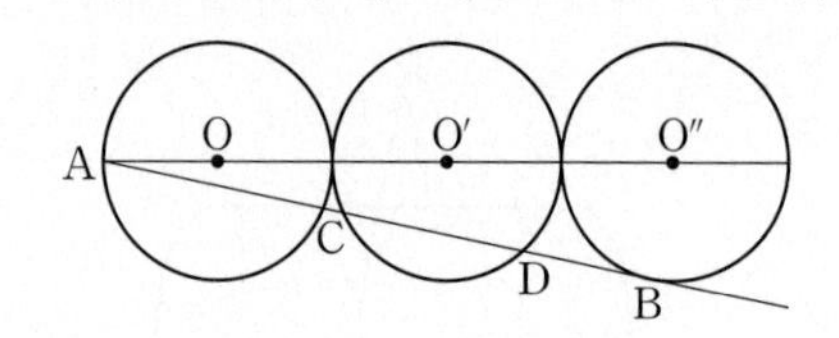

11

오른쪽 그림과 같이 $\overline{AB}$는 반원 O의 지름이고 $\overline{AD}$, $\overline{BC}$, $\overline{CD}$는 각각 점 A, B, E를 접점으로 하는 반원 O의 접선이다. $\overline{AB}=12$이고 직선 AB와 직선 CD가 이루는 예각의 크기가 45°일 때, $\overline{AD}$의 길이를 구하시오. (단, $\overline{AD}<\overline{BC}$)

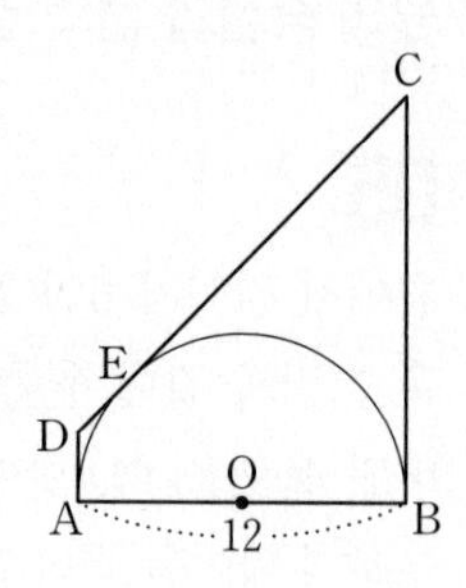

10

오른쪽 그림과 같이 $\overline{BC}=10$ cm, $\overline{CD}=8$ cm인 직사각형 ABCD가 있다. 점 C를 중심으로 반지름의 길이가 8 cm인 사분원을 그리고 점 B에서 이 사분원에 접선을 그어 사분원과 만나는 점을 E, $\overline{AD}$와 만나는 점을 F라고 할 때, $\overline{FD}$의 길이를 구하시오.

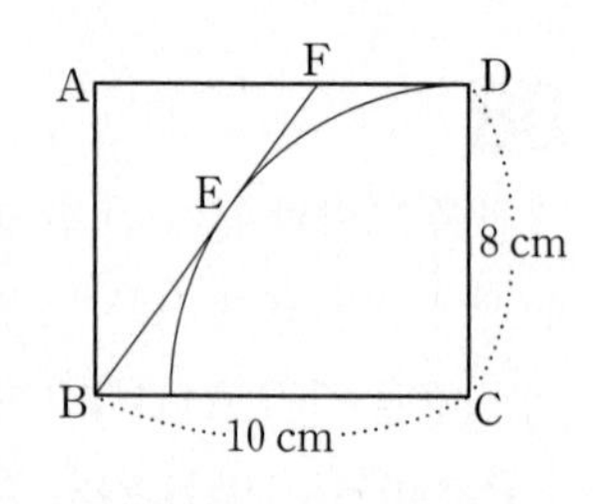

12

오른쪽 그림과 같이 $\overline{BC}$는 반원 O의 지름이고 $\overline{AB}$, $\overline{AD}$, $\overline{CD}$는 각각 점 B, P, C를 접점으로 하는 반원 O의 접선이다. $\overline{AB}=2$ cm, $\overline{CD}=8$ cm이고 점 P에서 $\overline{BC}$에 내린 수선의 발을 H라고 할 때, $\overline{PH}$의 길이를 구하시오.

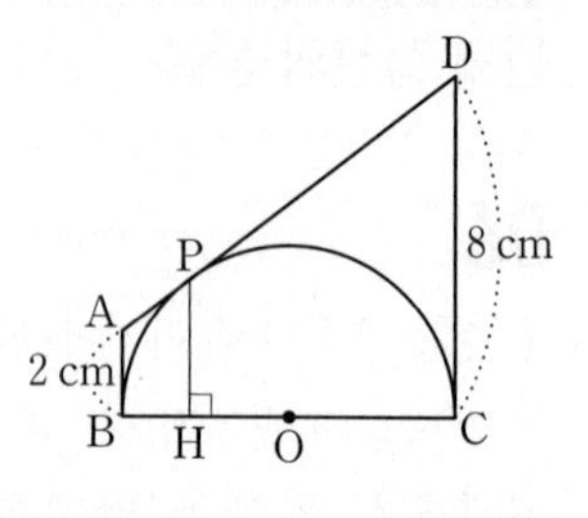

13

다음 그림과 같이 반지름의 길이가 12인 반원 O에 내접하는 두 원 P, Q가 외접하고 있다. 점 O는 원 P의 접점일 때, 원 Q의 반지름의 길이를 구하시오.

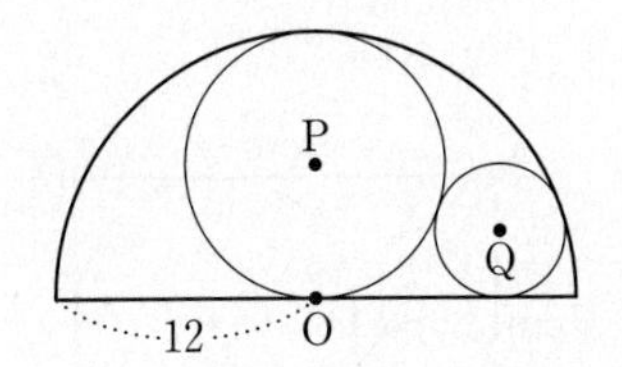

삼각형의 내접원

14

오른쪽 그림과 같이 원 O는 △ABC의 내접원이고 두 변 AB, BC 위의 두 점 D, E에 대하여 $\overline{DE}$가 원 O에 접한다. △BED의 둘레의 길이가 12이고 $\overline{AB}+\overline{BC}=20$일 때, △ABC의 둘레의 길이를 구하시오.

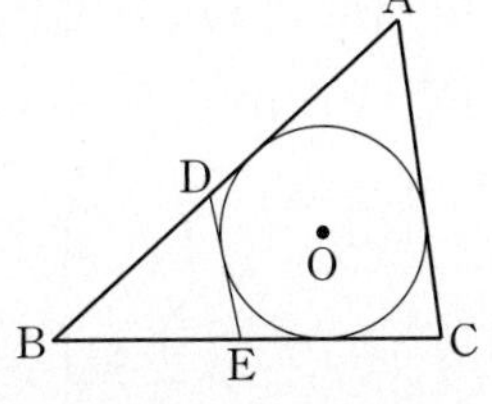

15

다음 그림과 같이 네 원 O_1, O_2, O_3, O_4는 각각 삼각형 ABC, ACD, ADE, AEF의 내접원이고 원 O_1과 원 O_2, 원 O_2와 원 O_3, 원 O_3와 원 O_4는 각각 세 점 P, Q, R에서 외접하고 있다. $\overline{AB}$와 원 O_1의 접점을 G라고 할 때, 세 점 P, Q, R를 지나는 원의 둘레의 길이를 구하시오.

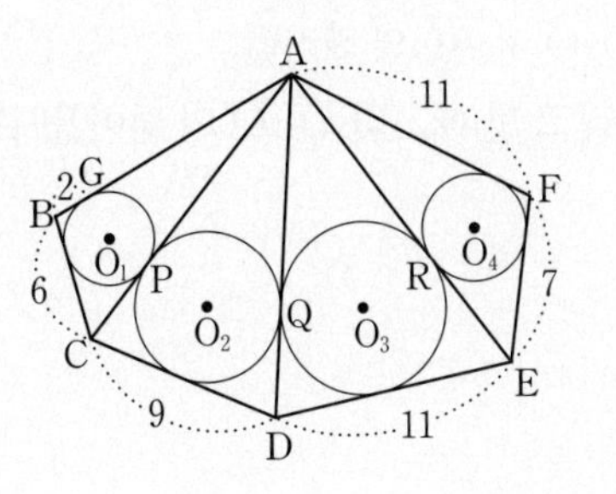

16

다음 그림과 같이 원 O는 ∠C=90°인 직각삼각형 ABC의 내접원이고 세 점 D, E, F는 접점이다. 또 $\overline{PQ}$는 원 O와 점 R에서 접하고 $\overline{RE}$는 원 O의 지름이다.
$\overline{AQ}:\overline{QC}=1:2$이고 $\overline{PQ}=8$일 때, 원 O의 넓이를 구하시오.

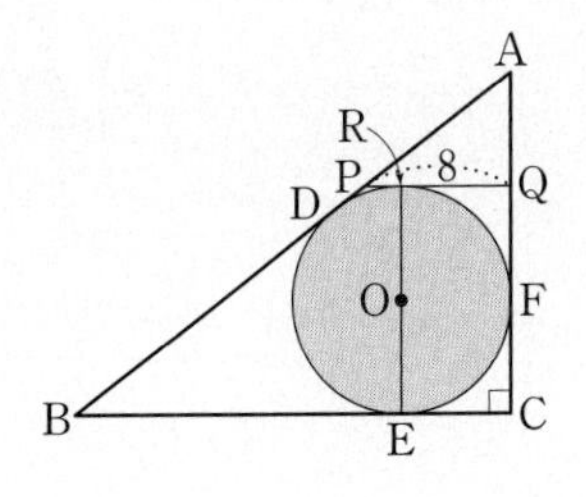

17

오른쪽 그림과 같이 $\overline{AB}=6$, $\overline{BC}=8$, $\overline{AD}=\overline{CD}$이고 $\angle B=\angle D=90°$인 □ABCD에서 두 원 O, O′이 각각 △ABC와 △ACD에 내접한다. 두 원 O, O′과 $\overline{AC}$의 접점을 각각 E, F라고 할 때, □EOFO′의 넓이를 구하시오.

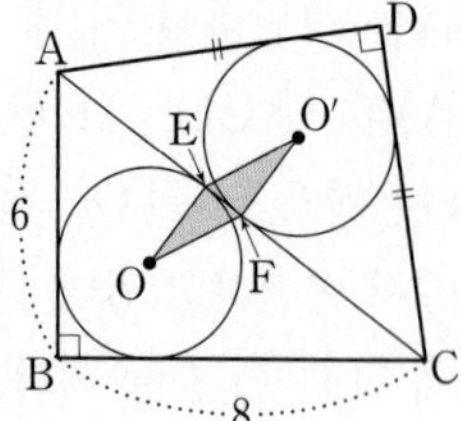

19

다음 그림과 같은 □ABCD에서 원 O가 △ABE에 내접하고 원 O′이 □AECD에 내접한다. $\overline{AB}=6$ cm, $\overline{AD}=9$ cm일 때, 두 원 O, O′의 둘레의 길이의 차를 구하시오.

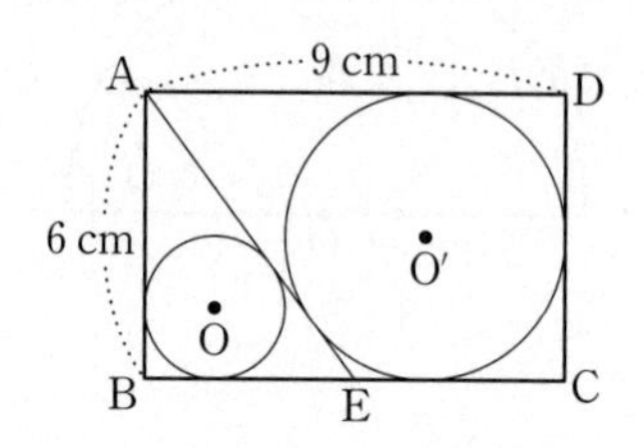

원에 외접하는 사각형의 성질

18

오른쪽 그림과 같이 □ABCD는 반지름의 길이가 5인 원 O에 외접한다. $\overline{AD}=10$, $\overline{BC}=12$일 때, 색칠한 부분의 넓이를 구하시오.

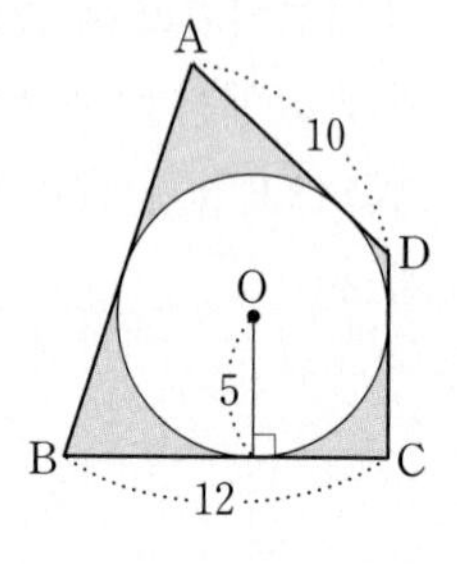

20

다음 그림과 같이 직사각형 ABCD에 접하는 두 원 O, O′이 서로 외접한다. $\overline{DP}$는 원 O의 접선이고 $\overline{AB}=12$ cm, $\overline{PC}=9$ cm일 때, 원 O′의 반지름의 길이를 구하시오.

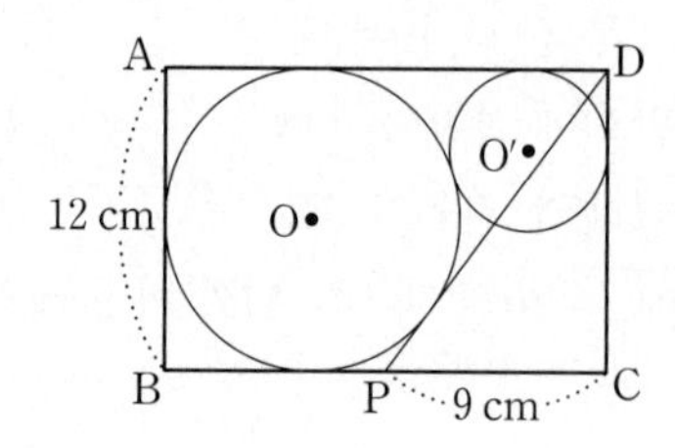

정답과 풀이 26쪽

1 서술형

오른쪽 그림과 같은 원 O에서 세 현 AB, CD, EF는 모두 평행하고 같은 간격으로 있다. $\overline{AB}=2\sqrt{5}$, $\overline{CD}=8$, $\overline{EF}=10$일 때, 원 O의 반지름의 길이를 구하시오.

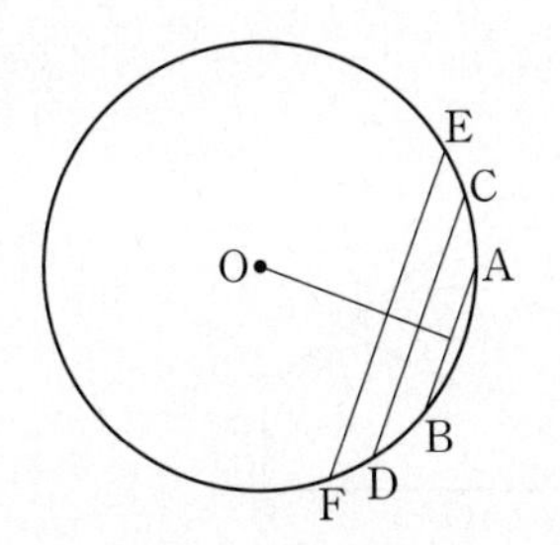

풀이

2

오른쪽 그림과 같이 반지름의 길이가 $\sqrt{3}$ cm인 원 O 밖의 한 점 P에서 이 원에 그은 두 접선의 접점을 각각 A, B라고 하면 $\overline{PA}=3$ cm이다. 원 O를 점 A에 고정하고 반지름의 길이를 늘이면 $\overrightarrow{PB}$는 시계 반대 방향으로 움직인다. 원 O의 반지름의 길이를 3 cm까지 늘이면 점 B는 부채꼴의 호를 그리면서 점 C까지 이동한다고 할 때, 점 B가 점 C까지 이동하면서 그리는 호의 길이를 구하시오.

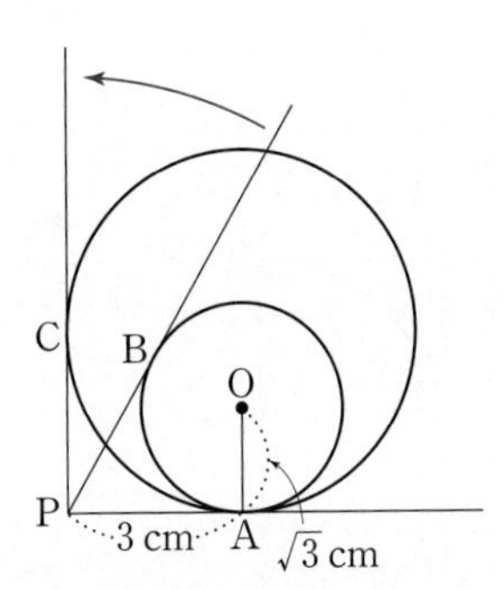

풀이

3 창의력

오른쪽 그림과 같이 $\overline{AB}$는 반원 O의 지름이고 $\overline{DA}$, $\overline{DC}$, $\overline{CB}$는 각각 점 A, P, B를 접점으로 하는 반원 O의 접선이다. $\overline{DA}=8$, $\overline{CB}=2$이고 $\overline{AP}\perp\overline{PB}$일 때, $\overline{PB}$의 길이를 구하시오.

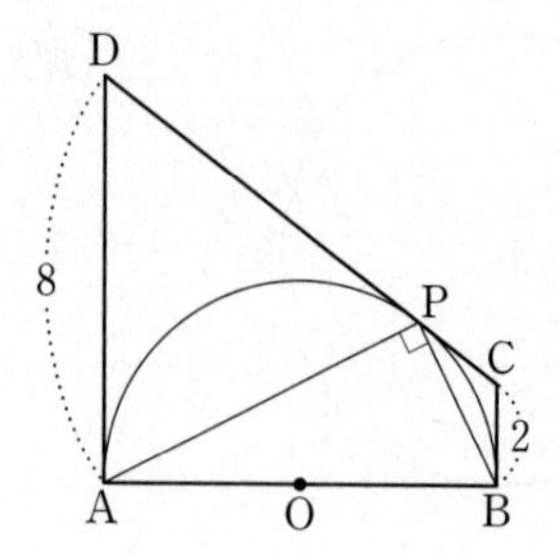

풀이

4

오른쪽 그림과 같이 $\overline{AB}=4\sqrt{3}$, $\overline{AD}=6$인 직사각형 ABCD가 있다. $\overline{AD}$ 위의 점 E, $\overline{BC}$ 위의 점 F에 대하여 $\overline{BE}$와 $\overline{AF}$가 $\overline{CD}$를 지름으로 하는 반원 위의 두 점 G, H에 각각 접할 때, $\overline{GH}$의 길이를 구하시오.

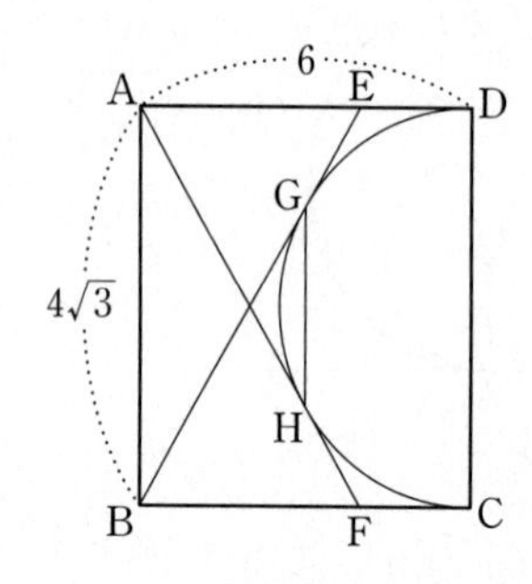

풀이

5 융합형

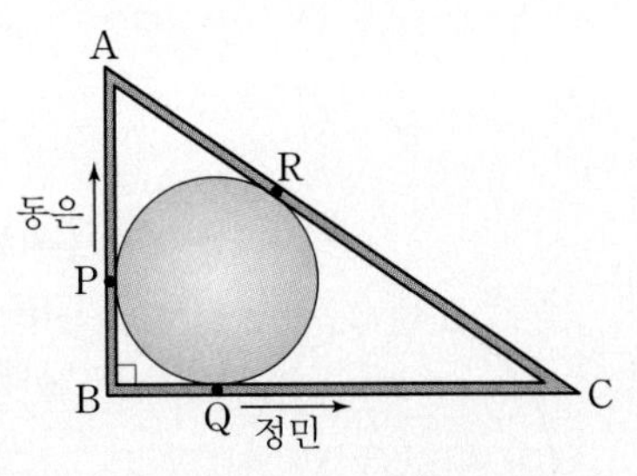

오른쪽 그림과 같이 반지름의 길이가 4 km인 원 모양의 호수에 세 점 A, B, C를 꼭짓점으로 하고 $\angle B=90^\circ$인 직각삼각형 모양의 도로가 세 점 P, Q, R에서 접하고 있다. 동은이는 P 지점에서 출발하여 A 지점까지 걸어가고, 정민이는 Q 지점에서 출발하여 C 지점을 지나 A 지점까지 자전거를 타고 가는데 각 지점에서 동시에 출발하여 A 지점에 동시에 도착하였다. 자전거의 속력이 걷는 속력의 5배일 때, 동은이가 이동한 거리를 구하시오.

(단, 두 사람의 속력은 각각 일정하며 도로의 폭은 무시한다.)

풀이

6

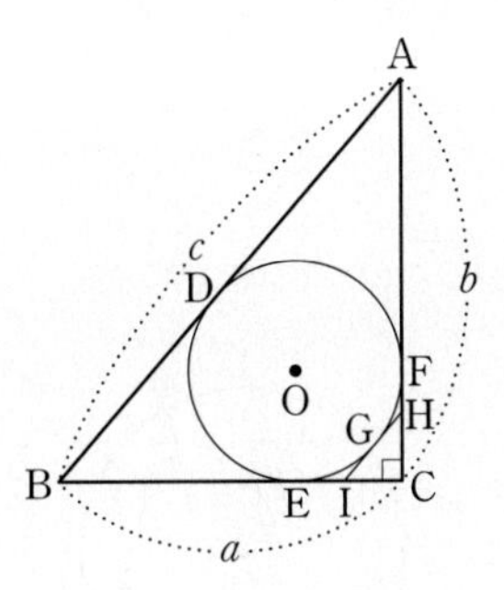

오른쪽 그림과 같이 원 O는 세 변의 길이가 각각 a, b, c이고 $\angle C=90^\circ$인 직각삼각형 ABC의 내접원이고 세 점 D, E, F는 접점이다. $\overline{HI}$는 점 G를 접점으로 하는 원 O의 접선이고 $a+b+c=\frac{1}{2}ab$일 때, $\triangle$HIC의 둘레의 길이를 구하시오.

풀이

정답과 풀이 29쪽

02 원주각

❶ 원주각과 중심각의 크기

(1) 원주각　원 O에서 호 AB 위에 있지 않은 원 위의 점 P에 대하여 $\angle APB$를 호 AB에 대한 원주각이라고 한다.

(2) 한 원에서 한 호에 대한 원주각의 크기는 그 호에 대한 중심각의 크기의 $\frac{1}{2}$이다.

➡ $\angle APB=\frac{1}{2}\angle AOB$

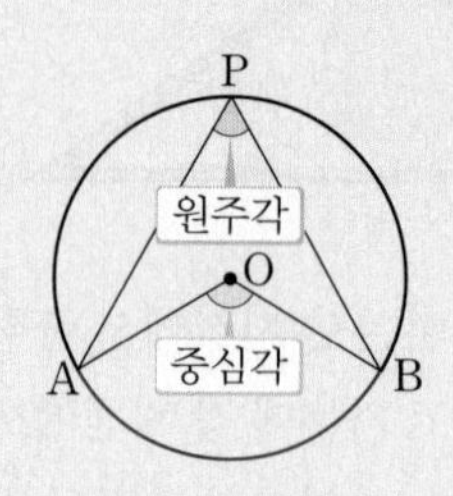

[확인 ❶]
다음 그림과 같은 원 O에서 $\angle BOD=140^\circ$일 때, $\angle x$, $\angle y$의 크기를 각각 구하시오.

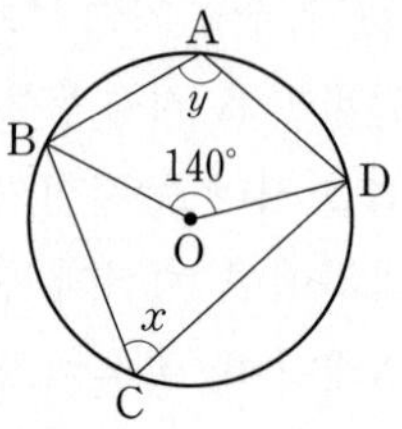

❷ 원주각의 성질

(1) 한 원에서 한 호에 대한 원주각의 크기는 모두 같다.

➡ $\angle APB=\angle AQB=\angle ARB$

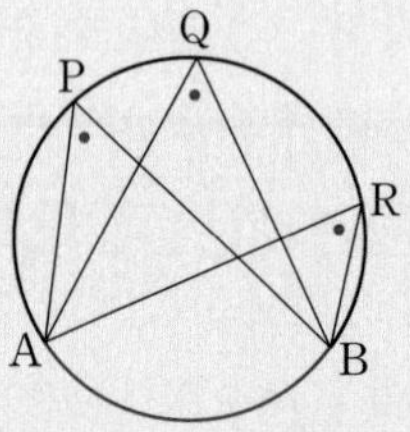

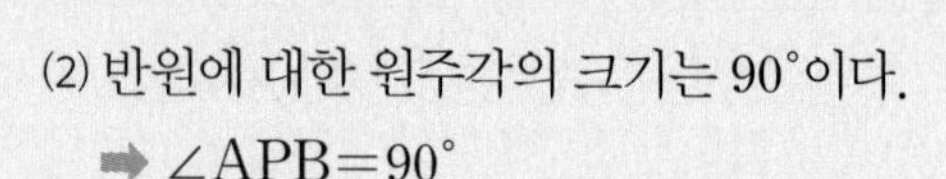

(2) 반원에 대한 원주각의 크기는 90°이다.

➡ $\angle APB=90^\circ$

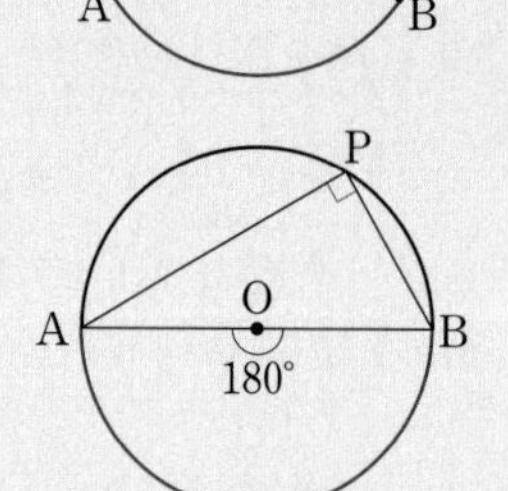

[확인 ❷]
다음 그림과 같은 원 O에서 $\angle APB=20^\circ$, $\angle BOC=70^\circ$일 때, $\angle AQC$의 크기를 구하시오.

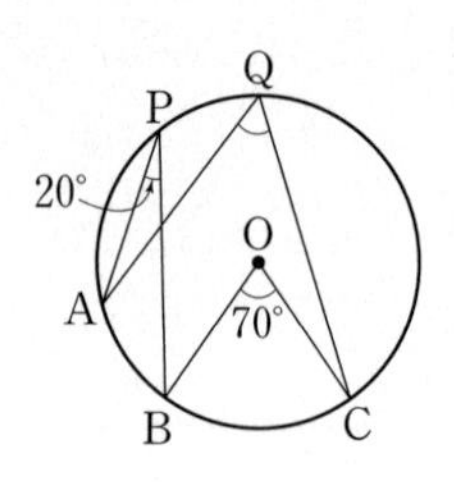

❸ 원주각의 크기와 호의 길이

한 원 또는 합동인 두 원에서

(1) 길이가 같은 호에 대한 원주각의 크기는 같다.

➡ $\overset{\frown}{AB}=\overset{\frown}{CD}$이면 $\angle APB=\angle CQD$

(2) 크기가 같은 원주각에 대한 호의 길이는 같다.

➡ $\angle APB=\angle CQD$이면 $\overset{\frown}{AB}=\overset{\frown}{CD}$

(3) 원주각의 크기와 호의 길이는 정비례한다.

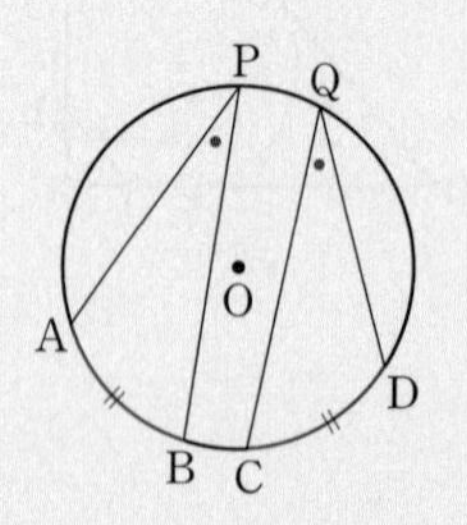

[확인 ❸]
다음 그림과 같은 원 O에서 $\overset{\frown}{AB}=\overset{\frown}{BC}=\overset{\frown}{CD}$이고 $\angle BOC=50^\circ$일 때, $\angle BPC$의 크기를 구하시오.

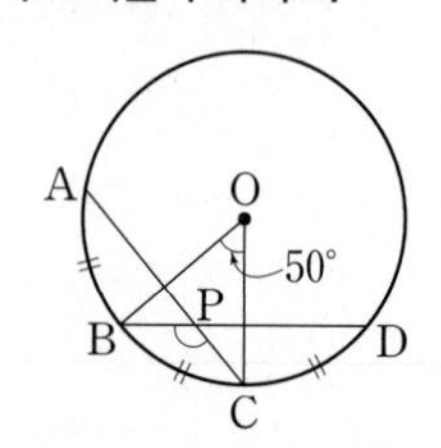

개념+

오른쪽 그림과 같은 원 O에서 $\overset{\frown}{AB}$의 길이가 원주의 $\frac{1}{n}$일 때,

($\overset{\frown}{AB}$에 대한 중심각의 크기)$=\angle AOB=360^\circ\times\frac{1}{n}$

($\overset{\frown}{AB}$에 대한 원주각의 크기)$=\angle APB=\frac{1}{2}\angle AOB$

$=\frac{1}{2}\times\left(360^\circ\times\frac{1}{n}\right)=180^\circ\times\frac{1}{n}$

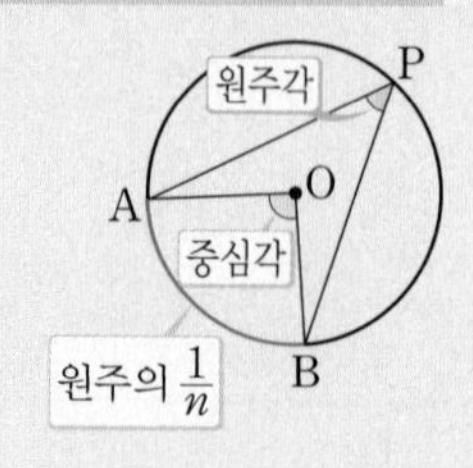

STEP 1 억울하게 울리는 문제 (1)

정답과 풀이 29쪽

반원에 대한 원주각의 크기

다음 물음에 답하시오.

1-1 다음 그림에서 $\overline{AB}$는 반원 O의 지름이고 $\angle COD=28°$일 때, $\angle P$의 크기를 구하시오.

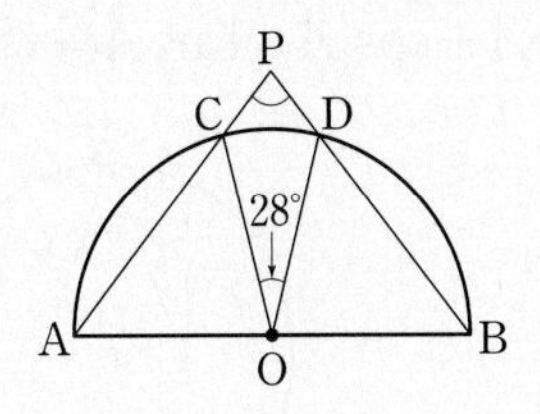

1-2 다음 그림에서 $\overline{AB}$는 반원 O의 지름이고 $\angle P=70°$일 때, $\angle COD$의 크기를 구하시오.

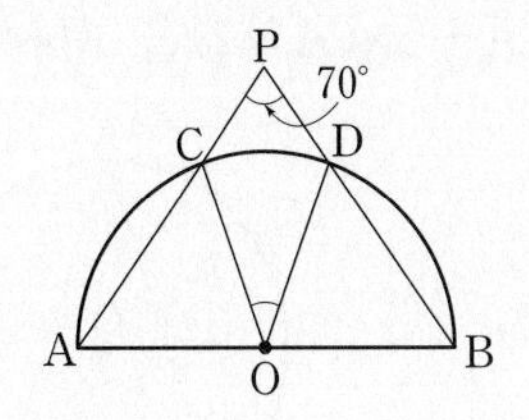

2-1 다음 그림과 같이 지름이 $\overline{AB}$인 원 O에서 $\angle P=50°$, $\angle BOD=40°$일 때, $\widehat{AC}$와 $\widehat{BD}$의 길이의 비를 가장 간단한 자연수의 비로 나타내시오.

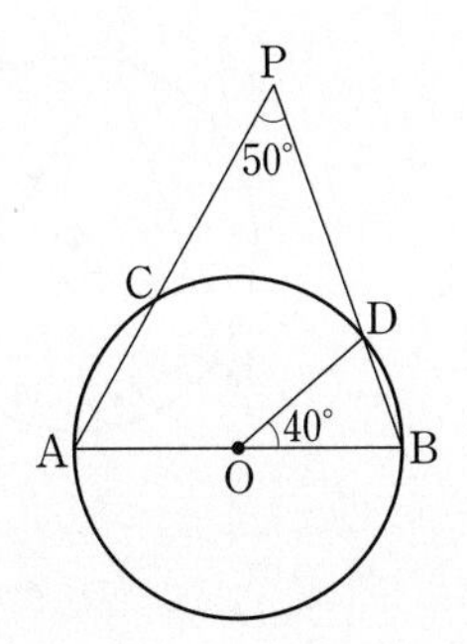

2-2 다음 그림과 같이 지름이 $\overline{AB}$인 원 O에서 $\widehat{ACD} : \widehat{BD}=2 : 1$이고 $\angle AOC=80°$일 때, $\angle P$의 크기를 구하시오.

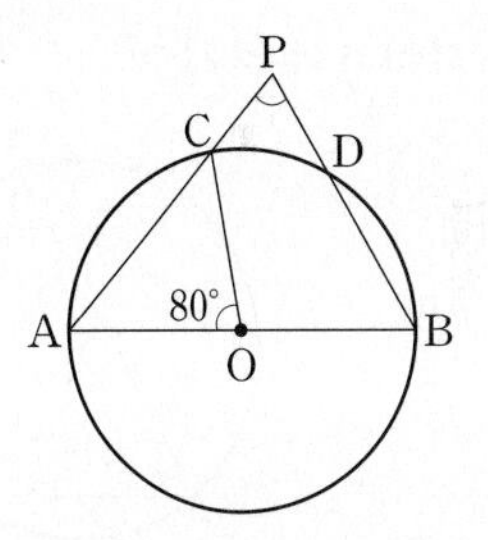

상위권의 눈

▶ 반원에 대한 원주각의 크기는 90°이다.

➡ $\overline{AB}$가 원 O의 지름이면

$\angle APB=\angle AQB=\angle ARB=\frac{1}{2}\times 180°=90°$

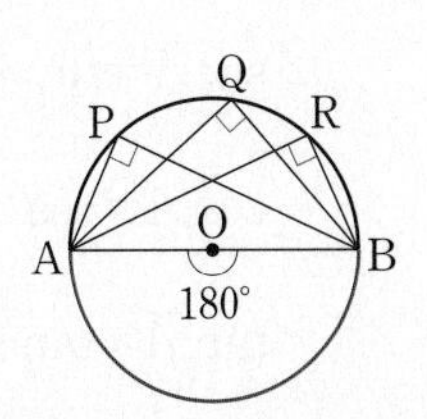

원주각과 삼각비의 값

다음 물음에 답하시오.

3-1 다음 그림과 같이 반지름의 길이가 10인 원 O에 내접하는 $\triangle ABC$에서 $\overline{BC}=12$일 때, $\sin A+\cos A$의 값을 구하시오.

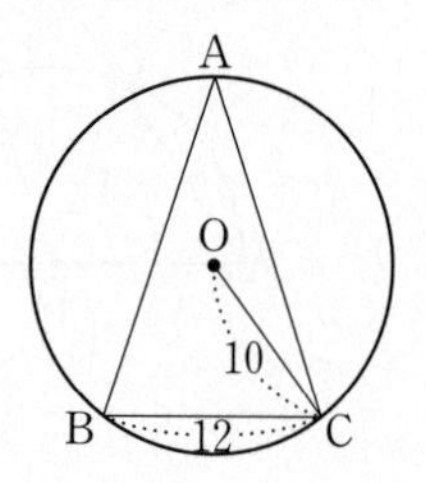

3-2 다음 그림과 같이 반지름의 길이가 6인 원 O에 내접하는 $\triangle ABC$에서 $\overline{BC}=8$일 때, $\sin A+\cos A\times\tan A$의 값을 구하시오.

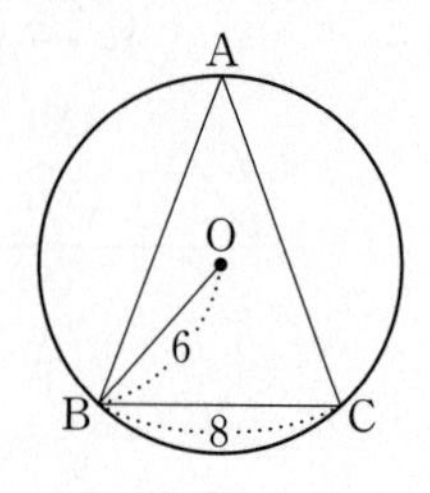

4-1 다음 그림과 같이 원 O에 내접하는 $\triangle ABC$에서 $\overline{BC}=4$ cm이고 $\sin A=\frac{3}{4}$일 때, 원 O의 반지름의 길이를 구하시오.

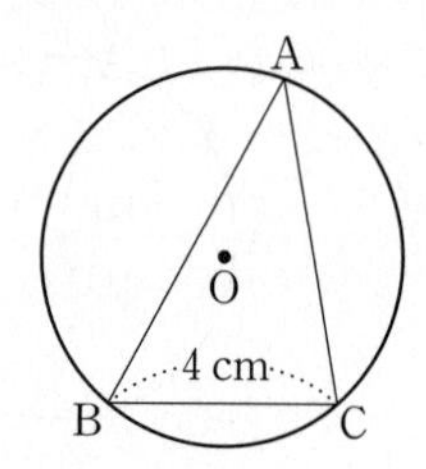

4-2 다음 그림과 같이 원 O에 내접하는 $\triangle ABC$에서 $\overline{BC}=4\sqrt{2}$ cm이고 $\tan A=\sqrt{2}$일 때, 원 O의 반지름의 길이를 구하시오.

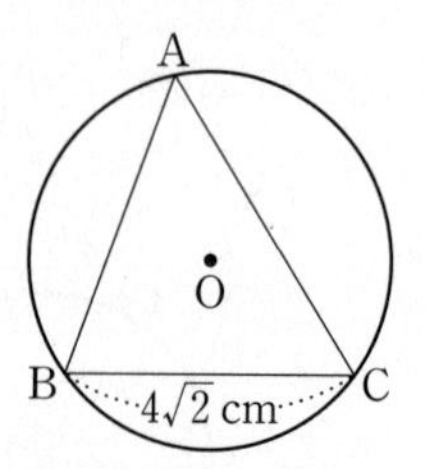

상위권의 눈

▶ 오른쪽 그림과 같이 $\triangle ABC$가 원 O에 내접할 때, 원의 중심 O를 지나는 $\overline{A'B}$를 긋고 $\overline{A'C}$를 그으면

(1) $\overline{A'B}$가 원 O의 지름이므로 $\angle A'CB=90°$

(2) $\sin A=\sin A'=\frac{\overline{BC}}{\overline{A'B}}$

$\cos A=\cos A'=\frac{\overline{A'C}}{\overline{A'B}}$

$\tan A=\tan A'=\frac{\overline{BC}}{\overline{A'C}}$

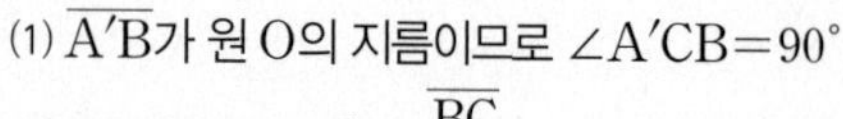

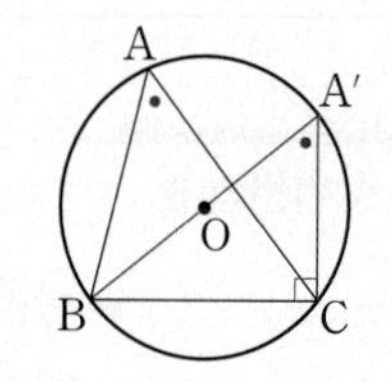

원주각의 크기와 호의 길이

다음 물음에 답하시오.

5-1 다음 그림과 같은 원에서 두 현 AB와 CD의 교점을 P라고 하자. $\widehat{AC}$의 길이는 원주의 $\frac{2}{15}$이고 $\widehat{BD}$의 길이는 원주의 $\frac{2}{9}$일 때, ∠DPB의 크기를 구하시오.

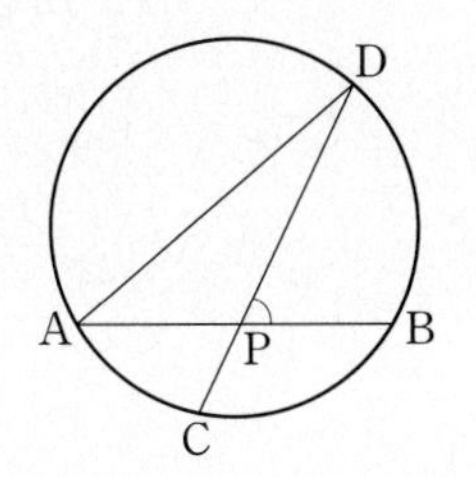

5-2 다음 그림과 같은 원에서 두 현 AB와 CD의 교점을 P라고 하자. $\widehat{BD}$의 길이는 원주의 $\frac{1}{5}$이고 $\widehat{AC}$: $\widehat{BD}$=5 : 3일 때, ∠APC의 크기를 구하시오.

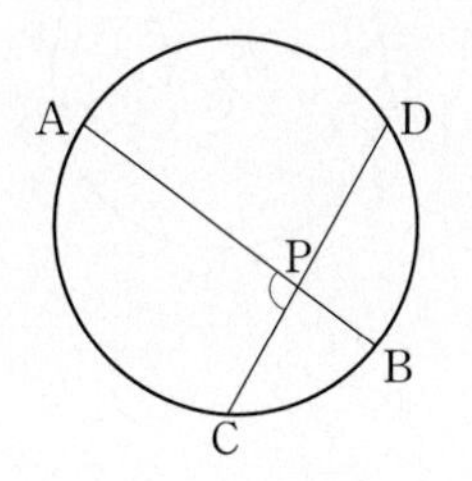

6-1 다음 그림과 같은 원 O에서 두 현 AB와 CD의 교점을 P라고 하자. $\widehat{AD}=\widehat{BC}=4\pi$이고 ∠APC=100°일 때, 원 O의 반지름의 길이를 구하시오.

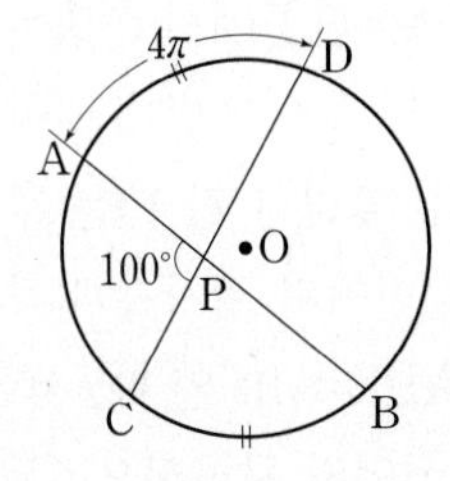

6-2 다음 그림과 같은 원 O에서 두 현 AB와 CD의 교점을 P라고 하자. $\widehat{AD}=4\pi$, $\widehat{BC}=6\pi$이고 ∠APD=60°일 때, 원 O의 반지름의 길이를 구하시오.

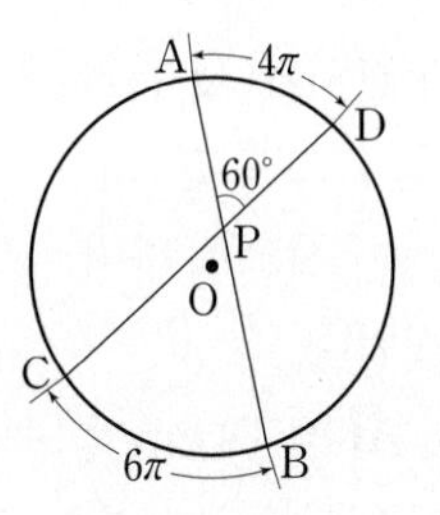

상위권의 눈

▶ 한 원에서

(1) 원주각의 크기와 호의 길이는 정비례하므로 $\angle a : \angle b = \widehat{AC} : \widehat{BD}$

(2) 모든 호에 대한 원주각의 크기의 합은 180°이므로 $\widehat{AC}$의 길이가 원주의 $\frac{1}{n}$이면

$\angle a = 180° \times \frac{1}{n}$

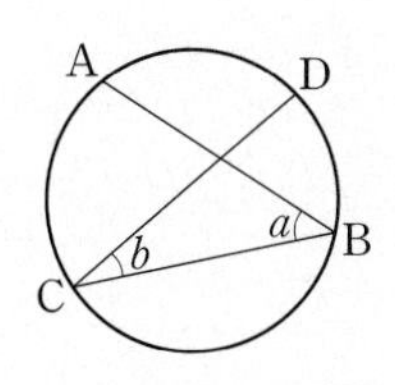

STEP 2 반드시 등수 올리는 문제

원주각과 중심각의 크기

01

다음 그림과 같은 원 O에서 두 현 AB와 CD의 연장선의 교점을 P라고 하자. $\angle x - \angle y = 60^\circ$일 때, $\angle \mathrm{P}$의 크기를 구하시오.

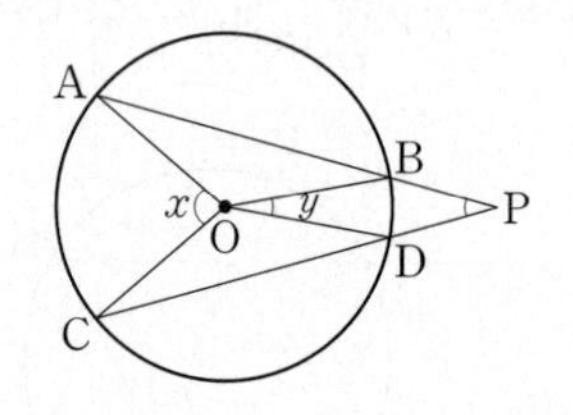

02

오른쪽 그림과 같이 원 O 위의 한 점이 원의 중심 O에 겹치도록 현 BC를 접는 선으로 하여 원의 일부를 접었다.

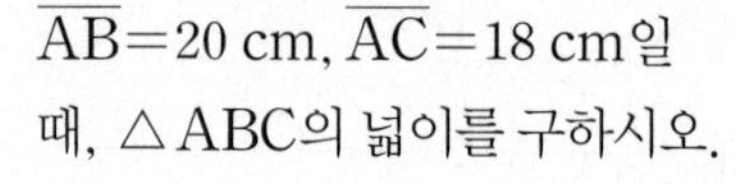
$\overline{\mathrm{AB}} = 20\ \mathrm{cm}$, $\overline{\mathrm{AC}} = 18\ \mathrm{cm}$일 때, $\triangle \mathrm{ABC}$의 넓이를 구하시오.

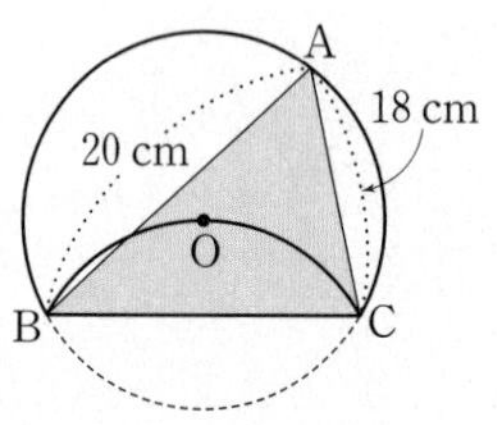

03

오른쪽 그림과 같은 반구 모양의 돔을 건설하는데 천장을 원 모양인 바닥과 평행한 원 모양의 유리로 만들려고 한다. 바닥의 넓이는 $16\pi\ \mathrm{m}^2$이고 천장의 지름 AB와 평행한 $\overline{\mathrm{PQ}}$의 끝점 P에 다다르는 빛의 각도를 30°가 되도록 하려고 할 때, 천장의 반지름의 길이를 구하시오.

(단, $\overline{\mathrm{PQ}}$는 바닥의 지름이다.)

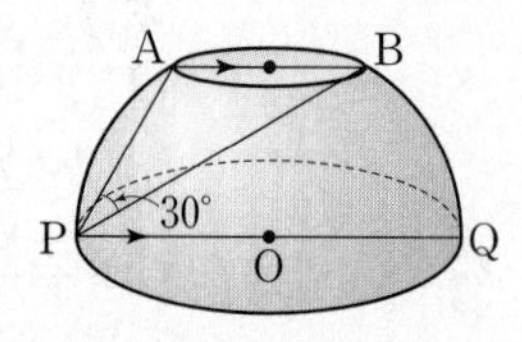

04

서현이와 승민이가 오른쪽 그림과 같이 반지름의 길이가 90 m인 원 모양의 트랙을 한 점 P에서 출발하여 일정한 속력으로 시계 반대 방향으로 걷고 있다. 출발한 지 10분 후에 서현이와 승민이의 위치가 각각 A, B이고 $\angle \mathrm{APB} = 12^\circ$일 때, 서현이와 승민이의 속력 차는 분속 몇 m인지 구하시오. (단, 서현이와 승민이는 점 P를 지나지 않았고, 트랙의 너비는 무시한다.)

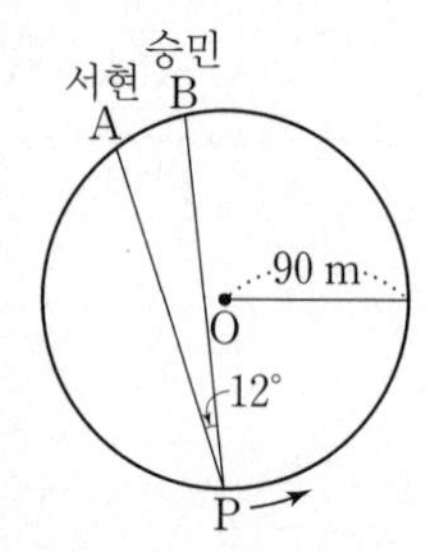

원주각의 성질

05

오른쪽 그림에서 $\overline{AB}$는 반지름의 길이가 2인 원 O의 지름이다. 네 점 P, Q, R, S는 $\widehat{AB}$를 5등분한 점일 때, $\overline{AP}^2+\overline{AQ}^2+\overline{AR}^2+\overline{AS}^2$의 값을 구하시오.

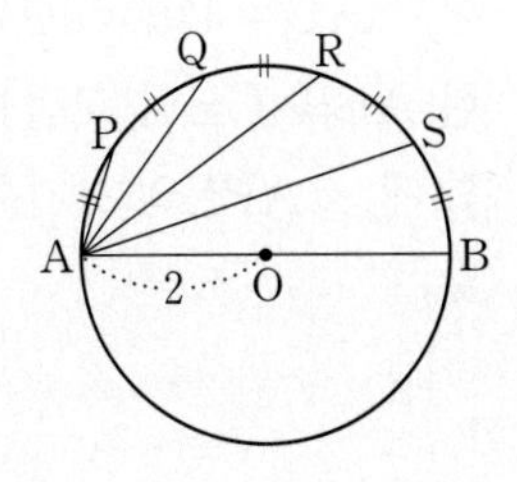

06

오른쪽 그림과 같이 지름이 $\overline{AB}$인 원 O에서 △ABC는 $\overline{AC}=\overline{BC}$인 이등변삼각형이고 점 B에서 $\overline{CD}$에 평행한 직선이 $\overline{AD}$의 연장선과 만나는 점을 E라고 하자. $\overline{DE}=3$ cm일 때, $\overline{BE}$의 길이를 구하시오.

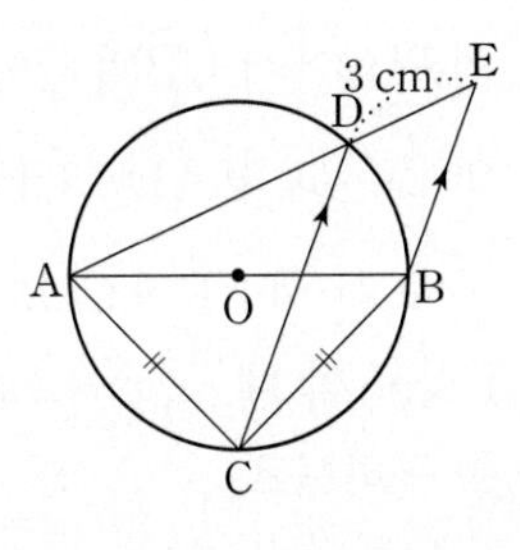

07

오른쪽 그림과 같이 지름이 $\overline{AB}$인 원 O에서 $\overline{AD}$는 ∠CAB의 이등분선이고 점 E는 $\overline{AD}$와 $\overline{CB}$의 교점이다. $\overline{AE}=6\sqrt{5}$ cm, $\overline{CE}=6$ cm일 때, $\overline{DB}$의 길이를 구하시오.

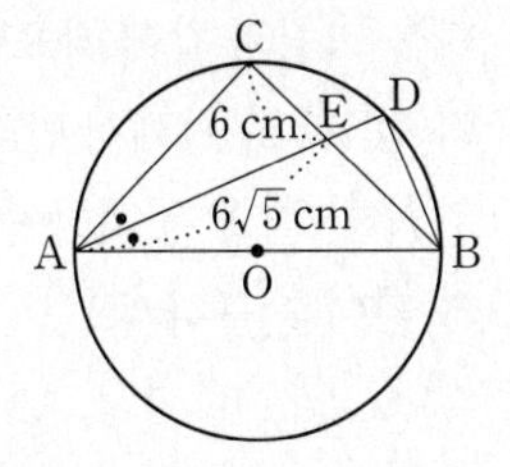

08

오른쪽 그림과 같이 $\overline{AB}=\overline{AC}=10$ cm인 이등변삼각형 ABC가 원에 내접하고 점 E는 $\overline{AD}$와 $\overline{BC}$의 교점이다. $\overline{AE}=6$ cm일 때, $\overline{DE}$의 길이를 구하시오.

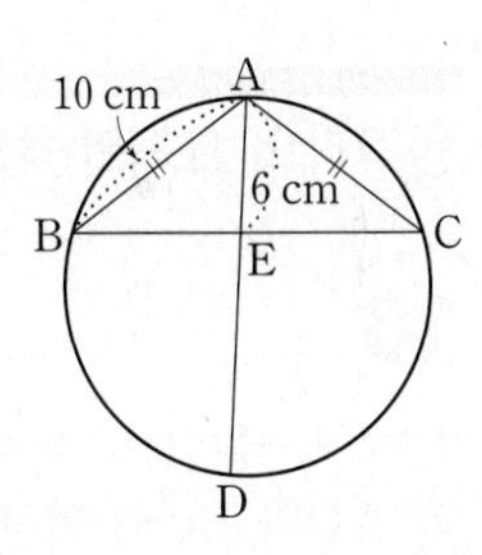

09

다음 그림과 같이 좌표평면 위의 원점을 지나는 원이 x축과 점 A(2, 0)에서 만나고 y축과 점 B에서 만난다. 이 원 위의 한 점 P에 대하여 $\angle$OPA$=30°$일 때, 색칠한 부분의 넓이를 구하시오.

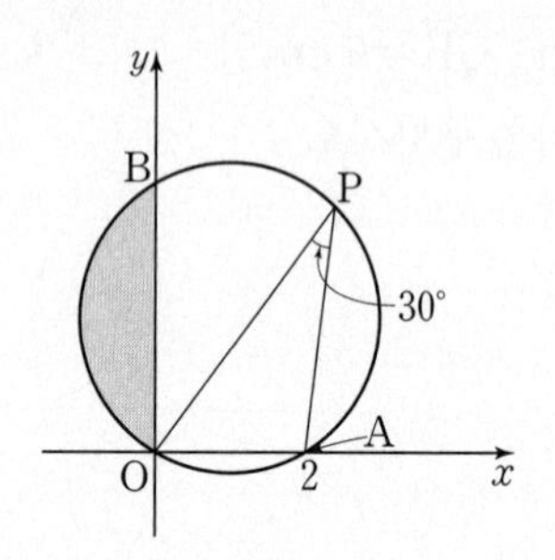

원주각의 크기와 호의 길이

10

오른쪽 그림과 같은 원에서 두 현 AD와 BC의 연장선의 교점을 P, 두 현 AC와 BD의 교점을 Q라고 하자.
$\widehat{AB}:\widehat{CD}=5:1$이고
$\angle$P$=20°$일 때, $\angle$AQB의 크기를 구하시오.

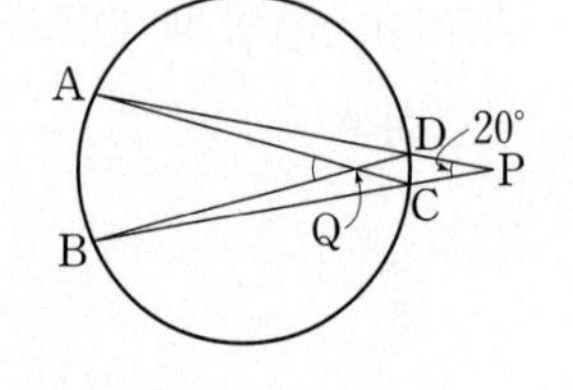

11

오른쪽 그림과 같이 지름이 $\overline{AB}$인 원 O에서 $\widehat{AC}:\widehat{CB}=3:2$이고 $\widehat{AD}=\widehat{DE}=\widehat{EB}$이다. 두 현 AB와 CE의 교점을 P라고 할 때, $\angle$APE의 크기를 구하시오.

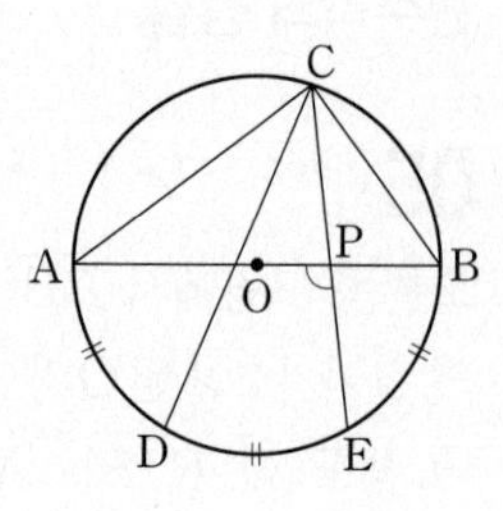

12

오른쪽 그림과 같이 지름이 $\overline{AB}$인 원 O에서 $\widehat{CB}$의 길이는 원주의 $\frac{1}{5}$이고, $\widehat{EAD}:\widehat{CB}=2:1$이다. 두 현 EB와 CD의 교점을 P라고 할 때, $\angle x+\angle y$의 크기를 구하시오.

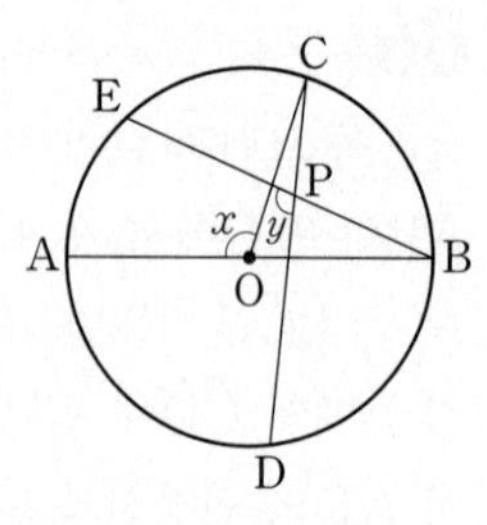

13

오른쪽 그림과 같은 원 O에서 $\overset{\frown}{AD}=\overset{\frown}{DB}$, $\overset{\frown}{AE}=\overset{\frown}{EC}$이고 $\overline{DE}$와 $\overline{AB}$, $\overline{AC}$의 교점을 각각 M, N이라고 하자. $\angle BAC=50^\circ$일 때, $\angle ANM$의 크기를 구하시오.

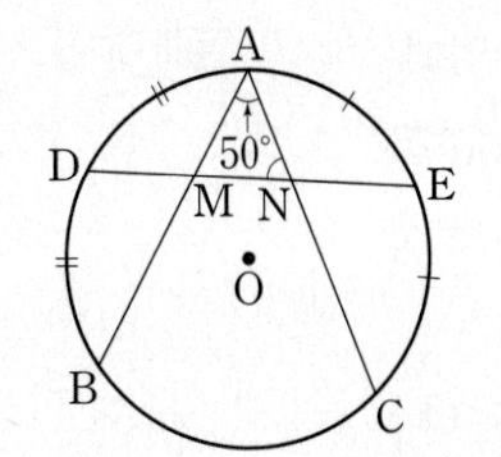

14

오른쪽 그림과 같은 원 O에서 $\overline{AB}=\overline{CD}$이고 $\overset{\frown}{BC}=\overset{\frown}{BD}=5\pi$, $\overset{\frown}{AD}=15\pi$일 때, $\angle AEO$의 크기를 구하시오.

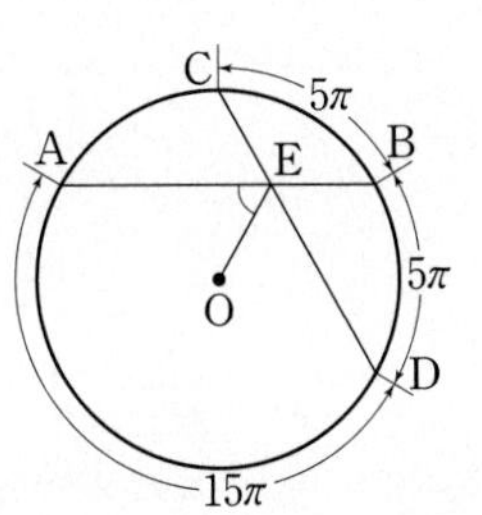

15

오른쪽 그림과 같이 반지름의 길이가 2 cm인 원 O에서 $\overset{\frown}{AB}:\overset{\frown}{BC}:\overset{\frown}{CA}=3:7:2$일 때, △ABC의 넓이를 구하시오.

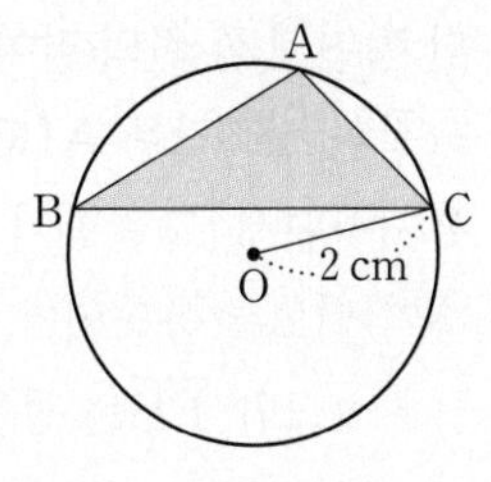

16

오른쪽 그림과 같은 원에서 두 현 AC와 BD의 교점을 E라고 할 때, 다음 조건을 모두 만족하는 $\angle AED$의 크기를 구하시오.

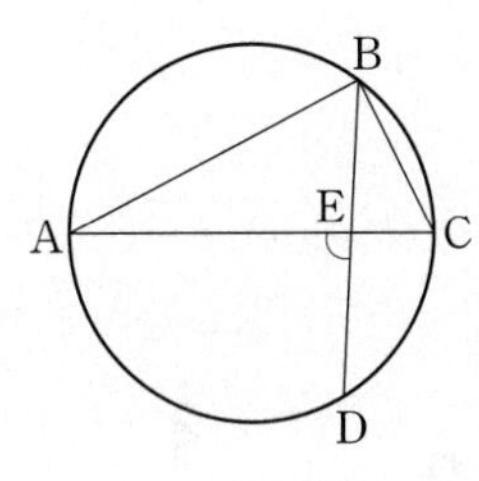

조건

㉠ $\overset{\frown}{AD}$의 길이는 원주의 $\frac{1}{3}$이다.

㉡ $\overset{\frown}{CD}=\frac{1}{3}\overset{\frown}{ADC}$

㉢ $\overset{\frown}{AB}:\overset{\frown}{BC}=7:3$

STEP 3 전교 1등 확실하게 굳히는 문제

1

한 평면에 한 변의 길이가 3인 정육각형 ABCDEF와 점 P가 있다. 고정된 정육각형 ABCDEF의 밖에 있는 점 P가 $\angle BPF=60^\circ$를 유지하면서 [그림 1]과 같은 상태에서 [그림 2]를 거쳐 [그림 3]의 상태가 되도록 움직였다. 이때 점 P가 움직인 거리를 구하시오.

(단, $\overrightarrow{PB}$는 정육각형 ABCDEF의 내부를 지나지 않는다.)

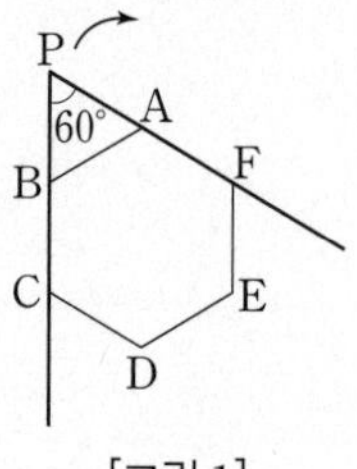

[그림 1]

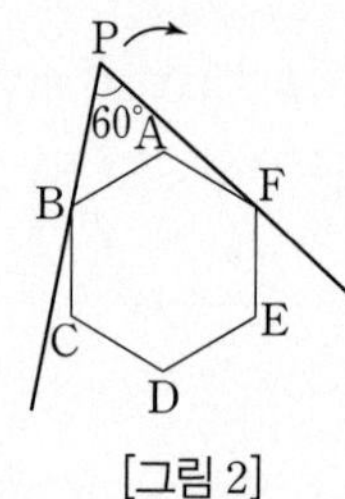

[그림 2]

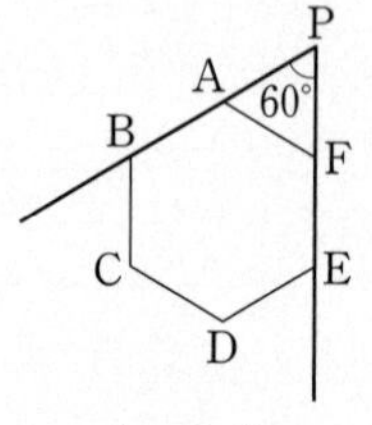

[그림 3]

풀이

2 융합형

오른쪽 그림과 같이 지름의 길이가 8인 반원 O에 내접하는 □ABCD에 대하여 $\overline{CD}$는 지름이고 $\overline{AB}=\overline{BC}=2$일 때, $\overline{AD}$의 길이를 구하시오.

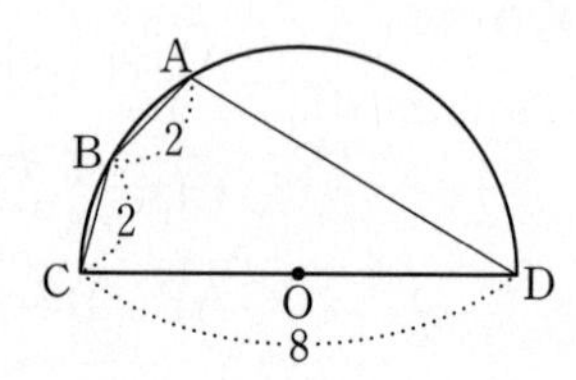

풀이

3 융합형

오른쪽 그림에서 점 I는 $\triangle ABC$의 내심이고 $\overline{BI}$의 연장선이 $\triangle ABC$의 외접원과 만나는 점을 D라고 하자. $\overline{BD}$의 연장선 위에 $\overline{DI}=\overline{DE}$가 되도록 점 E를 잡고 점 C에서 $\overline{BD}$에 내린 수선의 발을 H라고 할 때, $\dfrac{\overline{CE}}{\overline{CH}} \times \dfrac{\overline{CI}}{\overline{DI}}$의 값을 구하시오.

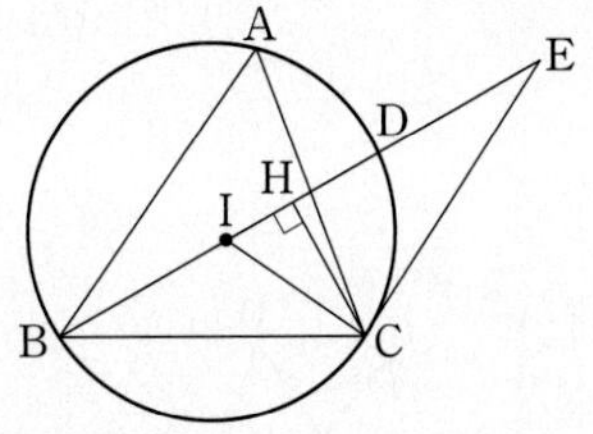

풀이

4

오른쪽 그림과 같이 $\overline{AB}=\overline{AC}$인 이등변삼각형 ABC의 외접원에서 $\widehat{BC}$ 위의 한 점을 P, $\widehat{BC}$의 중점을 M, $\overline{AP}$의 중점을 N이라고 하자. 점 M에서 $\overline{CP}$에 내린 수선의 발을 H라고 할 때, $\dfrac{\overline{NB}}{\overline{NH}}$의 값을 구하시오.

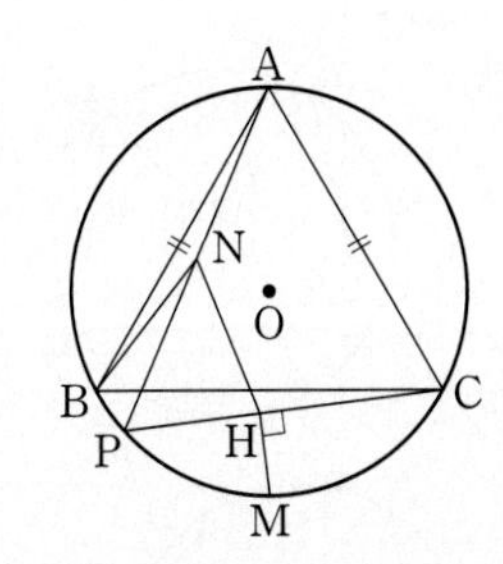

풀이

03 원주각의 활용

❶ 네 점이 한 원 위에 있을 조건

선분 AB에 대하여 두 점 C, D가 같은 쪽에 있을 때, $\angle ACB=\angle ADB$이면 네 점 A, B, C, D는 한 원 위에 있다.

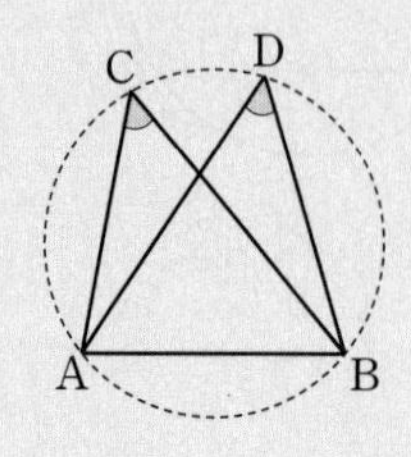

참고 네 점 A, B, C, D가 한 원 위에 있으면 $\angle ACB=\angle ADB$이다.

[확인 ❶]

다음 그림에서 네 점 A, B, C, D가 한 원 위에 있을 때, $\angle x$의 크기를 구하시오.

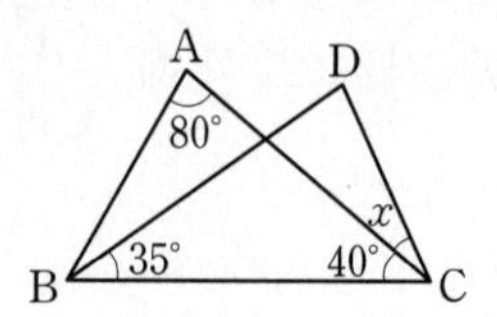

❷ 원에 내접하는 사각형의 성질

(1) 원에 내접하는 사각형에서 한 쌍의 대각의 크기의 합은 180°이다.

➡ $\angle A+\angle C=180°$
　$\angle B+\angle D=180°$

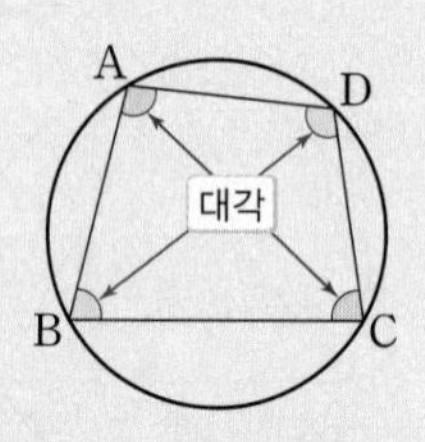

(2) 원에 내접하는 사각형에서 한 외각의 크기는 그 외각에 이웃한 내각에 대한 대각의 크기와 같다.

➡ $\angle DCE=\angle A$

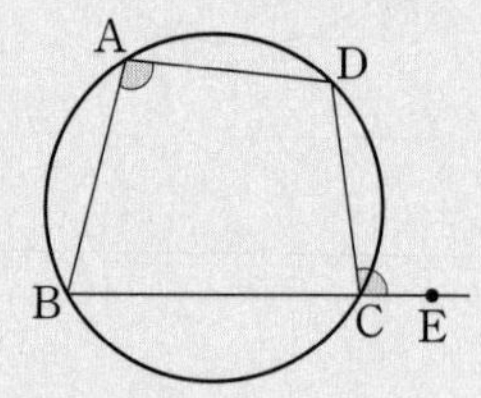

설명 (1) 오른쪽 그림과 같이 원 O에 내접하는 □ABCD에서 두 원주각 $\angle A$, $\angle C$의 중심각을 각각 $\angle x$, $\angle y$라고 하면

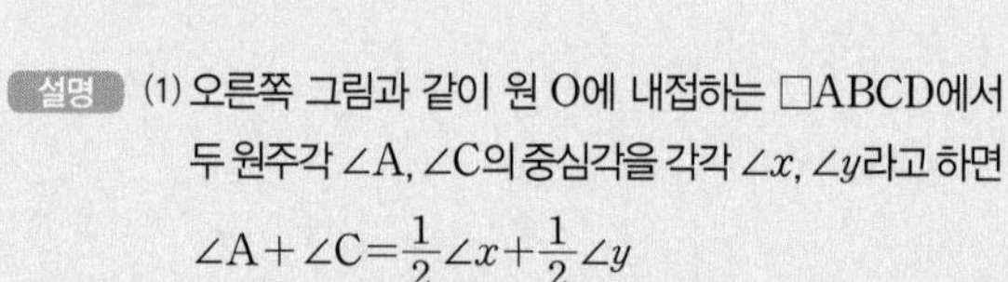

$$\angle A+\angle C=\frac{1}{2}\angle x+\frac{1}{2}\angle y$$
$$=\frac{1}{2}(\angle x+\angle y)$$
$$=\frac{1}{2}\times 360°=180°$$

마찬가지 방법으로 $\angle B+\angle D=180°$

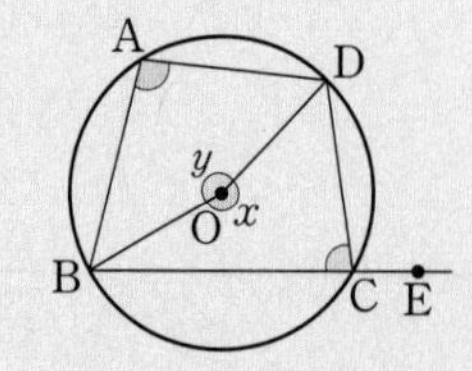

(2) (1)에 의하여 $\angle DAB+\angle DCB=180°$
이때 $\angle DCB+\angle DCE=180°$이므로
$\angle DCE=\angle DAB$

[확인 ❷]

다음 그림과 같이 □ABCD가 원 O에 내접하고 $\angle ABC=79°$, $\angle P=32°$일 때, $\angle x$의 크기를 구하시오.

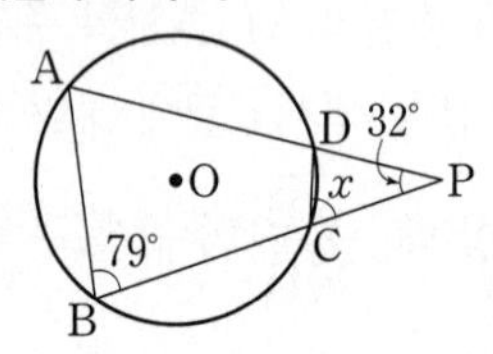

③ 사각형이 원에 내접하기 위한 조건

(1) 한 쌍의 대각의 크기의 합이 180°인 사각형은 원에 내접한다.

➡ $\angle A+\angle C=180°$ 또는 $\angle B+\angle D=180°$이면 □ABCD는 원에 내접한다.

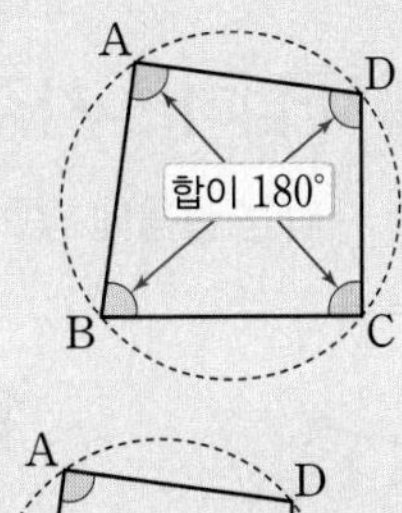

(2) 한 외각의 크기와 그 외각에 이웃한 내각에 대한 대각의 크기가 같은 사각형은 원에 내접한다.

➡ $\angle DCE=\angle A$이면 □ABCD는 원에 내접한다.

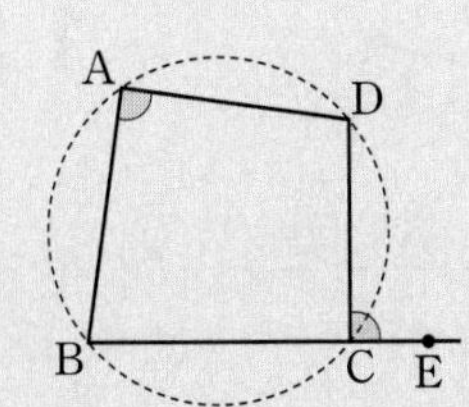

참고 정사각형, 직사각형, 등변사다리꼴은 한 쌍의 대각의 크기의 합이 180°이므로 항상 원에 내접한다.

[확인 ③]

다음 그림에서 $\overline{AD}=\overline{CD}$이고 $\angle BAD=100°$, $\angle ADC=130°$, $\angle DCE=100°$일 때, $\angle ABD$의 크기를 구하시오.

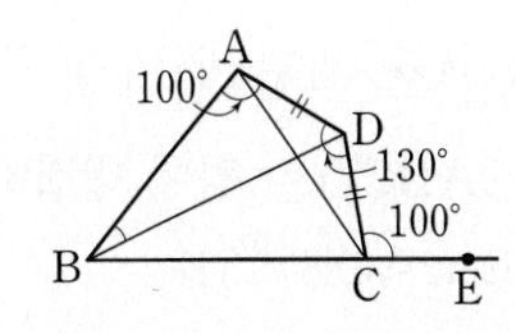

④ 원의 접선과 현이 이루는 각

원의 접선과 그 접점을 지나는 현이 이루는 각의 크기는 그 각의 내부에 있는 호에 대한 원주각의 크기와 같다.

➡ $\overleftrightarrow{AT}$가 원 O의 접선이면 $\angle BAT=\angle BCA$

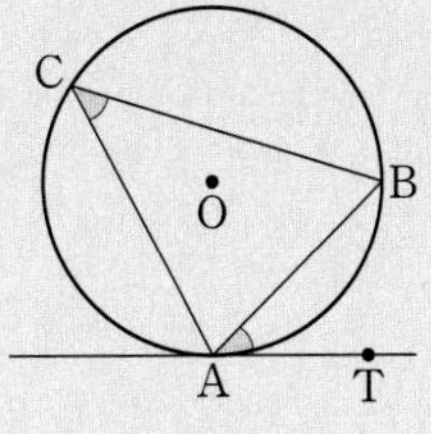
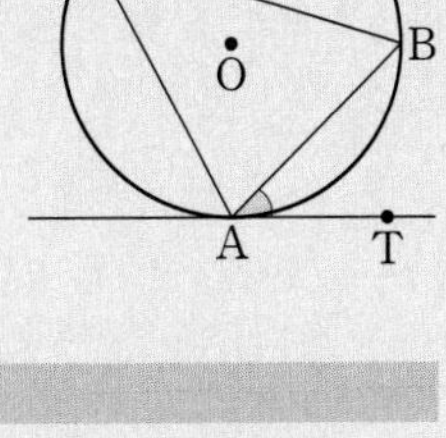

참고 $\angle BAT=\angle BCA$이면 $\overleftrightarrow{AT}$는 원 O의 접선이다.

개념+ 두 원에서 접선과 현이 이루는 각

(1) $\angle BAT=\angle BTQ$ (원 O에서 접선과 현이 이루는 각)
$=\angle DTP$ (맞꼭지각)
$=\angle DCT$ (원 O′에서 접선과 현이 이루는 각)

(2) $\angle ABT=\angle ATP$ (원 O에서 접선과 현이 이루는 각)
$=\angle CTQ$ (맞꼭지각)
$=\angle CDT$ (원 O′에서 접선과 현이 이루는 각)

(3) 엇각의 크기가 같으므로 $\overline{AB}/\!/\overline{DC}$

[확인 ④]

다음 그림에서 $\overleftrightarrow{AT}$는 원 O의 접선이고 점 A는 접점이다. $\angle BAT=50°$일 때, $\angle x+\angle y$의 크기를 구하시오.

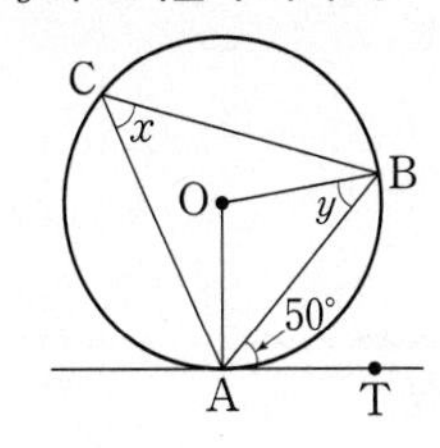

STEP 1 억울하게 울리는 문제 (1)

원에 내접하는 사각형의 성질

다음 물음에 답하시오.

1-1 오른쪽 그림과 같이 □ABCD는 원에 내접하고 $\angle ACB=32°$, $\angle ADC=87°$, $\angle DAC=45°$일 때, $\angle x+\angle y$의 크기를 구하시오.

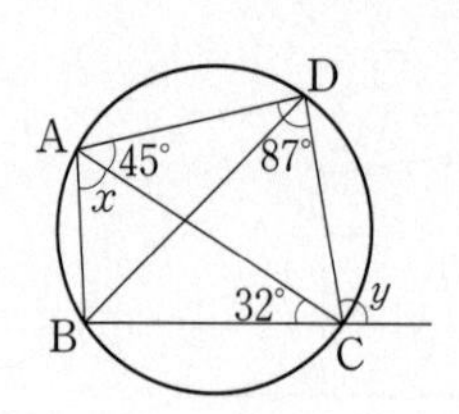

1-2 오른쪽 그림과 같이 □ABCD는 원에 내접하고 $\angle ABE=105°$, $\angle BAC=46°$, $\angle BCD=110°$일 때, $\angle x-\angle y$의 크기를 구하시오.

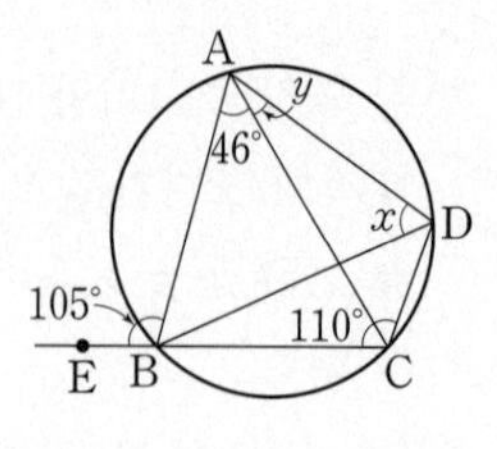

2-1 오른쪽 그림과 같이 □ABCD와 □ABCE가 원에 내접하고 $\angle AFC=120°$, $\angle DAE=20°$일 때, $\angle x$의 크기를 구하시오.

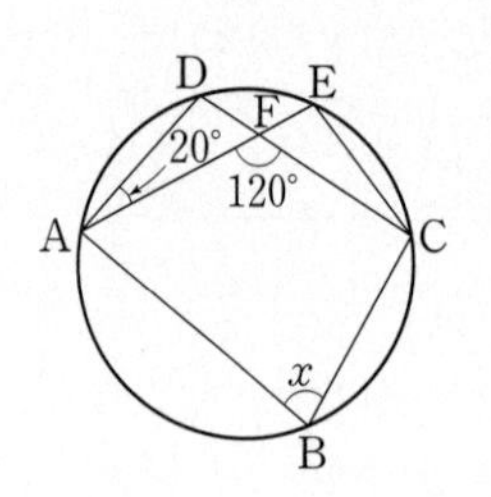

2-2 오른쪽 그림과 같이 □ABCD와 □ABCE가 원에 내접하고 $\angle BAD=88°$, $\angle BCE=62°$일 때, $\angle x+\angle y$의 크기를 구하시오.

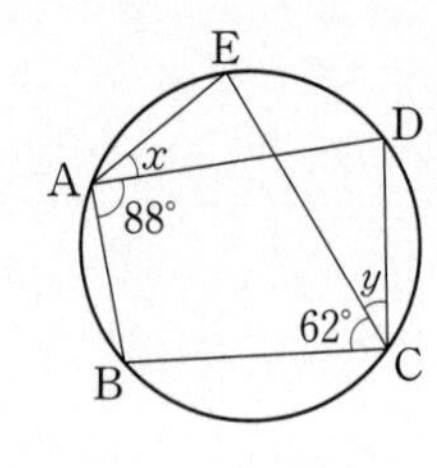

상위권의 눈

▶ 오른쪽 그림과 같이 □ABCD가 원에 내접할 때, 한 쌍의 대각의 크기의 합은 180°이다.

➡ $\angle A+\angle C=180°$
$\angle B+\angle D=180°$

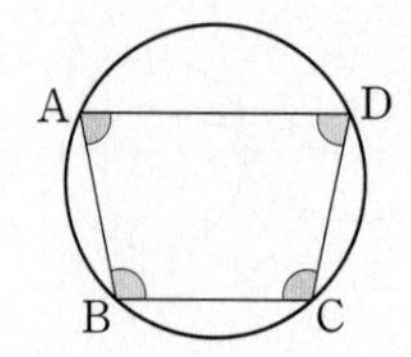

▶ 오른쪽 그림과 같이 □ABCD가 원에 내접할 때, 한 외각의 크기는 그 외각에 이웃한 내각에 대한 대각의 크기와 같다.

➡ $\angle DCB=\angle A$

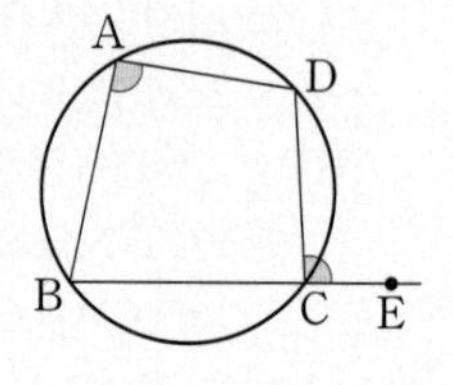

원에 내접하는 사각형의 성질의 활용

다음 물음에 답하시오.

3-1 오른쪽 그림과 같이 □ABCD는 원에 내접하고 ∠ABC=120°, ∠Q=28°일 때, ∠P의 크기를 구하시오.

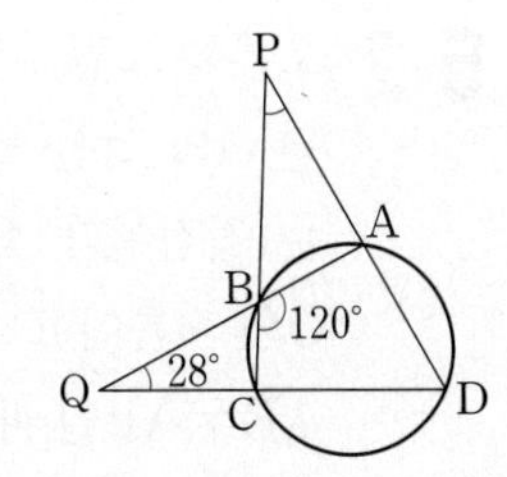

3-2 오른쪽 그림과 같이 □ABCD는 원에 내접하고 ∠P=45°, ∠Q=35°일 때, ∠x의 크기를 구하시오.

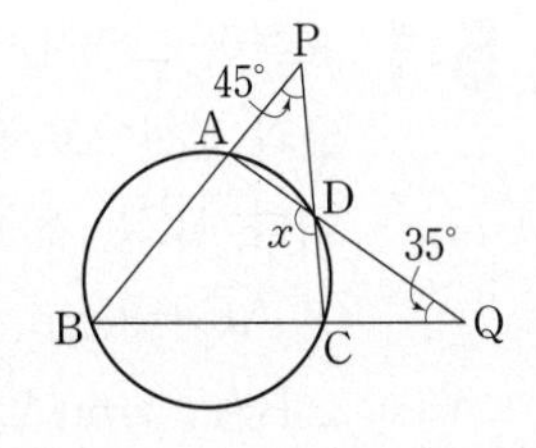

4-1 오른쪽 그림과 같이 오각형 ABCDE는 원 O에 내접하고 ∠EOD=80°일 때, ∠BAE+∠BCD의 크기를 구하시오.

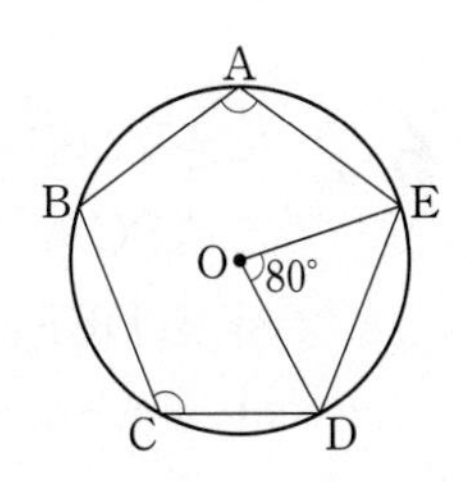

4-2 오른쪽 그림과 같이 오각형 ABCDE는 원 O에 내접하고 ∠BAE=100°, ∠CDE=110°일 때, ∠BOC의 크기를 구하시오.

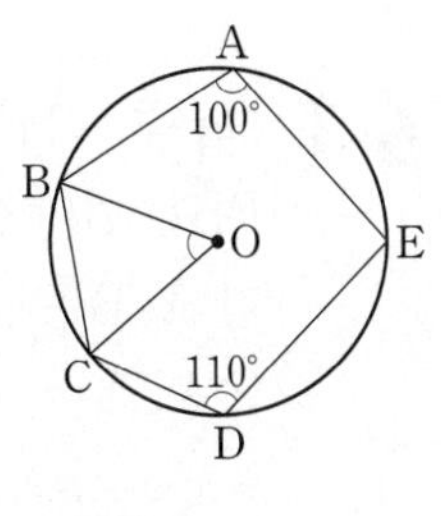

상위권의 눈

▶ 오른쪽 그림과 같이 □ABCD가 원에 내접할 때
(1) ∠CDQ=∠ABC=∠x
(2) △PBC에서
∠PCQ=∠x+∠a
(3) △DCQ에서
∠x+(∠x+∠a)+∠b
=180°

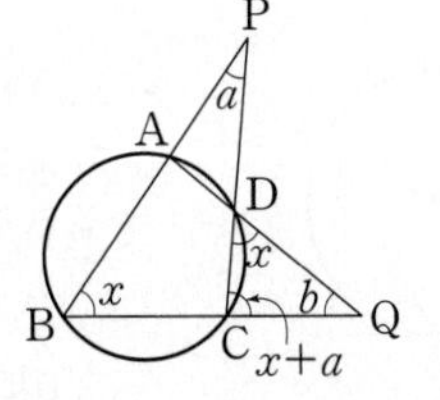

▶ 오른쪽 그림과 같이 오각형 이상의 다각형이 원에 내접할 때에는 보조선을 그어 원에 내접하는 사각형을 만든다.
(1) ∠ABD+∠AED=180°
(2) ∠COD=2∠CBD

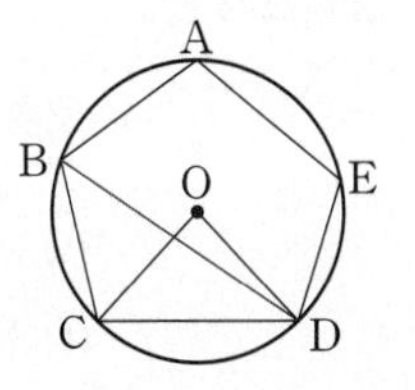

원의 접선과 현이 이루는 각

다음 물음에 답하시오.

5-1 오른쪽 그림에서 $\overleftrightarrow{AT}$는 원 O의 접선이고 점 A는 접점이다. $\overline{BC}$는 원 O의 지름이고 $\overline{AC}=3\text{ cm}$, $\angle BAT=60^\circ$일 때, $\overline{BC}$의 길이를 구하시오.

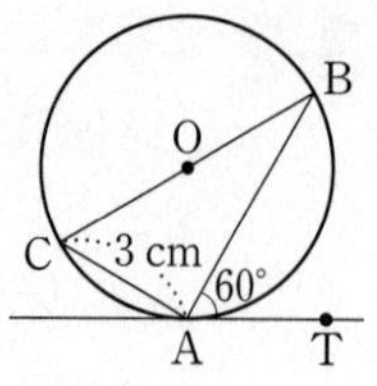

5-2 오른쪽 그림에서 $\overrightarrow{PT}$는 원 O의 접선이고 점 A는 접점이다. $\overline{BC}$는 원 O의 지름이고 $\overline{AB}=\overline{AP}$일 때, $\angle x$의 크기를 구하시오.

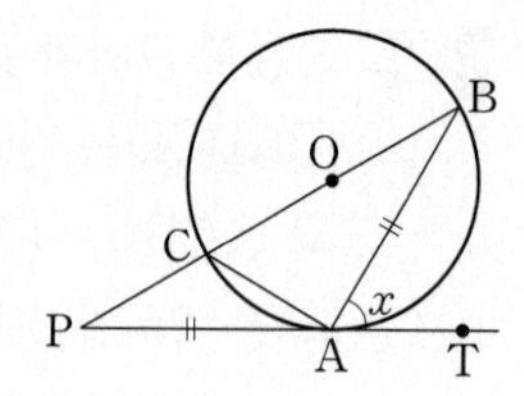

6-1 오른쪽 그림에서 $\overrightarrow{PA}$, $\overrightarrow{PB}$는 원의 접선이고 두 점 A, B는 접점이다. $\angle ACB=70^\circ$일 때, $\angle x+\angle y$의 크기를 구하시오.

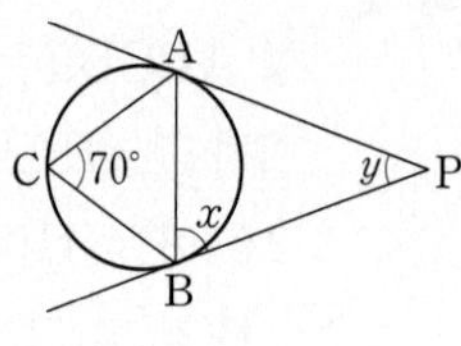

6-2 오른쪽 그림에서 원 O는 $\triangle ABC$의 내접원이면서 $\triangle DEF$의 외접원이다. $\angle A=60^\circ$, $\angle B=58^\circ$일 때, $\angle FDE$의 크기를 구하시오.

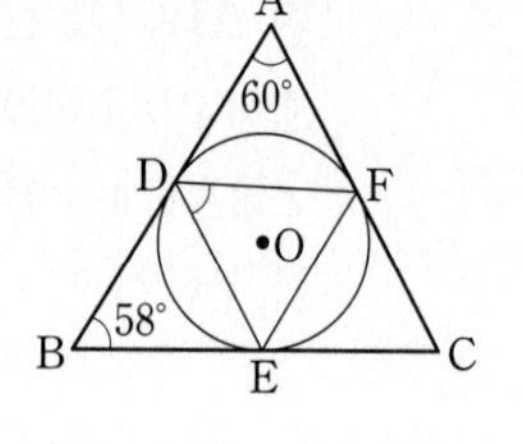

상위권의 눈

▸ 오른쪽 그림과 같이 할선이 원의 중심 O를 지날 때

(1) $\angle CAB=90^\circ$

(2) $\angle CAP=\angle CBA$

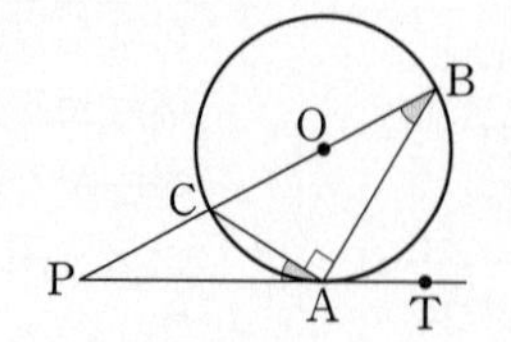

▸ 오른쪽 그림과 같이 $\overrightarrow{PA}$, $\overrightarrow{PB}$가 원의 접선일 때

(1) $\overline{PA}=\overline{PB}$이므로 $\triangle PAB$는 이등변삼각형이다.

(2) $\angle PAB=\angle PBA$
$=\angle ACB$

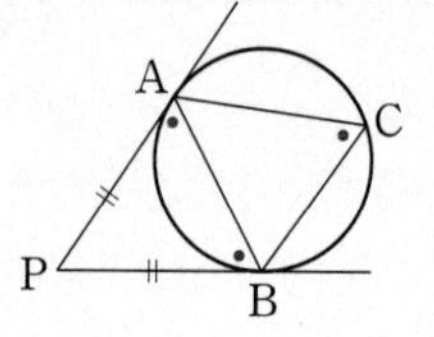

STEP 2 반드시 등수 올리는 문제

정답과 풀이 37쪽

네 점이 한 원 위에 있을 조건

01

오른쪽 그림과 같이 $\triangle ABC$의 두 점 B, C에서 $\overline{AC}$, $\overline{AB}$에 내린 수선의 발을 각각 D, E라고 하고 $\overline{BC}$의 중점을 M이라고 하자. $\angle A=65^\circ$일 때, $\angle EMD$의 크기를 구하시오.

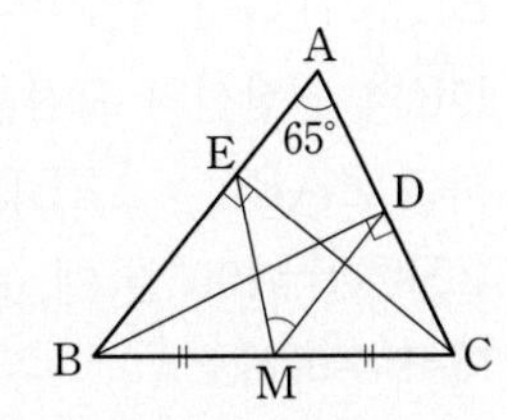

02

오른쪽 그림에서 $\overline{CE}$는 $\angle ACB$의 이등분선이고 $\angle ADB=60^\circ$, $\angle CEB=85^\circ$이다. 네 점 A, B, C, D가 원 O 위에 있을 때, $\angle x$의 크기를 구하시오.

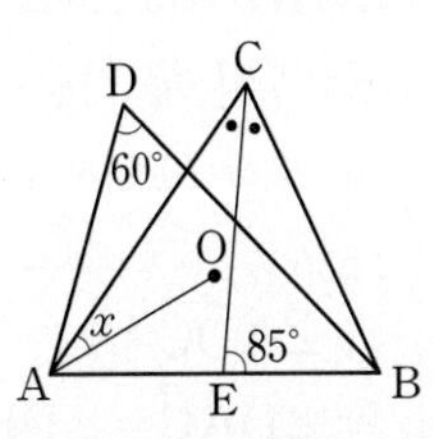

03

오른쪽 그림과 같은 $\triangle ABC$에서 $\angle B=42^\circ$이고 점 A에서 $\overline{BC}$의 연장선에 내린 수선의 발을 P라고 하자. 점 P에서 $\overline{AB}$, $\overline{AC}$에 내린 수선의 발을 각각 Q, R라고 할 때, $\angle QRC$의 크기를 구하시오.

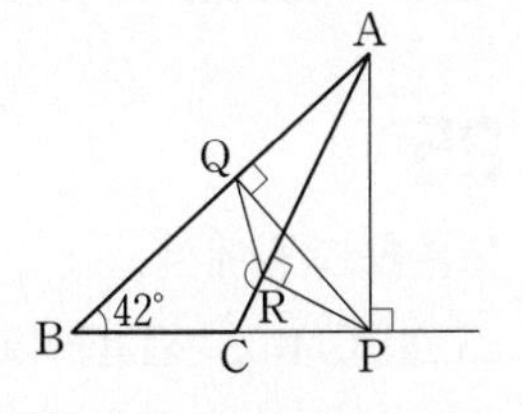

04

오른쪽 그림과 같이 $\overline{AB}$를 지름으로 하는 반원 O 위에 두 점 C, D가 있고 점 E는 $\overline{AB}$ 위에 있다. $\angle COA=40^\circ$, $\angle OCE=\angle ODE=10^\circ$이고 $\overline{CD}=6$일 때, 부채꼴 OBD의 넓이를 구하시오.

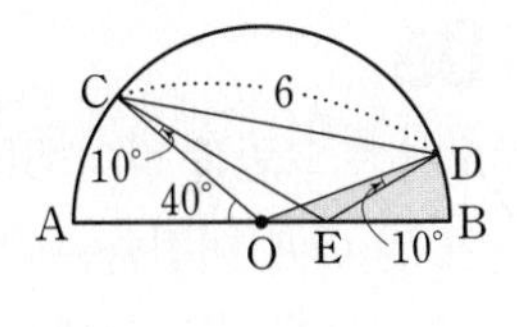

원에 내접하는 사각형의 성질

05

오른쪽 그림에서
$\triangle ABC \equiv \triangle ADE$이고
$\angle BAD=72°$이다. 네 점 A,
B, D, E가 한 원 위에 있을 때,
$\angle ACB$의 크기를 구하시오.

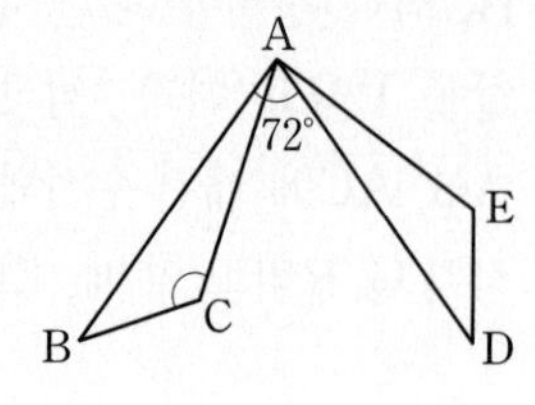

06

오른쪽 그림과 같이 $\overline{BE}$가 지름
인 원 O에 내접하는 두 사각형
ABCD와 ABCE에서
$\angle APC=80°$, $\angle BCD=70°$일
때, $\angle ABC$의 크기를 구하시오.

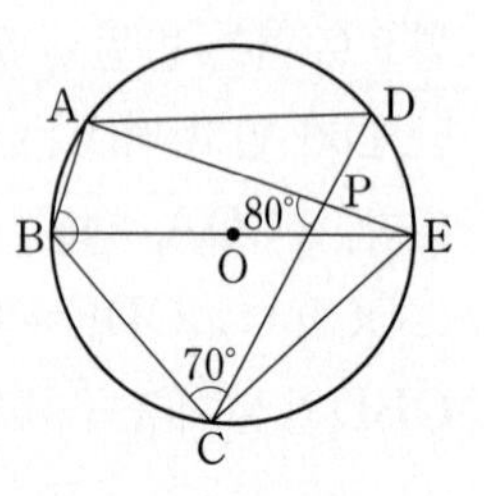

07

오른쪽 그림과 같이 오각형
ABCDE는 원 O에 내접하고
$\overline{BE}$는 원 O의 지름이다. $\overline{AB}$와
$\overline{DE}$의 연장선의 교점을 F라고
하고 $\angle ABE=\angle EBD$,
$\angle BCD=105°$일 때, $\angle x$의 크
기를 구하시오.

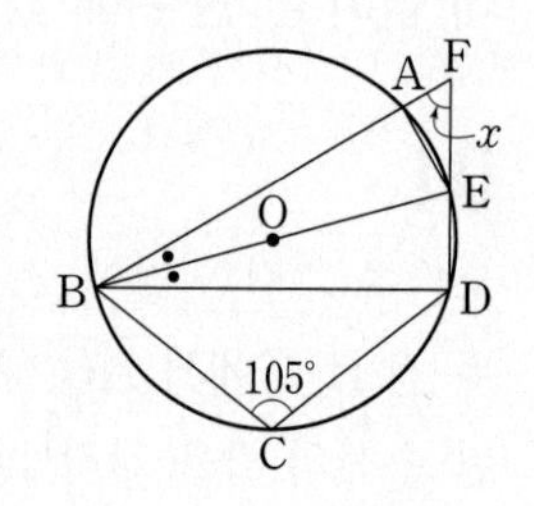

08

오른쪽 그림과 같이 원에 내접
하는 □ABCD의 두 꼭짓점 B,
D에서 대각선 AC에 내린 수선
의 발을 각각 E, F라고 하자.
$\angle DAB=90°$, $\overline{AE}=3$, $\overline{BE}=5$,
$\overline{CE}=7$일 때, 다음 보기 중 옳은
것을 모두 고르시오.

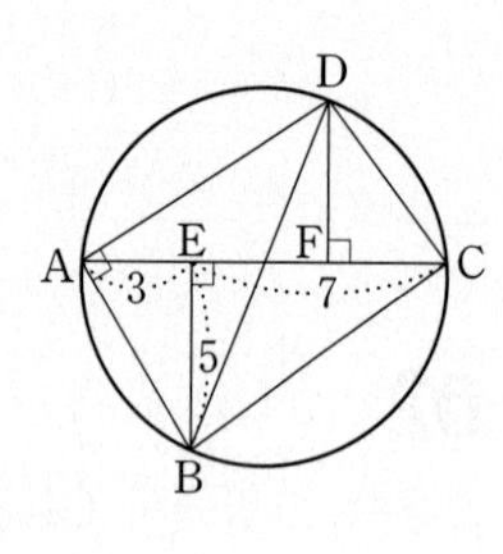

보기

ㄱ. $\angle ADC=90°$
ㄴ. $\angle DAC=\angle DBC$
ㄷ. $\overline{BD}$는 네 점 A, B, C, D를 지나는 원의 지름이다.
ㄹ. 네 점 A, B, C, D를 지나는 원의 중심은 $\overline{AC}$ 위에 있다.

09

오른쪽 그림과 같이 $\angle AOB=90^\circ$인 부채꼴 AOB에서 $\overline{AC}=3$, $\overline{BC}=7$이 되도록 $\widehat{AB}$ 위에 한 점 C를 잡았을 때, $\triangle ABC$의 넓이를 구하시오.

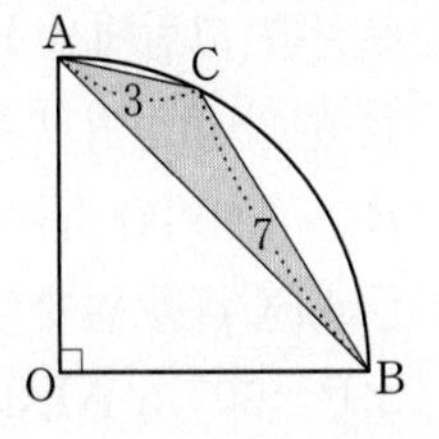

10

오른쪽 그림과 같이 원 위에 $\widehat{AB}=\widehat{BC}=\widehat{CD}$인 네 점 A, B, C, D를 잡고 두 현 AB와 CD의 연장선의 교점을 P라고 하자. $\angle P=28^\circ$일 때, $\angle x$의 크기를 구하시오.

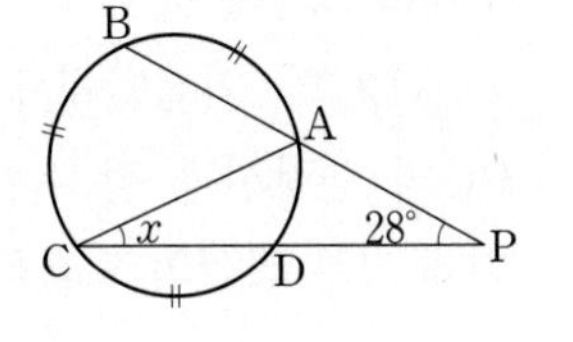

11

다음 그림과 같이 두 점 A, D에서 만나는 두 원이 있다. 점 D를 지나는 직선이 두 원과 각각 두 점 B, C에서 만나고 $\overline{AD}$는 $\angle BAC$의 이등분선, 점 P는 $\triangle ACD$의 외접원과 $\overline{AB}$의 교점, 점 Q는 $\triangle ABD$의 외접원과 $\overline{AC}$의 교점일 때, 다음 중 옳은 것을 모두 고르면? (정답 2개)

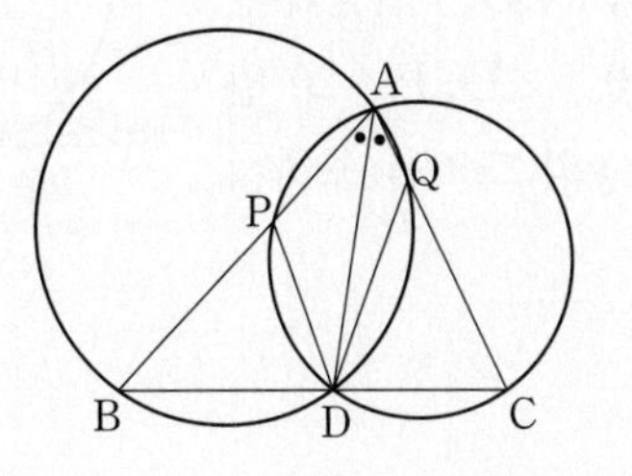

① $\overline{BD}=\overline{DC}$
② $\angle PDQ=\frac{1}{2}\angle PAQ$
③ $\angle PDB=\angle DCA$
④ $\triangle PBD\equiv\triangle CQD$
⑤ $\triangle ABC\backsim\triangle DBP$

사각형이 원에 내접하기 위한 조건

12

오른쪽 그림과 같이 $\triangle ABC$의 세 꼭짓점에서 대변에 내린 수선의 발을 D, E, F라 하고 세 수선의 교점을 G라고 하자. 점 A, B, C, D, E, F, G 중 4개의 점을 꼭짓점으로 하는 사각형을 만들 때, 원에 내접하는 사각형은 모두 몇 개인지 구하시오.

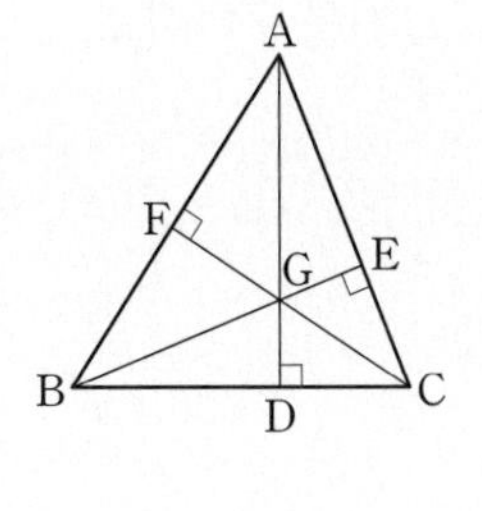

원의 접선과 현이 이루는 각

13

오른쪽 그림과 같이 △ABC의 외접원에서 $\overline{PC}$, $\overline{PE}$는 원의 접선이고 두 점 C, D는 접점이다. $\angle CED=30°$, $\angle ECD=20°$일 때, $\angle x-\angle y$의 크기를 구하시오.

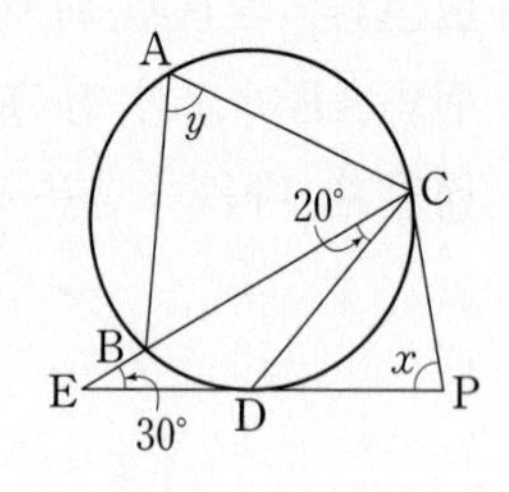

14

오른쪽 그림에서 $\overrightarrow{PA}$, $\overrightarrow{PB}$는 원 O의 접선이고 두 점 A, B는 접점이다. $\overline{AD} /\!/ \overline{PB}$이고 $\angle P=62°$일 때, $\angle BCD$의 크기를 구하시오.

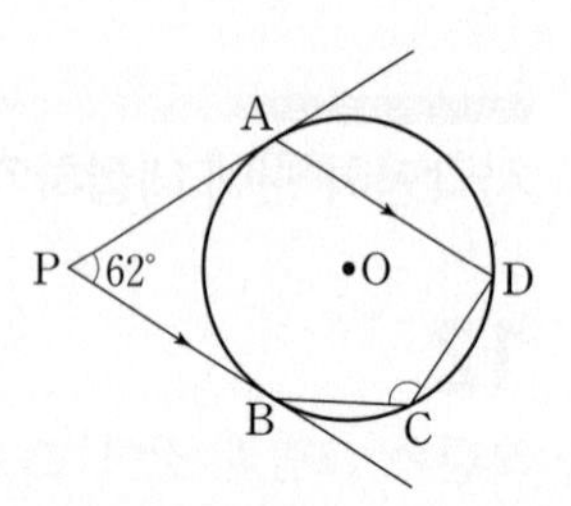

15

오른쪽 그림에서 $\overline{PA}$, $\overline{PB}$는 원의 접선이고 두 점 A, B는 접점이다. □ABCD와 □ABCE는 원에 내접하고 $\angle P=50°$, $\angle AEC=90°$, $\angle BAD=70°$, $\angle DCF=29°$일 때, $\angle x+\angle y+\angle z$의 크기를 구하시오.

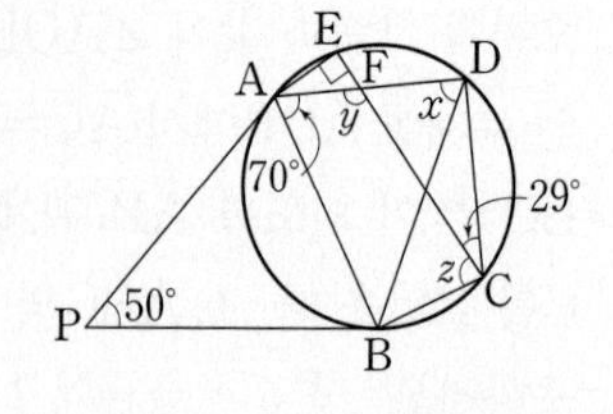

16

오른쪽 그림과 같이 △ABC의 외접원에서 현 BC의 연장선과 점 A에서 원에 그은 접선의 교점을 D라고 하고 ∠ADB의 이등분선과 $\overline{AB}$의 교점을 E라고 하자. $\overset{\frown}{BC}$의 길이는 원주의 $\frac{3}{10}$일 때, ∠AED의 크기를 구하시오.

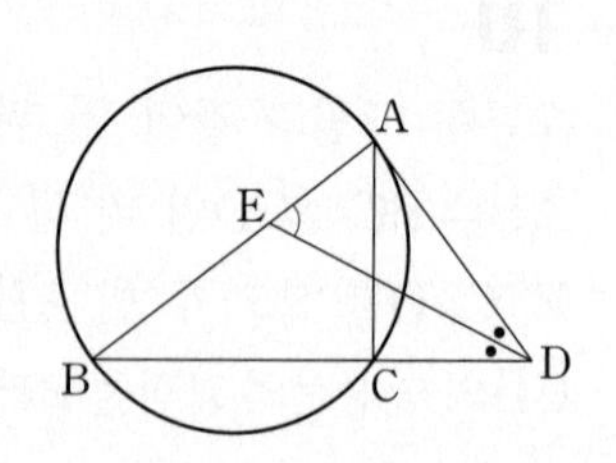

17

오른쪽 그림과 같이 $\overleftrightarrow{HC}$는 지름이 $\overline{AB}$인 원 O의 접선이고 점 C는 접점이다. $\overline{AH} \perp \overleftrightarrow{HC}$이고 $\overline{AB}=8$, $\overline{AH}=6$일 때, $\angle BAC$의 크기를 구하시오.

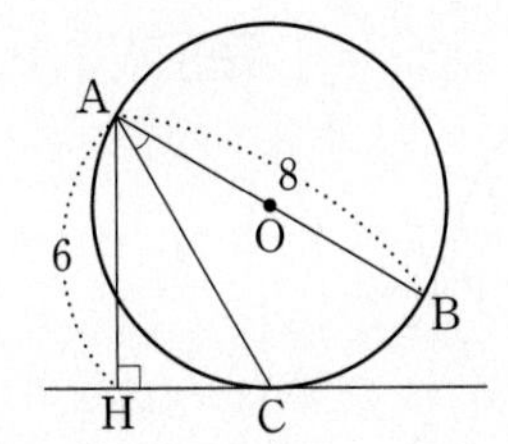

18

오른쪽 그림과 같이 $\angle C=85°$인 $\triangle ABC$에서 $\overline{BC}$는 원의 접선이고 점 B는 접점이다. 두 점 D, E는 $\overset{\frown}{AB}$의 삼등분점일 때, $\angle EBC$의 크기를 구하시오.

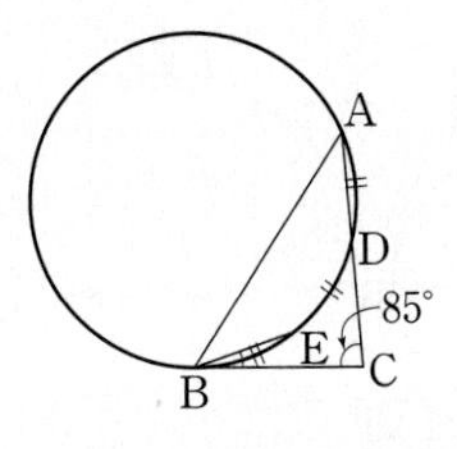

19

오른쪽 그림과 같이 $\overleftrightarrow{TT'}$은 점 A에서 접하는 원과 $\overline{BC}$를 지름으로 하는 반원의 공통인 접선이고 $\overline{BC}$는 원과 점 D에서 접한다. $\angle ABC=35°$이고 $\overline{AB}$와 원의 교점을 E라고 할 때, 다음을 각각 구하시오.

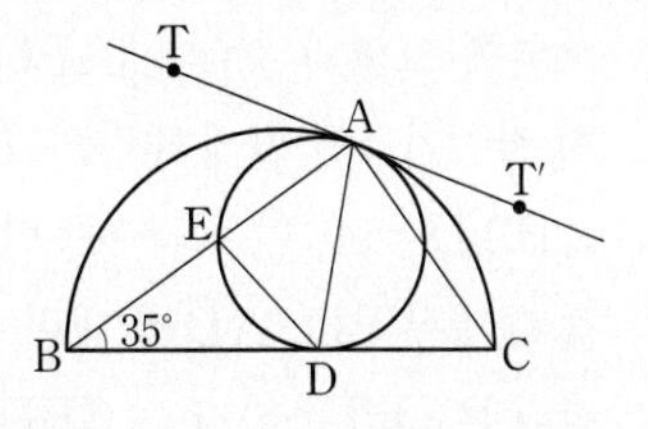

(1) $\angle ADE$

(2) $\angle ADC$

20

다음 그림과 같이 두 점 A, B는 두 원 O, O′의 교점이고 $\overline{AD}$는 원 O의 접선, $\overline{AC}$는 원 O′의 접선, 점 A는 두 원 O, O′의 접점이다. $\angle CBD=172°$일 때, $\angle CAD$의 크기를 구하시오.

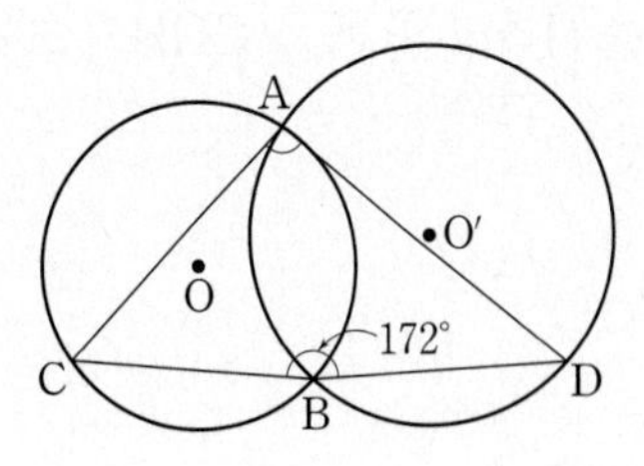

STEP 3 전교 1등 확실하게 굳히는 문제

1 융합형

오른쪽 그림과 같이 □ABCD는 반지름의 길이가 4인 원에 내접하고 △ABD는 $\angle BAD=90^\circ$인 직각이등변삼각형이다. 점 C에서 $\overline{BD}$, $\overline{AD}$에 내린 수선의 발을 각각 P, Q라고 하자. $\angle CBD=60^\circ$일 때, $\overline{CQ}$의 길이를 구하시오.

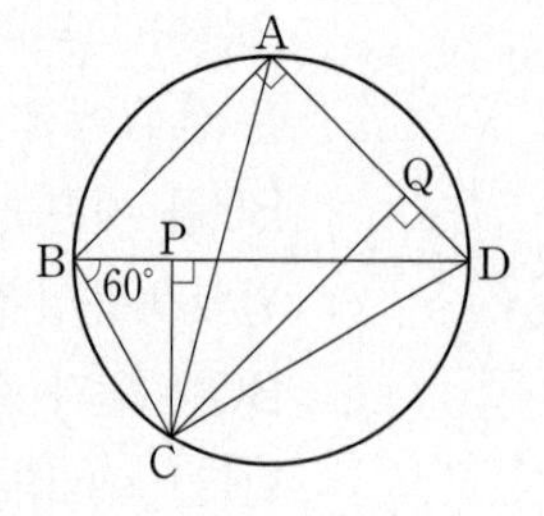

풀이

2

오른쪽 그림과 같이 지름이 $\overline{AB}$인 반원 위의 점 C에 대하여 $\angle CAB=22^\circ$이다. 점 B에서 큰 반원과 내접하고 지름이 $\overline{BD}$인 작은 반원에 대하여 $\overline{AC}$는 작은 반원의 접선이고 점 P는 접점이다. 점 P에서 $\overline{AB}$에 내린 수선의 발을 H라고 할 때, $\angle CHB$의 크기를 구하시오.

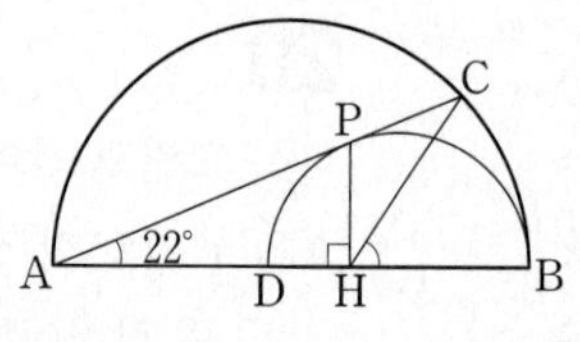

풀이

3

오른쪽 그림과 같이 원 O에 내접하는 $\triangle$ABC에서 $\overline{AB}=\overline{AC}$, $\angle BAC=30°$이고 현 DE와 $\overline{AB}$, $\overline{AC}$의 교점을 각각 F, G라고 하자. $\widehat{DB}$와 $\widehat{AE}$의 길이는 각각 원주의 $\frac{1}{12}$이고 $\overline{DE}=1$ cm일 때, $\overline{AF}$의 길이를 구하시오.

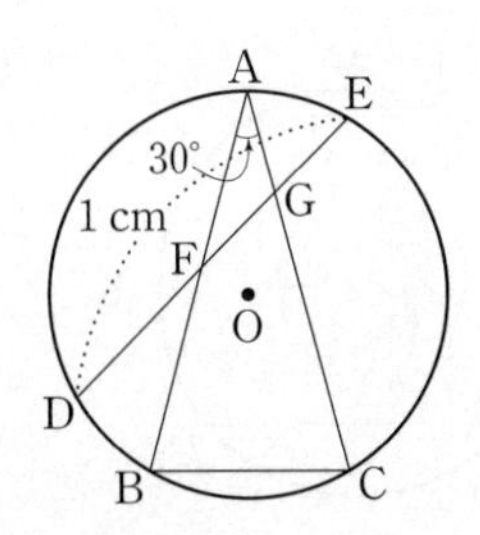

풀이

4 창의력

다음 그림과 같이 $\angle A=80°$, $\angle B=60°$인 $\triangle$ABC에서 $\angle A$의 이등분선과 $\overline{BC}$의 교점을 D라고 하자. 두 점 C, D를 지나는 원과 $\overline{AC}$의 교점을 E, $\overline{BE}$와 원의 교점을 F라고 할 때, $\angle AFB$의 크기를 구하시오.

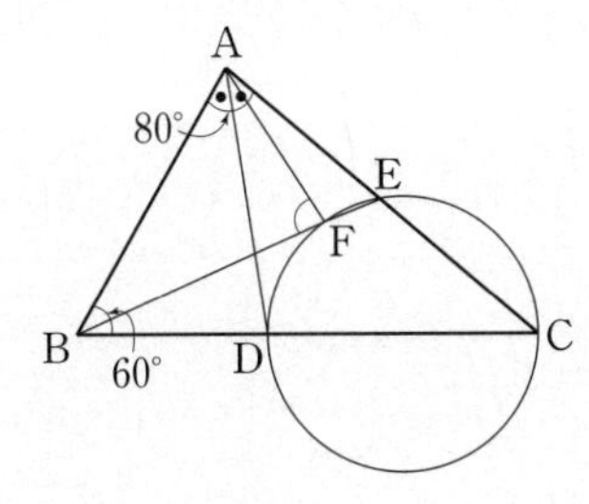

풀이

5 창의+융합

오른쪽 그림과 같이 □ABCD의 내접원 O와 외접원이 있다. $\overline{AB}=9$, $\overline{BC}=7$, $\overline{CD}=12$, $\overline{AD}=14$일 때, 내접원 O의 넓이를 구하시오.

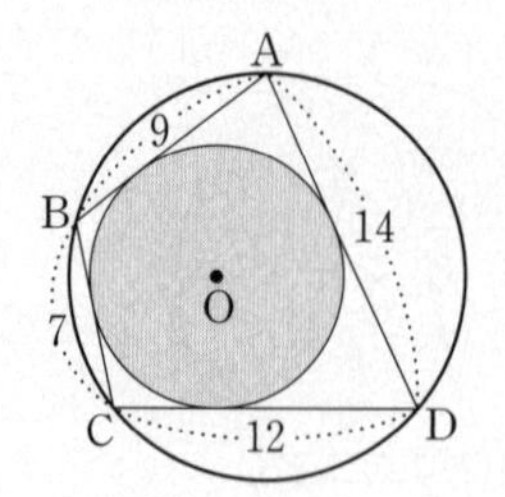

풀이

6

오른쪽 그림과 같이 원 O의 두 현 AB, CD에 대하여 $\overline{PA}$, $\overline{PC}$는 원 O의 접선이고 두 점 A, C는 접점이다. 점 P에서 $\overline{AB}$, $\overline{CD}$에 내린 수선의 발을 각각 E, F라고 하자. $\overline{AB}=12$ cm, $\overline{CD}=9$ cm일 때, $\dfrac{\overline{PF}}{\overline{PE}}$의 값을 기약분수로 나타내시오.

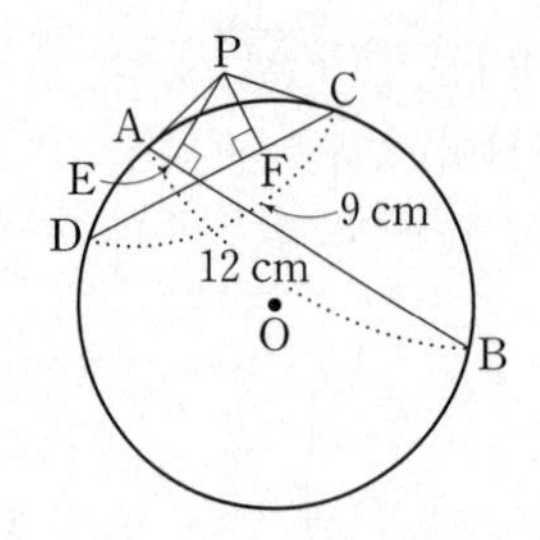

풀이

III
통계

01. 대푯값과 산포도

02. 산점도와 상관관계

정답과 풀이 44쪽

01 대푯값과 산포도

❶ 대푯값

(1) **대푯값** 자료 전체의 특징을 대표적으로 나타낸 값으로 평균, 중앙값, 최빈값 등이 있다.

(2) **평균** 변량의 총합을 변량의 개수로 나눈 값 ➡ (평균)$=\dfrac{\text{(변량의 총합)}}{\text{(변량의 개수)}}$

(3) **중앙값** 변량을 작은 값부터 크기순으로 나열할 때, 중앙에 놓인 값

➡ n개의 변량을 작은 값부터 크기순으로 나열할 때, 중앙값은 다음과 같다.

① n이 홀수인 경우 ➡ $\dfrac{n+1}{2}$번째 변량

② n이 짝수인 경우 ➡ $\dfrac{n}{2}$번째와 $\left(\dfrac{n}{2}+1\right)$번째 변량의 평균

(4) **최빈값** 변량 중에서 가장 많이 나타나는 값

참고 최빈값은 자료에 따라 2개 이상일 수도 있다.

❷ 산포도

(1) **산포도** 변량이 흩어져 있는 정도를 하나의 수로 나타낸 값

참고 변량들이 대푯값 주위에 모여 있으면 산포도는 작고, 대푯값으로부터 멀리 흩어져 있으면 산포도는 크다.

(2) **편차** 어떤 자료의 각 변량에서 평균을 뺀 값

➡ (편차)$=$(변량)$-$(평균)

① 편차의 총합은 항상 0이다.

② 평균보다 큰 변량의 편차는 양수이고, 평균보다 작은 변량의 편차는 음수이다.

③ 편차의 절댓값이 클수록 변량은 평균에서 멀리 떨어져 있고, 편차의 절댓값이 작을수록 변량은 평균에 가까이 있다.

(3) **분산** 편차의 제곱의 평균 ➡ (분산)$=\dfrac{\{\text{(편차)}^2\text{의 총합}\}}{\text{(변량의 개수)}}$

(4) **표준편차** 분산의 음이 아닌 제곱근 ➡ (표준편차)$=\sqrt{\text{(분산)}}$

참고 분산과 표준편차의 해석

① 분산(표준편차)이 작을수록 자료가 평균 주위에 모여 있다.

➡ 자료의 분포 상태가 고르다.

② 분산(표준편차)이 클수록 자료가 평균으로부터 멀리 흩어져 있다.

➡ 자료의 분포 상태가 고르지 않다.

개념+ 변화된 변량의 평균, 분산, 표준편차

n개의 변량 $x_1, x_2, x_3, \cdots, x_n$의 평균이 m이고 표준편차가 s일 때, 변량 $ax_1+b, ax_2+b, ax_3+b, \cdots, ax_n+b$($a, b$는 상수)에 대하여

(1) (평균)$=am+b$ (2) (분산)$=a^2s^2$ (3) (표준편차)$=|a|s$

[확인 ❶]

다음은 연재네 반 학생 10명의 줄넘기 횟수를 조사하여 나타낸 줄기와 잎 그림이다. 이 자료의 평균, 중앙값, 최빈값을 각각 a회, b회, c회라고 할 때, $a+b+c$의 값을 구하시오.

줄넘기 횟수

(0|3은 3회)

줄기	잎
0	3 8 8 8
1	3 5 5 8
2	0 2

[확인 ❷]

다음 표는 학생 5명의 하루 동안의 수면 시간을 조사하여 나타낸 것이다. 표를 완성하고, 수면 시간의 분산과 표준편차를 각각 구하시오.

(단위 : 시간)

학생	A	B	C	D	E
수면 시간	6	9	10	8	12
편차					

정답과 풀이 44쪽

대푯값이 주어질 때, 변량 구하기

다음 물음에 답하시오.

1-1 다음 8개의 변량의 평균과 최빈값이 같을 때, x의 값을 구하시오.

$8,\ 6,\ 4,\ 8,\ x,\ 9,\ 10,\ 8$

1-2 다음 6개의 변량의 평균과 최빈값이 같을 때, 중앙값을 구하시오.

$7,\ 9,\ x,\ 15,\ 8,\ 6$

2-1 다음 자료의 평균과 중앙값이 모두 0일 때, a, b의 값을 각각 구하시오. (단, $a<b$)

$-1,\ a,\ 1,\ 4,\ b,\ -6,\ 5$

2-2 다음 자료의 평균이 1이고 $a-b=-1$일 때, 중앙값을 구하시오.

$-4,\ -3,\ a,\ 2,\ b,\ 3,\ 5,\ 0$

3-1 두 자연수 a, b에 대하여 변량 3, 5, a, b, 8의 중앙값은 6이고, 변량 2, 7, a, b, 10, 12의 중앙값은 8일 때, $a+b$의 값을 구하시오. (단, $a<b$)

3-2 다음 두 조건을 모두 만족하는 a, b의 값을 각각 구하시오. (단, $a<b$)

조건
(가) 변량 6, 8, 15, 17, a의 중앙값은 8이다.
(나) 변량 2, 14, a, b, 15의 평균은 10이고, 중앙값은 12이다.

상위권의 눈

▶ 중앙값을 구하는 방법
n개의 변량을 작은 값부터 크기순으로 나열할 때
(1) n이 홀수 : $\frac{n+1}{2}$번째 변량
(2) n이 짝수 : $\frac{n}{2}$번째와 $\left(\frac{n}{2}+1\right)$번째 변량의 평균

평균, 분산, 표준편차의 활용

다음 물음에 답하시오.

4-1 5개의 변량 11, 8, x, y, 12의 평균이 9이고 분산이 $\frac{12}{5}$일 때, x^2+y^2의 값을 구하시오.

4-2 5개의 변량 5, x, 7, y, 9의 평균이 6이고 표준편차가 $\sqrt{3.2}$일 때, x, y의 값을 각각 구하시오. (단, $x>y$)

5-1 5개의 변량 x_1, x_2, x_3, x_4, x_5의 평균이 20, 표준편차가 3일 때, 변량 x_1^2, x_2^2, x_3^2, x_4^2, x_5^2의 평균을 구하시오.

5-2 4개의 변량 a, b, c, d의 평균이 5, 분산이 1.5일 때, 변량 $2a+1$, $2b+1$, $2c+1$, $2d+1$의 평균과 분산을 각각 구하시오.

상위권의 눈

- n개의 변량 x_1, x_2, $\cdots$, x_n의 평균이 m, 분산이 V이면
  $x_1+x_2+\cdots+x_n=mn$
  $(x_1-m)^2+(x_2-m)^2+\cdots+(x_n-m)^2=Vn$
- 3개의 변량 a, b, c의 평균이 m, 표준편차가 s일 때 (단, p, q는 상수)
  (1) pa, pb, pc의 평균 : pm, 표준편차 : $|p|s$
  (2) $a+q$, $b+q$, $c+q$의 평균 : $m+q$, 표준편차 : s
  (3) $pa+q$, $pb+q$, $pc+q$의 평균 : $pm+q$, 표준편차 : $|p|s$

대푯값

01

어느 중학교 3학년 남학생 수는 여학생 수의 1.5배이다. 1학기 기말고사에서 남학생의 평균 점수는 80점, 여학생의 평균 점수는 85점일 때, 3학년 전체 학생의 평균 점수를 구하시오.

02

어느 모둠 8명의 영어 점수를 작은 값부터 크기순으로 나열할 때, 5번째 학생의 영어 점수는 78점이고, 중앙값은 75점이다. 이 모둠에 영어 점수가 74점인 학생 한 명이 새로 들어왔을 때, 학생 9명의 영어 점수의 중앙값을 구하시오.

03

다음은 3학년 학생 70명의 지난 1년 동안 영화 관람 횟수를 조사하여 나타낸 막대그래프인데 일부가 찢어져 보이지 않는다. 영화 관람 횟수의 평균이 4.3회일 때, 최빈값을 구하시오.

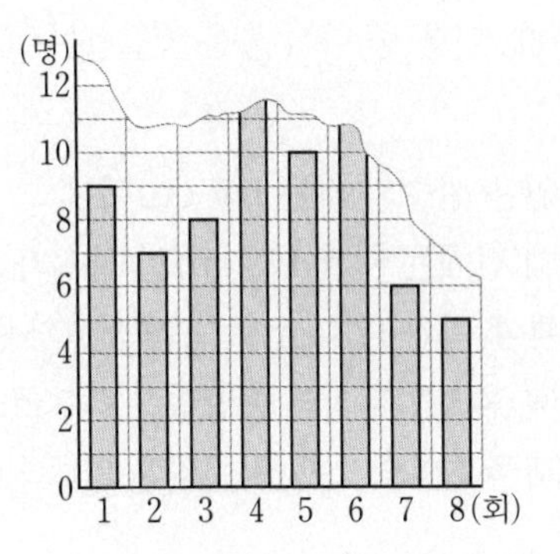

04

다음은 영지네 반 학생 9명의 1분 동안 윗몸일으키기 횟수를 조사하여 나타낸 것이다. 영지의 윗몸일으키기 횟수를 포함한 10개의 변량에서 영지의 횟수가 a회이면 평균이 26회, 영지의 횟수가 b회이면 최빈값이 두 개, 영지의 횟수가 c회이면 중앙값이 27회가 된다고 할 때, $a+b-c$의 값을 구하시오.

(단위 : 회)

18, 30, 25, 20, 30, 23, 25, 36, 30

05

어느 중학교 농구팀의 주전 선수 5명의 키의 평균은 175 cm, 중앙값은 173 cm, 최빈값은 173 cm이다. 그런데 한 선수가 부상을 입어 다른 선수로 교체하였더니 키의 평균이 176 cm가 되었다. 새로 들어온 선수의 키가 173 cm일 때, 다음 중 항상 옳은 것을 모두 고르면? (정답 2개)

① 부상을 입은 선수의 키는 167 cm이다.
② 선수 교체 전에는 키가 173 cm인 선수가 3명 있었다.
③ 선수 교체 후 키가 173 cm보다 큰 선수가 반드시 있다.
④ 선수 교체 후 5명의 키의 중앙값은 173 cm이다.
⑤ 선수 교체 후 5명의 키의 최빈값은 없다.

06

6개의 변량 2, 4, 5, a, b, c의 평균과 중앙값이 같고 최빈값이 7일 때, $a+b+c$의 값을 구하시오.

07

다음 조건을 모두 만족하는 자연수로만 이루어진 7개의 변량 중 가장 큰 변량의 최댓값을 구하시오.

조건
(가) 평균은 50이다.
(나) 가장 작은 변량은 21이다.
(다) 중앙값은 45이다.
(라) 최빈값은 64이다.

산포도

08

다음 표는 4개의 변량 A, B, C, D의 편차를 나타낸 것이다. 평균이 24일 때, 변량 B가 될 수 있는 모든 값의 합을 구하시오.

변량	A	B	C	D
편차	$-x^2+x+3$	$2x^2-x+2$	$x-2$	$2x-1$

09

아래 표는 5명의 학생 A, B, C, D, E의 몸무게의 편차를 나타낸 것인데 얼룩이 생겨 A 학생과 C 학생의 편차가 보이지 않는다. 몸무게의 평균과 중앙값이 같을 때, 다음 중 옳지 않은 것은?

학생	A	B	C	D	E
편차(kg)	[illegible]	3	[illegible]	2	-4

① A 학생의 몸무게는 평균보다 적거나 같다.
② B 학생의 몸무게는 C 학생의 몸무게보다 많다.
③ D 학생의 몸무게가 두 번째로 많다.
④ C 학생의 몸무게가 중앙값이다.
⑤ E 학생의 몸무게는 중앙값보다 4 kg 적다.

10

다음 표는 5명의 학생 A, B, C, D, E가 한 달 동안 읽은 책의 수를 조사하여 나타낸 것인데 일부분이 찢어졌다. E 학생이 읽은 책을 a권이라고 하고 5명이 읽은 책의 수의 평균과 분산이 각각 m권, 9.2일 때, $a+m$의 값을 구하시오. (단, a는 자연수)

학생	A	B	C	D	E
책의 수(권)	3	5	1	6	

11

이차방정식 $x^2-ax+b=0$에서 두 근의 분산은 $\frac{a^2}{p}-qb$이다. 자연수 p, q에 대하여 $p+q$의 값을 구하시오.

12

다음은 A, B 두 자료의 분포를 나타낸 막대그래프이다. A, B 두 자료의 표준편차가 각각 $\sqrt{5}$, $\sqrt{6}$일 때, ab의 값을 구하시오. (단, $a>0$, $b>0$)

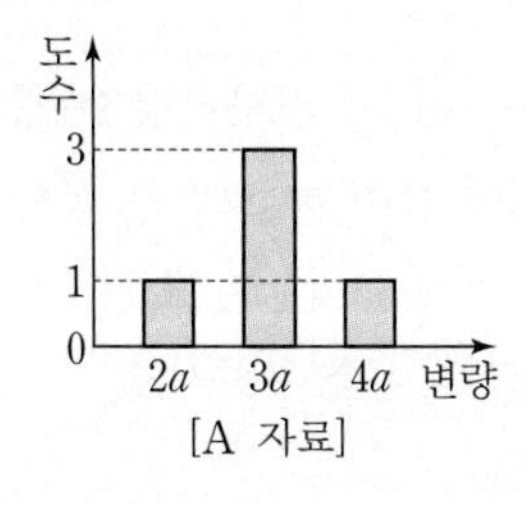

[A 자료]

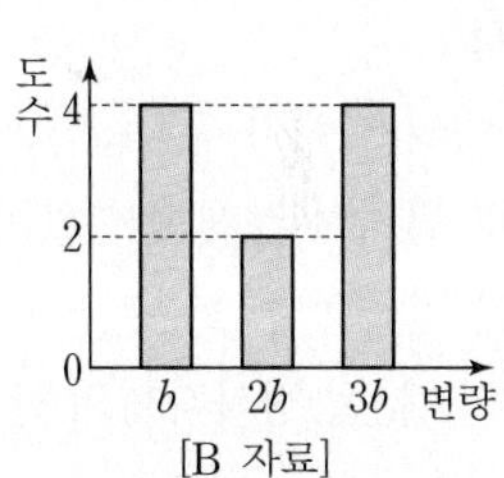

[B 자료]

III. 통계

13

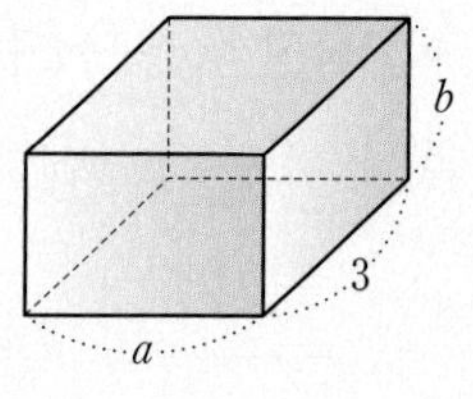

오른쪽 그림과 같이 세 모서리의 길이가 각각 a, 3, b인 직육면체가 있다. 12개의 모서리의 길이의 평균이 3, 표준편차가 $\frac{\sqrt{6}}{3}$일 때, 이 직육면체의 겉넓이를 구하시오.

14

한 변의 길이가 각각 x_1, x_2, $\cdots$, x_{10}인 정사각형 10개를 서로 겹치지 않게 빈틈없이 이어 붙여 하나의 큰 정사각형을 만들었다. x_1, x_2, $\cdots$, x_{10}의 평균이 $\sqrt{7}$, 표준편차가 $\sqrt{3}$일 때, 큰 정사각형의 한 변의 길이를 구하시오.

15

수지네 모둠 학생 5명의 줄넘기 개수를 조사하였더니 평균이 20개, 분산이 12였다. 그런데 나중에 확인해 보니 줄넘기 개수가 26개, 13개인 두 학생의 줄넘기 개수가 21개, 18개로 잘못 기록되어 있었다. 이때 학생 5명의 실제 줄넘기 개수의 분산을 구하시오.

16

다음 그림은 A, B 두 제품에 대하여 평가단 10명의 평점을 조사하여 나타낸 꺾은선그래프이다. 보기에서 옳은 것을 모두 고르시오.

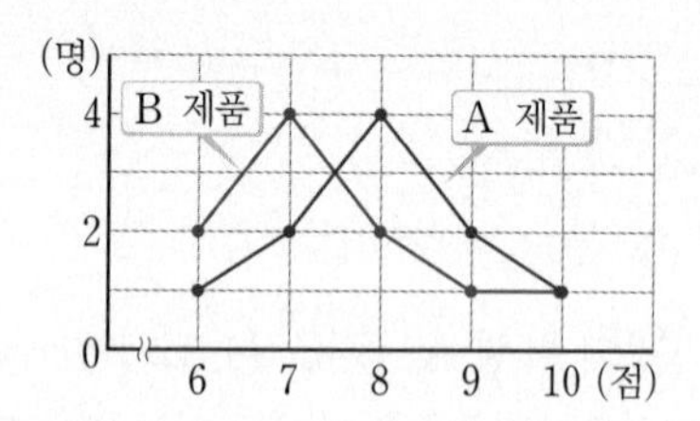

보기

ㄱ. A 제품의 평점의 평균이 B 제품의 평점의 평균보다 높다.

ㄴ. A 제품의 평점이 B 제품의 평점보다 더 고르다.

ㄷ. A 제품의 평점의 중앙값이 B 제품의 평점의 중앙값보다 낮다.

STEP 3 전교 1등 확실하게 굳히는 문제

정답과 풀이 49쪽

1 창의력

어느 미술 대회에서 각 심사 위원이 이 대회에 출전한 각 학생에게 줄 수 있는 최고 점수는 10점이라고 한다. 세희가 이 대회에 출전해서 심사 위원들로부터 평균 9.72점을 받았는데 최저 점수를 뺀 나머지 점수의 평균은 9.76점이고, 최고 점수를 뺀 나머지 점수의 평균은 9.68점이다. 세희가 받은 점수 중 최저 점수의 최솟값과 이때의 심사 위원의 수를 각각 구하시오.

풀이

2

다음 표는 A, B 두 학교의 남학생과 여학생의 수학 시험 평균 점수를 조사하여 나타낸 것이다. 이때 두 학교에서 남학생의 평균을 x점이라고 할 때, x의 값을 구하시오.

(단위 : 점)

평균	A 학교	B 학교	전체
남학생	70	60	x
여학생	90	72	78
전체	82	68	

풀이

III. 통계

3 창의+융합

다음 8개의 변량에서 x의 값에 따른 중앙값 y를 나타낸 함수의 그래프로 옳은 것은? (단, $x \geq 0$)

풀이

$$6,\ 12,\ 26,\ 2,\ 203,\ 91,\ 48,\ 3x^2$$

①

②

③

④

⑤ 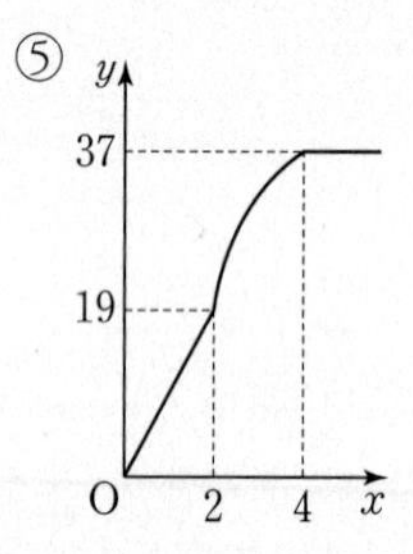

4 융합형

네 변량 a, b, c, d의 평균이 2, 표준편차가 $2\sqrt{5}$일 때, 다음 이차함수 $f(x)$의 그래프의 꼭짓점의 좌표를 구하시오.

풀이

$$f(x)=(a-x)^2+(b-x)^2+(c-x)^2+(d-x)^2$$

5 서술형

두 양궁 선수 A, B 중에서 한 명을 대표로 선발하려고 한다. 총 10회의 화살을 쏜 결과가 다음 표와 같았고, B 선수의 결과 중 6점, 10점을 쏜 횟수가 지워져서 알 수가 없게 되었다. B 선수가 6점과 10점을 쏜 횟수는 각각 1회 이상일 때 두 선수 중 어느 선수를 대표로 선발해야 하는지 구하고, 그 이유를 설명하시오.

(단, 점수는 10점 만점이다.)

A 선수

점수(점)	6	7	8	9	10	합계
횟수(회)	2	3	1	1	3	10

B 선수

점수(점)	6	7	8	9	10	합계
횟수(회)		2	1	4		10

풀이

정답과 풀이 51쪽

02 산점도와 상관관계

❶ 산점도

두 변량 x, y를 순서쌍으로 하는 점 (x, y)를 좌표평면 위에 나타낸 그래프

예 아래 표는 정훈이네 반 학생 16명의 50 m 달리기 기록 x초와 제자리멀리뛰기 기록 y cm를 조사하여 나타낸 것이다. x, y에 대한 산점도를 나타내면 다음 그림과 같다.

x(초)	y(cm)	x(초)	y(cm)
9.8	140	7.8	208
8.8	184	8	180
9.8	156	8.6	180
10.2	132	9.6	168
10.4	120	10.2	156
10.6	124	11	144
11	120	7	216
9	176	7.6	204

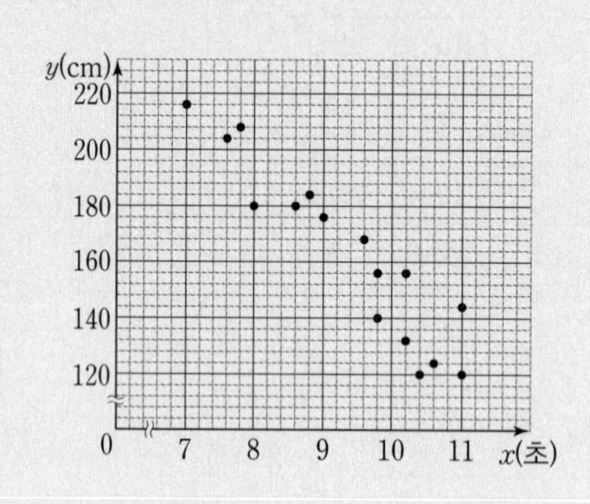

[확인 ❶]

다음 그림은 은지네 반 학생 20명의 과학 성적과 수학 성적을 조사하여 나타낸 산점도이다. 수학 성적이 과학 성적보다 낮은 학생 수를 구하시오.

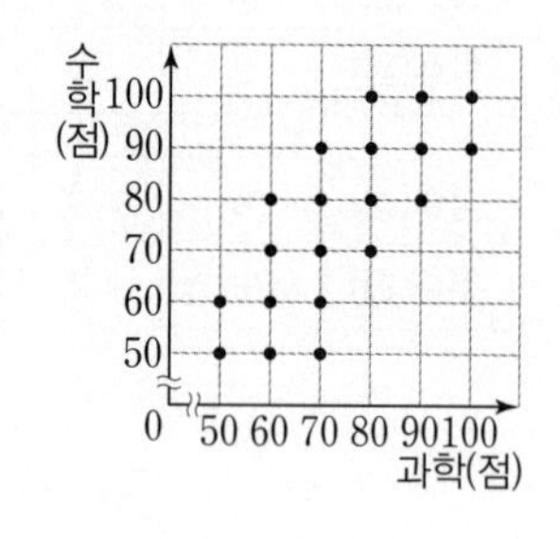

❷ 상관관계

(1) 상관관계 두 변량 x, y 사이에 x의 값이 증가함에 따라 y의 값이 증가하거나 감소하는 경향이 있을 때, 두 변량 x, y 사이에 상관관계가 있다고 한다.

(2) 상관관계의 종류

① 양의 상관관계 : 두 변량 x, y에 대하여 x의 값이 증가함에 따라 y의 값도 대체로 증가하는 관계

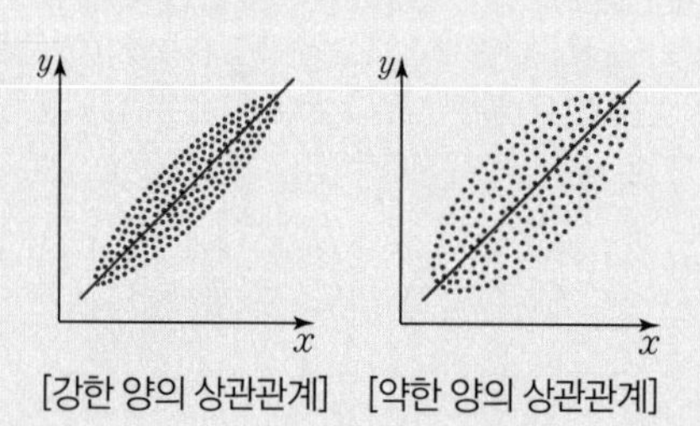

[강한 양의 상관관계] [약한 양의 상관관계]

② 음의 상관관계 : 두 변량 x, y에 대하여 x의 값이 증가함에 따라 y의 값은 대체로 감소하는 관계

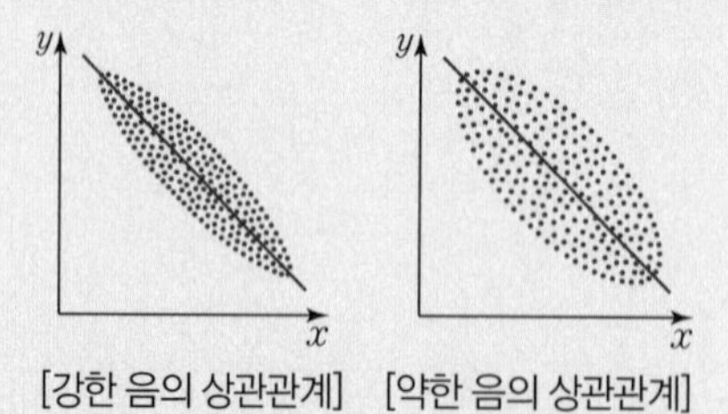

[강한 음의 상관관계] [약한 음의 상관관계]

③ 상관관계가 없다. : 두 변량 x, y에 대하여 x의 값이 증가함에 따라 y의 값이 증가하는지 또는 감소하는지 분명하지 않을 때, 두 변량 x, y 사이에는 상관관계가 없다고 한다.

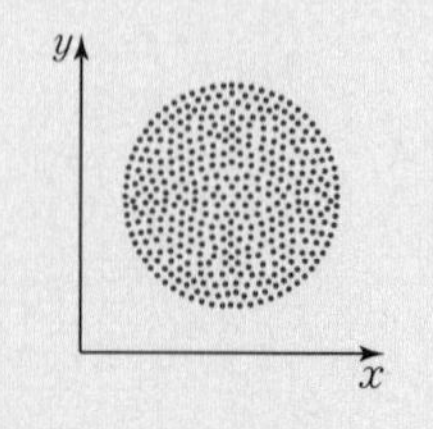

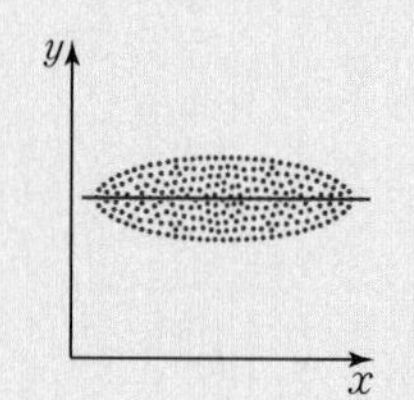

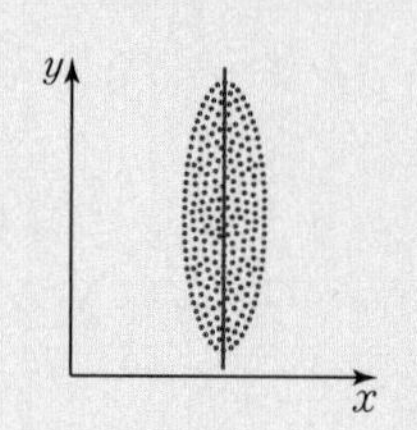

[확인 ❷]

다음 보기 중 두 변량을 산점도로 나타내었을 때, 아래 그림과 같은 것을 모두 고르시오.

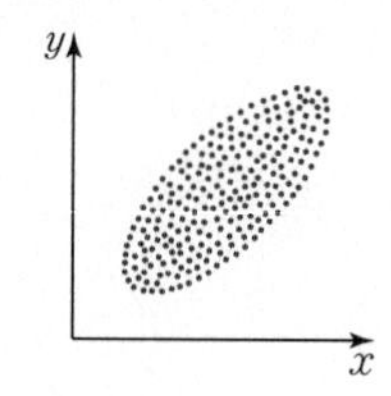

보기

ㄱ 예금액과 이자

ㄴ 감기의 발생률과 몸의 면역력

ㄷ 물건의 가격과 소비량

ㄹ 가족 수와 가계 지출액

ㅁ 신발의 크기와 머리 둘레

산점도

다음 물음에 답하시오.

1-1 다음 그림은 수지네 반 학생 25명의 음악 성적과 미술 성적을 조사하여 나타낸 산점도이다. 음악 성적과 미술 성적이 같은 학생 수를 a명, 음악 성적보다 미술 성적이 높은 학생 수를 b명이라고 할 때, $b-a$의 값을 구하시오.

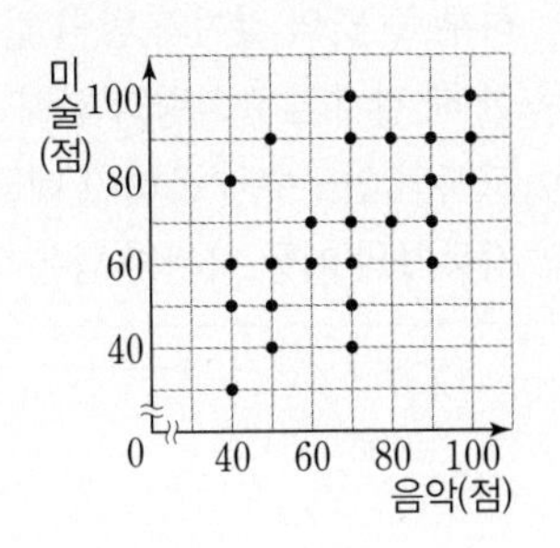

1-2 다음 그림은 경일이네 반 학생 20명의 1차, 2차에 걸친 수학 시험 성적을 조사하여 나타낸 산점도이다. 1차보다 2차에서 낮은 점수를 얻은 학생은 전체의 몇 %인지 구하시오.

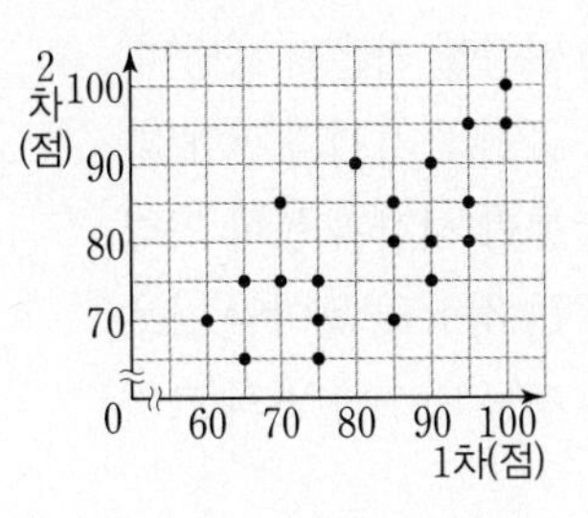

2-1 다음 그림은 야구부 학생 20명의 작년과 올해에 친 홈런 개수를 조사하여 나타낸 산점도이다. 작년과 올해에 친 홈런 개수의 평균이 7.5개 이상인 선수는 전체의 몇 %인지 구하시오.

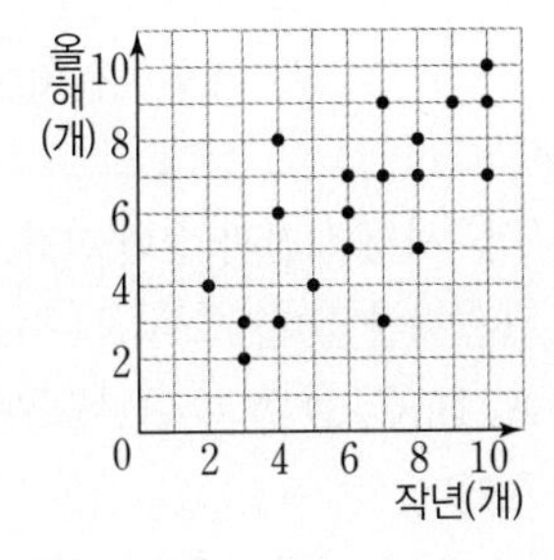

2-2 다음 그림은 양궁 선수 21명의 1차, 2차에 걸쳐 활을 쏘아 얻은 점수를 조사하여 나타낸 산점도이다. 1차 점수와 2차 점수 중 적어도 하나의 점수가 7점 이상인 선수 수를 구하시오.

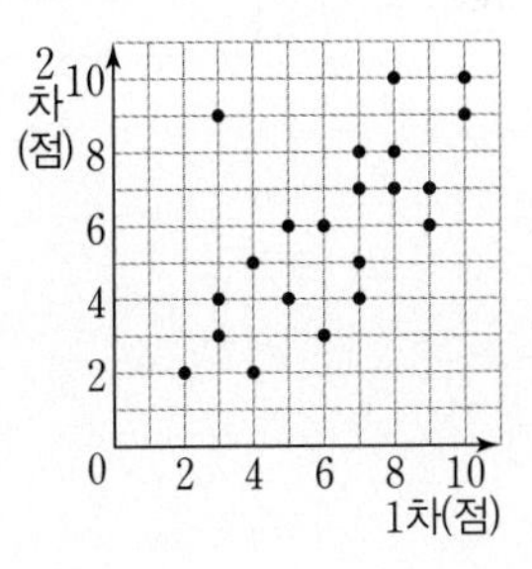

상위권의 눈

- 산점도에서 '같은', '높은', '낮은'과 같이 두 변량을 비교하는 말이 나오는 경우 대각선을 긋는다.
- (1차 점수와 2차 점수 중 적어도 하나의 점수가 7점 이상인 학생 수)
  =(1차 점수가 7점 이상 또는 2차 점수가 7점 이상인 학생 수)
  =(전체 학생 수)−(1차 점수와 2차 점수 모두 7점 미만인 학생 수)

STEP 1 억울하게 울리는 문제 (2)

정답과 풀이 51쪽

상관관계

다음 물음에 답하시오.

3-1 다음 두 변량 중 오른쪽 산점도와 같은 상관관계를 가지는 것을 모두 고르면? (정답 2개)

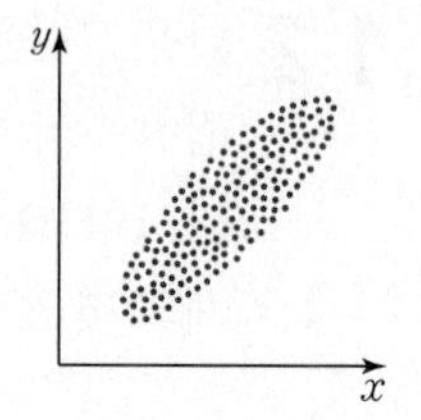

① 여름철 기온과 냉방비
② 물건의 가격과 판매량
③ 통학 시간과 통학 거리
④ 산 정상의 높이와 기온
⑤ 지능 지수와 발의 크기

3-2 다음 보기 중 두 변량 사이에 대체로 음의 상관관계가 있는 것은 모두 몇 개인지 구하시오.

보기
㉠ 운동 시간과 칼로리 소모량
㉡ 키와 성적
㉢ 하루 중 낮의 길이와 밤의 길이
㉣ 한 해 감자의 수확량과 감자 가격
㉤ 도시의 인구수와 쓰레기 배출량
㉥ 자동차의 이동 거리와 남은 연료의 양

4-1 다음 그림은 어느 회사 사원들의 한 달 수입액과 저축액을 조사하여 나타낸 산점도이다. A, B, C, D, E 중 수입액에 비하여 저축액이 가장 많은 사원을 구하시오.

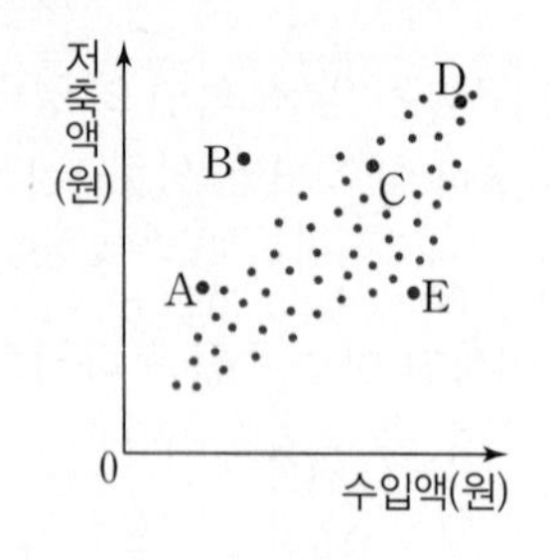

4-2 아래 그림은 재민이네 반 학생들의 하루 동안 TV 시청 시간과 수면 시간을 조사하여 나타낸 산점도이다. 다음 보기 중 옳은 것을 모두 고르시오.

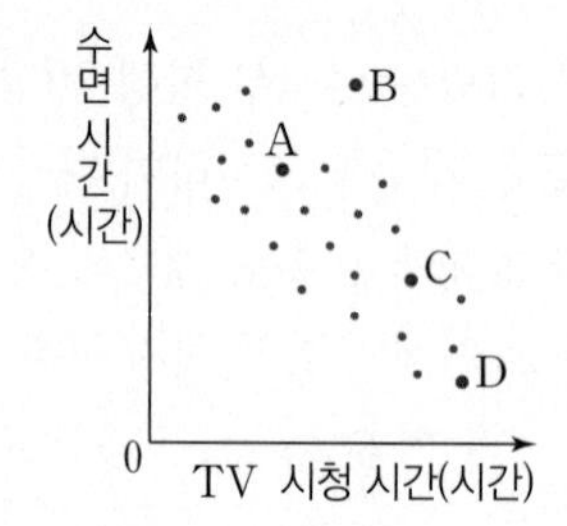

보기
㉠ TV 시청 시간과 수면 시간 사이에는 음의 상관관계가 있다.
㉡ A, B, C, D 중 수면 시간이 가장 긴 학생은 A이다.
㉢ C는 B에 비하여 TV 시청 시간이 길다.

상위권의 눈

▶ ① 기준선의 위쪽 : x의 값에 비하여 y의 값이 크다.
② 기준선의 아래쪽 : x의 값에 비하여 y의 값이 작다.
③ 기준선 또는 기준선 근처 : x의 값과 y의 값이 같거나 비슷하다.
(단, x의 값과 y의 값의 범위가 같은 경우)

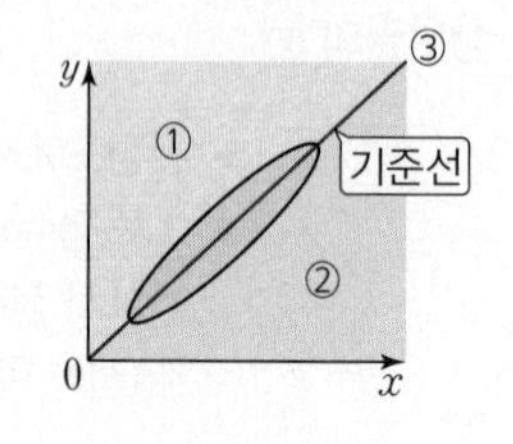

STEP 2 반드시 등수 올리는 문제

정답과 풀이 52쪽

산점도

01

오른쪽 그림은 연우네 반 학생 18명의 영어 성적과 수학 성적을 조사하여 나타낸 산점도이다. 수학 성적이 영어 성적보다 높으면서 영어 성적이 60점 이상인 학생들의 수학 성적의 평균을 구하시오.

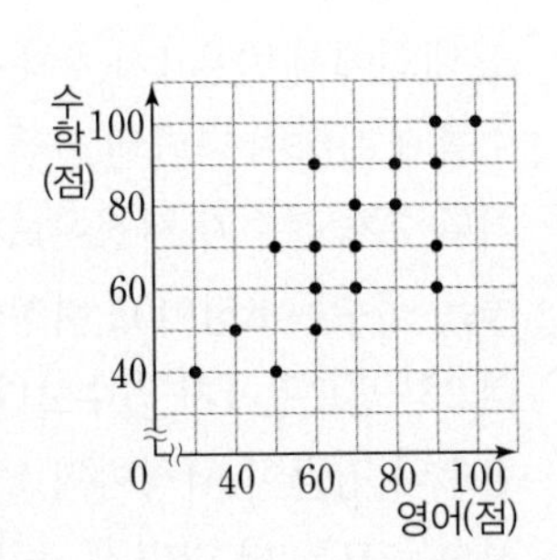

02

오른쪽 그림은 유라네 반 학생 16명의 던지기 실기 점수와 달리기 실기 점수를 조사하여 나타낸 산점도이다. 다음 보기 중 옳은 것을 모두 고르시오.

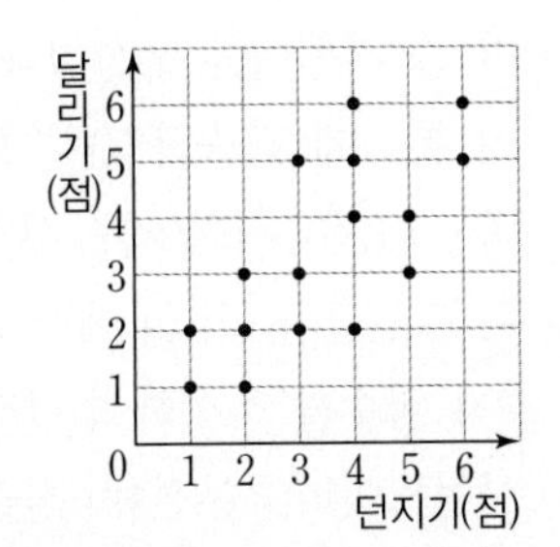

보기

㉠ 달리기 실기 점수의 중앙값은 3점이다.

㉡ 던지기 실기 점수의 최빈값과 중앙값은 서로 같다.

㉢ 던지기 실기 점수의 평균이 달리기 실기 점수의 평균보다 높다.

03

오른쪽 그림은 워드 프로세서 시험에 응시한 지수네 반 학생들의 필기 점수와 실기 점수를 조사하여 나타낸 산점도이다. 다음 중 옳지 <u>않은</u> 것은? (단, 중복되는 점은 없다.)

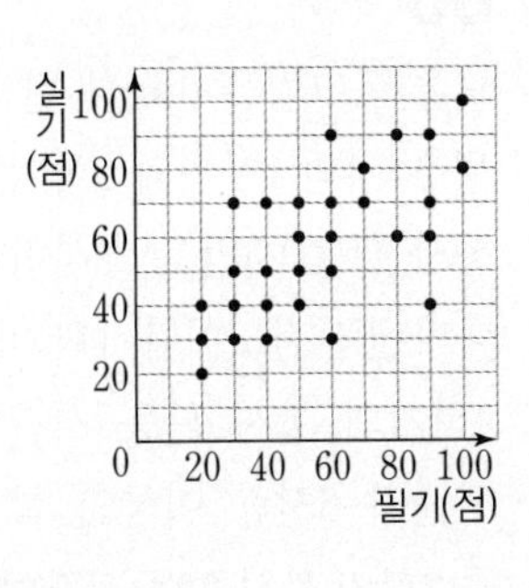

① 지수네 반의 전체 학생 수는 30명이다.

② 실기 점수가 60점 이상 80점 미만인 학생 수는 10명이다.

③ 필기 점수와 실기 점수의 차가 가장 큰 학생의 필기 점수는 90점이다.

④ 필기 점수와 실기 점수의 평균이 80점 이상인 학생 수는 5명이다.

⑤ 필기 점수와 실기 점수의 차가 10점 이하인 학생은 전체의 26 %이다.

04

오른쪽 그림은 어느 중학교 육상부 선수 16명의 100 m 달리기 기록을 1, 2차에 걸쳐 조사하여 나타낸 산점도이다. 두 기록 중 더 좋은 기록을 최종 기록으로 보고 이 기록을 기준으로 전국 청소년 육상 대회에 출전할 대표 선수를 선발하였더니 선발된 선수들의 달리기 기록의 평균이 10.5초이었다. 이때 선발된 선수들은 상위 몇 % 이내에 드는지 구하시오.

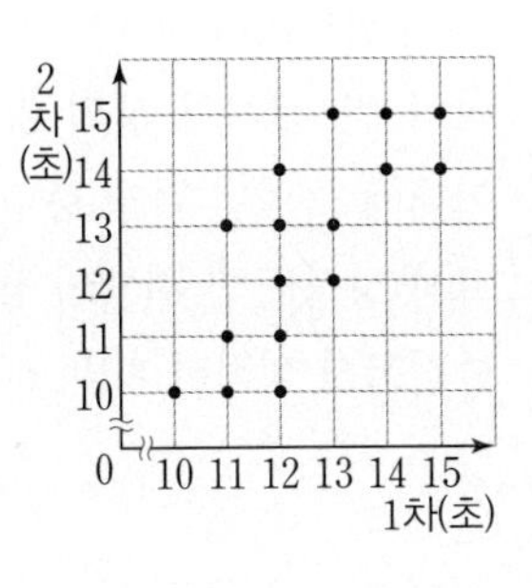

05

오른쪽 그림은 미라네 반 학생 24명의 1학기와 2학기의 봉사 활동 시간을 조사하여 나타낸 산점도이다. 1학기와 2학기의 봉사 활동 시간의 평균이 6시간 이상인 학생 중 2학기 봉사 활동 시간이 1학기보다 1시간 이상 많은 학생은 모두 몇 명인지 구하시오.

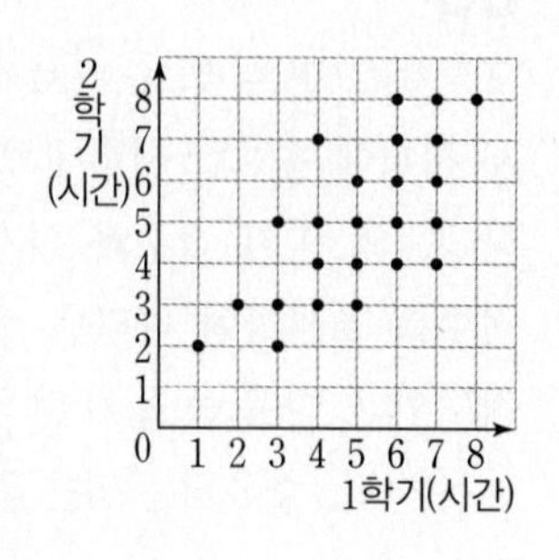

06

오른쪽 그림은 천희네 반 학생 20명의 중간고사와 기말고사 성적을 조사하여 나타낸 산점도이다. 중간고사 성적이 반 전체의 상위 20 % 이내에 들었던 학생 중 기말고사 성적도 반 전체의 상위 20 % 이내에 드는 학생들의 중간고사 성적과 기말고사 성적의 평균을 구하시오.

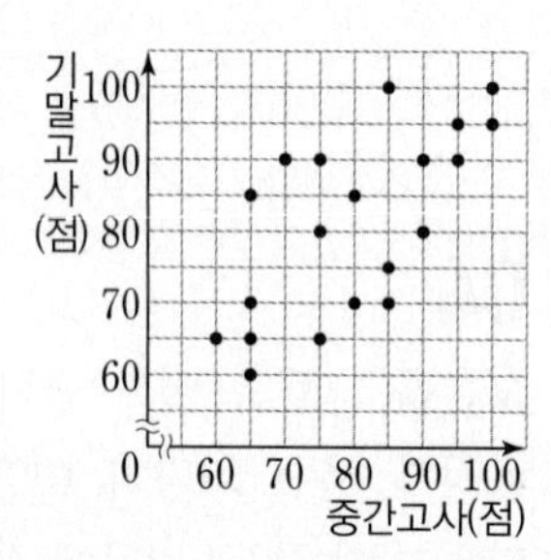

07

오른쪽 그림은 서정이를 포함한 22명의 체조 선수들이 체조 대회에서 받은 1차, 2차 점수를 조사하여 나타낸 산점도이다. 1차 점수가 서정이보다 높은 선수는 8명이고 서정이의 2차 점수는 1차 점수보다 1점 높다고 할 때, 1차와 2차 점수의 평균이 서정이의 1차와 2차 점수의 평균과 같은 선수는 모두 몇 명인지 구하시오.

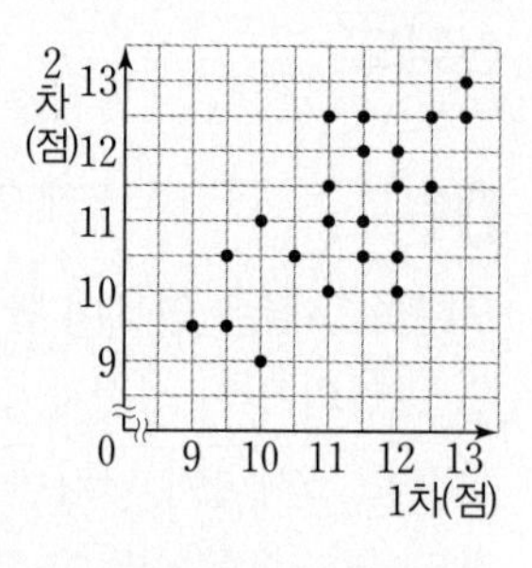

08

어느 오디션 프로그램의 참가자 중 지원이를 포함한 10명이 본선에 진출하였다. 오른쪽 그림은 지원이를 제외한 본선 진출자 9명의 예선 1차, 2차 점수를 조사하여 나타낸 산점도이다. 본선에 진출한 참가자 10명이 예선 1차에서 받은 점수의 평균이 7.6점, 2차에서 받은 점수의 평균이 7.8점일 때, 지원이는 몇 등으로 본선에 진출하였는지 구하시오.

(단, 등수는 예선 1차, 2차 점수의 평균으로 정한다.)

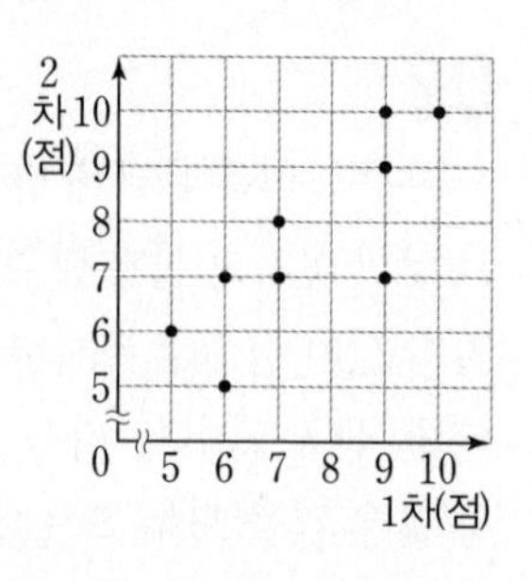

09

오른쪽 그림은 어느 보험 회사 직원 20명의 지난 해 상반기와 하반기의 보험 판매 건수를 조사하여 나타낸 산점도이다. 상반기와 하반기의 보험 판매 건수의 합으로 등수를 매기고 합이 같은 경우에는 하반기 보험 판매 건수가 많은 직원이 높은 등수가 된다고 할 때, 1등인 직원과 13등인 직원의 판매 건수의 합의 차를 구하시오.

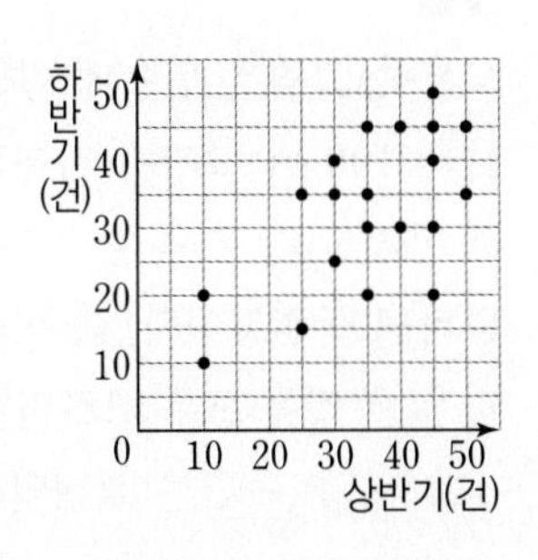

10

오른쪽 그림은 올해 개봉한 영화 중 A 영화를 제외한 영화 21편에 대한 평론가 평점과 관람객 평점을 조사하여 나타낸 산점도이다. 평론가 평점과 관람객 평점의 평균으로 관객 동원 예상 순위를 정한다고 할 때, A 영화를 추가하면 A 영화는 7위가 된다. 이때 A 영화의 평론가 평점과 관람객 평점의 평균의 범위를 구하시오. (단, 상위 2위 다음에 점수가 같은 두 영화가 있을 때, 두 영화는 모두 상위 3위이고, 그 다음 순위는 상위 5위이다.)

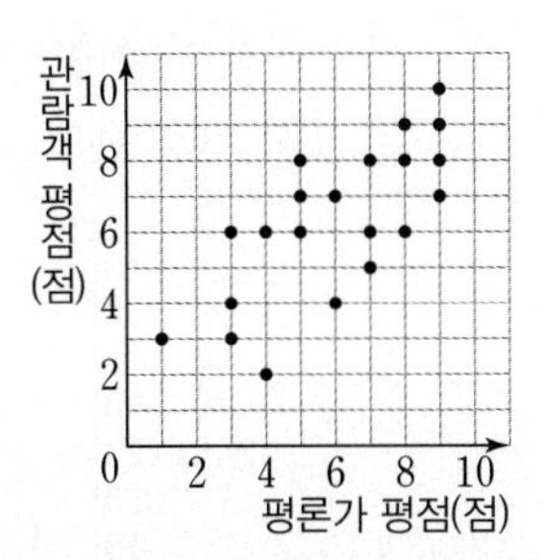

상관관계

11

아래 표는 어느 해 생산된 A 자동차의 3년 후 주행 거리에 따른 중고 자동차 가격을 조사하여 나타낸 것이다. 다음 중 주행 거리와 중고 자동차 가격 사이의 상관관계와 같은 상관관계를 갖는 것을 모두 고르면? (정답 2개)

주행 거리 (천 km)	자동차 가격 (만 원)	주행 거리 (천 km)	자동차 가격 (만 원)
28	1870	70	1510
35	1730	78	1490
43	1770	84	1400
47	1560	97	1330
58	1550	106	1340
65	1550	120	1200

① 물의 섭취량과 소변량
② 해발 고도와 공기 중 산소의 양
③ 자동차 속력과 도착하는 데 걸린 시간
④ 통학 시간과 시험 성적
⑤ 에어컨 사용 시간과 전기 요금

12

오른쪽 그림은 어느 동네 12가구의 어머니의 키와 딸의 키를 조사하여 나타낸 산점도이다. 다음 보기 중 옳은 것을 모두 고르시오.

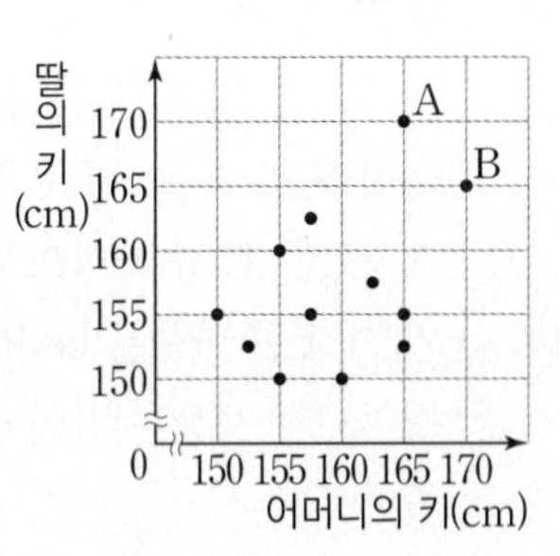

보기

㉠ 어머니의 키와 딸의 키 사이에는 양의 상관관계가 있다.
㉡ 두 점 A, B를 지웠을 때, 더 강한 양의 상관관계를 가진다.
㉢ 이 산점도에 5개의 점 (150, 150), (160, 160), (165, 160), (165, 165), (170, 170)을 추가하면 이전보다 더 분명한 상관관계를 가진다.

13

오른쪽 그림은 우준이네 반 학생들의 통학 거리와 통학 시간을 조사하여 나타낸 산점도이다. A, B, C, D, E 중 통학 거리에 비하여 통학 시간이 가장 짧은 학생과 통학 거리도 멀고 통학 시간도 긴 학생의 통학 시간의 차를 구하시오.

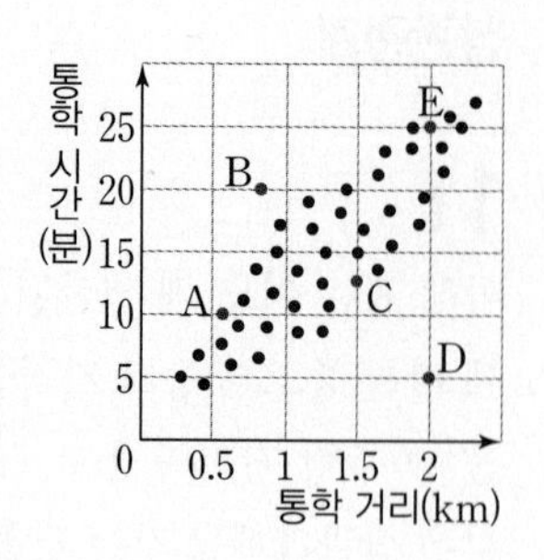

14

오른쪽 그림은 은혁이네 반 학생 12명의 하루 동안 스마트폰 사용 시간과 수면 시간을 조사하여 나타낸 산점도이다. 다음 보기 중 옳은 것을 모두 고르시오.

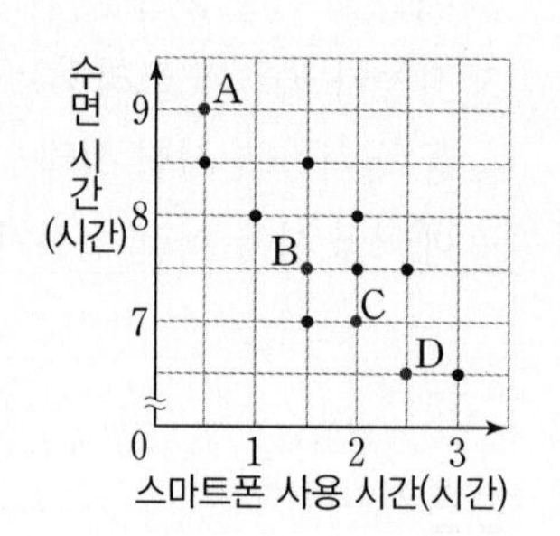

보기

ㄱ A, B, C, D 중 스마트폰 사용 시간이 가장 긴 학생은 A이다.

ㄴ A, B, C, D 중 스마트폰 사용 시간과 수면 시간의 차가 가장 큰 학생은 B이다.

ㄷ 스마트폰 사용 시간이 늘어나면 대체로 수면 시간은 줄어든다.

ㄹ C보다 스마트폰 사용 시간이 긴 학생은 전체의 25 %이다.

15

오른쪽 그림은 민수네 반 학생들의 100 m 달리기 기록과 오래 매달리기 기록을 조사하여 나타낸 산점도이다. 다음 중 옳지 않은 것을 모두 고르면? (정답 2개)

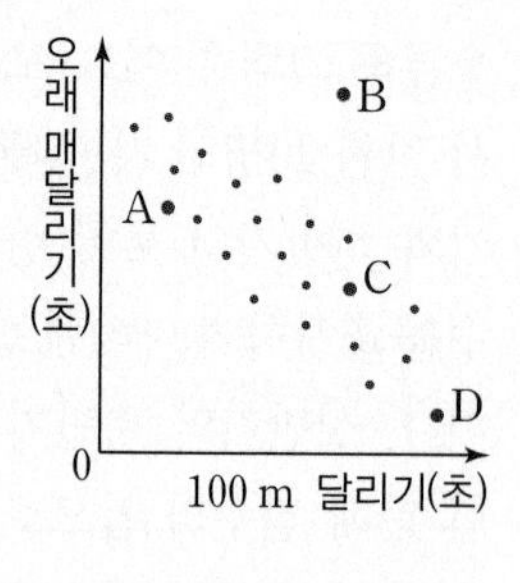

① A, B, C, D 중 100 m 달리기 기록이 가장 좋은 학생은 A이다.

② B와 C의 오래 매달리기 기록은 같다.

③ 100 m 달리기 기록이 좋은 학생은 대체로 오래 매달리기 기록도 좋은 편이다.

④ 100 m 달리기 기록과 오래 매달리기 기록 사이에는 음의 상관관계가 있다.

⑤ D는 100 m 달리기 기록도 좋고 오래 매달리기 기록도 좋은 편이다.

16

아래 그림은 어느 생수 회사의 작년 여름 45일 동안의 낮 최고 기온과 생수 판매량을 조사하여 나타낸 산점도이다. 다음 중 옳은 것을 모두 고르면? (정답 2개)

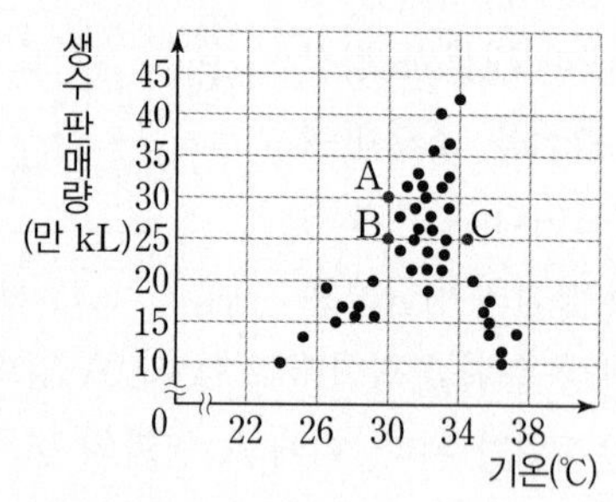

① 낮 최고 기온이 높을수록 생수 판매량은 늘어나는 경향이 있다.

② 낮 최고 기온이 34 ℃일 때, 생수가 가장 많이 팔렸다.

③ 낮 최고 기온이 34 ℃ 이하일 때는 낮 최고 기온과 생수 판매량 사이에 양의 상관관계가 있다.

④ 낮 최고 기온이 30 ℃ 이상일 때는 낮 최고 기온과 생수 판매량 사이에 음의 상관관계가 있다.

⑤ A, B, C 중 생수 판매량이 같은 날은 A와 B이다.

STEP 3 전교 1등 확실하게 굳히는 문제

정답과 풀이 55쪽

1 융합형

오른쪽 그림은 하계 올림픽 대회에 참가한 28개국의 금메달과 은메달의 개수를 조사하여 나타낸 산점도이다. 금메달과 은메달의 개수를 각각 x개, y개라고 할 때, $16 \le x+2y \le 24$를 만족하는 국가는 전체의 몇 %인지 구하시오.

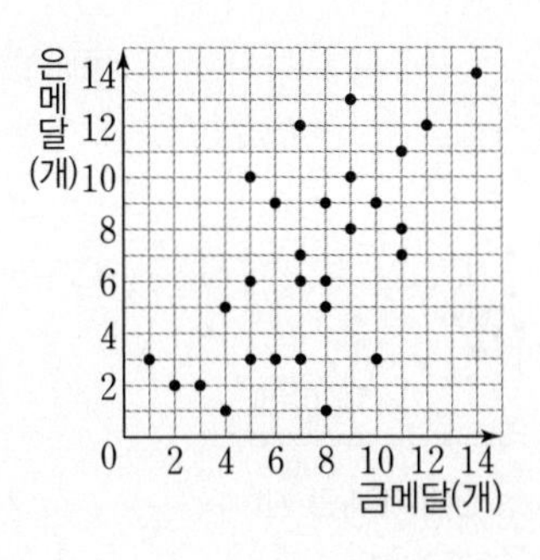

풀이

2 창의력

오른쪽 그림은 재윤이네 반 학생 24명의 영어 말하기, 듣기 점수를 조사하여 나타낸 산점도인데 일부분이 얼룩져 보이지 않는다. 말하기 점수보다 듣기 점수가 높은 학생들의 말하기 점수의 평균이 50점이고 듣기 점수의 평균이 70점일 때, 얼룩진 부분의 자료는 몇 가지로 나올 수 있는지 구하시오. (단, 점수는 10점 단위이고, 중복된 점은 없다.)

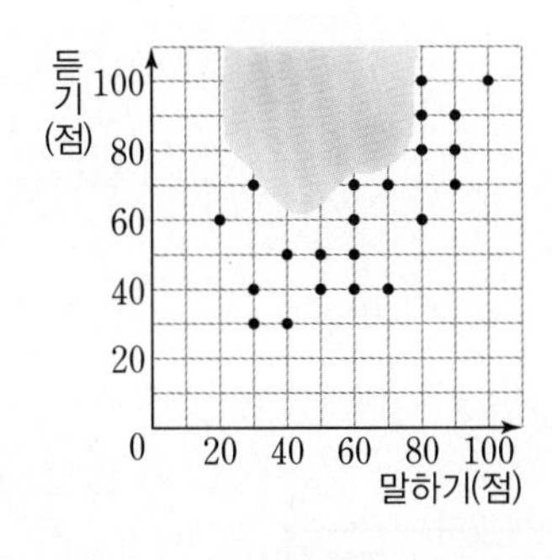

풀이

3

오른쪽 그림은 어느 가전 회사에서 생산되는 제품 한 대당 판매 가격과 일일 판매량을 조사하여 나타낸 산점도이다. 다음 보기 중 옳지 않은 것을 모두 고르시오.

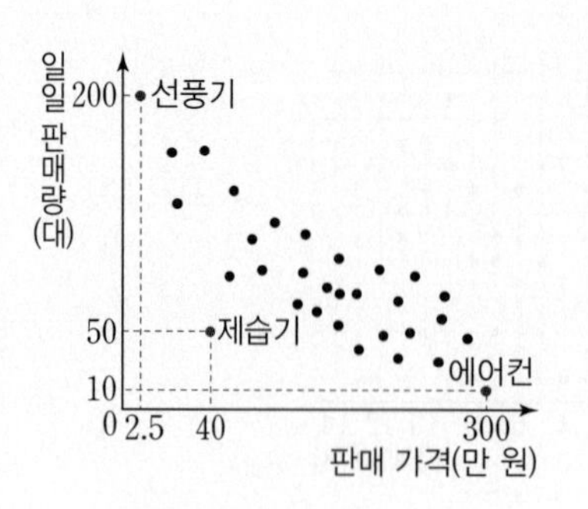

보기

㉠ 제품 한 대당 판매 가격이 높은 가전일수록 일일 판매량은 대체로 줄어드는 경향이 있다.

㉡ 에어컨의 일일 매출액은 선풍기의 일일 매출액의 5배이다.

㉢ 선풍기, 제습기, 에어컨 중 일일 매출액이 가장 낮은 제품은 제습기이다.

㉣ 제습기의 일일 매출액이 에어컨의 일일 매출액보다 많아지려면 제습기의 일일 판매량이 50 %보다 더 증가해야 한다.

풀이

4

오른쪽 그림은 지숙이네 반 학생들의 논술 점수와 면접 점수를 조사하여 나타낸 산점도이다. 다음 보기 중 옳은 것을 모두 고르시오. (단, 대각선 위의 점은 논술 점수와 면접 점수가 같은 학생을 나타낸다.)

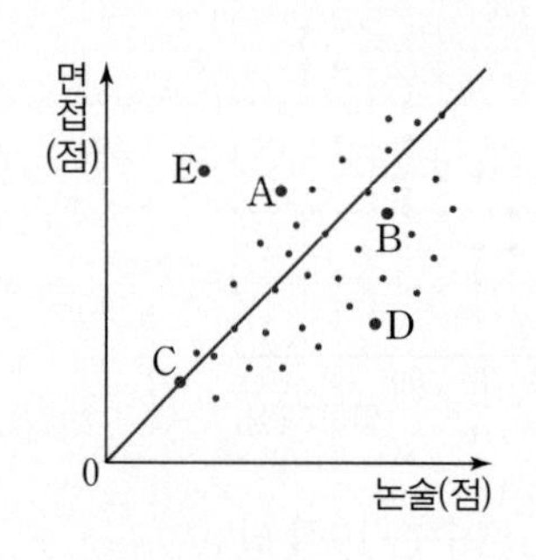

보기

㉠ 논술 점수와 면접 점수 사이에는 양의 상관관계가 있다.

㉡ A, B, C, D, E 중 $\frac{(\text{면접 점수})}{(\text{논술 점수})}$의 값이 가장 큰 학생은 E이다.

㉢ A와 C 두 학생의 면접 점수의 평균은 D 학생의 면접 점수보다 높다.

㉣ A와 B 두 학생의 논술 점수와 면접 점수의 평균을 비교하면 A 학생이 B 학생보다 높다.

풀이

삼각비의 표

각	사인(sin)	코사인(cos)	탄젠트(tan)
0°	0.0000	1.0000	0.0000
1°	0.0175	0.9998	0.0175
2°	0.0349	0.9994	0.0349
3°	0.0523	0.9986	0.0524
4°	0.0698	0.9976	0.0699
5°	0.0872	0.9962	0.0875
6°	0.1045	0.9945	0.1051
7°	0.1219	0.9925	0.1228
8°	0.1392	0.9903	0.1405
9°	0.1564	0.9877	0.1584
10°	0.1736	0.9848	0.1763
11°	0.1908	0.9816	0.1944
12°	0.2079	0.9781	0.2126
13°	0.2250	0.9744	0.2309
14°	0.2419	0.9703	0.2493
15°	0.2588	0.9659	0.2679
16°	0.2756	0.9613	0.2867
17°	0.2924	0.9563	0.3057
18°	0.3090	0.9511	0.3249
19°	0.3256	0.9455	0.3443
20°	0.3420	0.9397	0.3640
21°	0.3584	0.9336	0.3839
22°	0.3746	0.9272	0.4040
23°	0.3907	0.9205	0.4245
24°	0.4067	0.9135	0.4452
25°	0.4226	0.9063	0.4663
26°	0.4384	0.8988	0.4877
27°	0.4540	0.8910	0.5095
28°	0.4695	0.8829	0.5317
29°	0.4848	0.8746	0.5543
30°	0.5000	0.8660	0.5774
31°	0.5150	0.8572	0.6009
32°	0.5299	0.8480	0.6249
33°	0.5446	0.8387	0.6494
34°	0.5592	0.8290	0.6745
35°	0.5736	0.8192	0.7002
36°	0.5878	0.8090	0.7265
37°	0.6018	0.7986	0.7536
38°	0.6157	0.7880	0.7813
39°	0.6293	0.7771	0.8098
40°	0.6428	0.7660	0.8391
41°	0.6561	0.7547	0.8693
42°	0.6691	0.7431	0.9004
43°	0.6820	0.7314	0.9325
44°	0.6947	0.7193	0.9657
45°	0.7071	0.7071	1.0000

각	사인(sin)	코사인(cos)	탄젠트(tan)
45°	0.7071	0.7071	1.0000
46°	0.7193	0.6947	1.0355
47°	0.7314	0.6820	1.0724
48°	0.7431	0.6691	1.1106
49°	0.7547	0.6561	1.1504
50°	0.7660	0.6428	1.1918
51°	0.7771	0.6293	1.2349
52°	0.7880	0.6157	1.2799
53°	0.7986	0.6018	1.3270
54°	0.8090	0.5878	1.3764
55°	0.8192	0.5736	1.4281
56°	0.8290	0.5592	1.4826
57°	0.8387	0.5446	1.5399
58°	0.8480	0.5299	1.6003
59°	0.8572	0.5150	1.6643
60°	0.8660	0.5000	1.7321
61°	0.8746	0.4848	1.8040
62°	0.8829	0.4695	1.8807
63°	0.8910	0.4540	1.9626
64°	0.8988	0.4384	2.0503
65°	0.9063	0.4226	2.1445
66°	0.9135	0.4067	2.2460
67°	0.9205	0.3907	2.3559
68°	0.9272	0.3746	2.4751
69°	0.9336	0.3584	2.6051
70°	0.9397	0.3420	2.7475
71°	0.9455	0.3256	2.9042
72°	0.9511	0.3090	3.0777
73°	0.9563	0.2924	3.2709
74°	0.9613	0.2756	3.4874
75°	0.9659	0.2588	3.7321
76°	0.9703	0.2419	4.0108
77°	0.9744	0.2250	4.3315
78°	0.9781	0.2079	4.7046
79°	0.9816	0.1908	5.1446
80°	0.9848	0.1736	5.6713
81°	0.9877	0.1564	6.3138
82°	0.9903	0.1392	7.1154
83°	0.9925	0.1219	8.1443
84°	0.9945	0.1045	9.5144
85°	0.9962	0.0872	11.4301
86°	0.9976	0.0698	14.3007
87°	0.9986	0.0523	19.0811
88°	0.9994	0.0349	28.6363
89°	0.9998	0.0175	57.2900
90°	1.0000	0.0000	

MEMO

2015 개정 교육과정 반영

상위권에게만 허락되는 도전

1등급 비밀 최강 TOT 수학

최강 TOT 중학수학

1등급 비밀!

최강

상위권 심화 문제집

최강 TOT 중학수학 중1~3학년, 학기용

- 강남 상위권의 비밀을 담은 문제집
- 작은 차이로 실력을 높이는 고난도 수학
- 진짜 수학 잘하는 학생이 보는 상위권 필수 교재

1등급 비밀! TOP OF THE TOP

3-2
중학수학

최강 TOT

정답과 풀이

천재교육

1등급 비밀!   TOP OF THE TOP

정답과 풀이

중 3-2

I 삼각비

01 삼각비

[확인 ❶] 답 $\frac{2}{5}$

$\triangle$ABC에서 $\overline{AB}=\sqrt{2^2+1^2}=\sqrt{5}$

$\therefore \sin A\times\sin B=\frac{\overline{BC}}{\overline{AB}}\times\frac{\overline{AC}}{\overline{AB}}$

$=\frac{2}{\sqrt{5}}\times\frac{1}{\sqrt{5}}=\frac{2}{5}$

[확인 ❷] 답 (1) $\angle$C (2) $\frac{4}{5}$

(1) $\triangle$ABC와 $\triangle$EBD에서

$\angle$BAC$=\angle$BED$=90^\circ$, $\angle$B는 공통

이므로 $\triangle ABC \backsim \triangle EBD$ (AA 닮음)

따라서 $\angle x$와 크기가 같은 각은 $\angle$C이다.

(2) $\triangle$ABC에서 $\overline{BC}=\sqrt{4^2+3^2}=5$

$\therefore \sin x=\sin C=\frac{\overline{AB}}{\overline{BC}}=\frac{4}{5}$

[확인 ❸] 답 $\frac{\sqrt{5}}{5}$

$y=\frac{1}{2}x+2$에 $y=0$을 대입하면

$0=\frac{1}{2}x+2$ $\quad\therefore x=-4$, 즉 A$(-4, 0)$

$y=\frac{1}{2}x+2$에 $x=0$을 대입하면

$y=2$, 즉 B$(0, 2)$

$\triangle$AOB에서 $\overline{AB}=\sqrt{4^2+2^2}=2\sqrt{5}$

$\therefore \cos a\times\tan a=\frac{4}{2\sqrt{5}}\times\frac{2}{4}=\frac{1}{\sqrt{5}}=\frac{\sqrt{5}}{5}$

[확인 ❹] 답 20°

$\sin 30^\circ=\frac{1}{2}$이므로

$x+10^\circ=30^\circ$ $\quad\therefore x=20^\circ$

[확인 ❺] 답 ③

① $\sin x=\frac{\overline{AB}}{\overline{OA}}=\frac{\overline{AB}}{1}=\overline{AB}$

② $\tan x=\frac{\overline{CD}}{\overline{OD}}=\frac{\overline{CD}}{1}=\overline{CD}$

③ $\cos y=\frac{\overline{AB}}{\overline{OA}}=\frac{\overline{AB}}{1}=\overline{AB}$

④ $y=z$ (동위각)이므로

$\tan y=\tan z=\frac{\overline{OD}}{\overline{CD}}=\frac{1}{\overline{CD}}$

⑤ $y=z$ (동위각)이므로

$\sin z=\sin y=\frac{\overline{OB}}{\overline{OA}}=\frac{\overline{OB}}{1}=\overline{OB}$

따라서 옳지 않은 것은 ③이다.

[확인 ❻] 답 ①, ⑤

① $\sin 50^\circ=0.7660$

⑤ $\cos x=0.6293$일 때, $x=51^\circ$

따라서 옳지 않은 것은 ①, ⑤이다.

STEP 1 억울하게 울리는 문제 p. 08~10

1-1 $\frac{3\sqrt{13}}{13}$	**1-2** $\frac{5\sqrt{41}}{41}$	**2-1** $\frac{1}{3}$	**2-2** $5\sqrt{5}+9$
3-1 $\frac{11\sqrt{11}}{30}$	**3-2** $\frac{5}{6}$	**4-1** ①	**4-2** ⑤
5-1 $\frac{\sqrt{5}}{5}$	**5-2** $\frac{15}{4}$	**6-1** ㉠, ㉡, ㉣, ㉢	
6-2 ②	**7-1** ②	**7-2** ①, ③	**8-1** $\frac{4}{3}$
8-2 $\frac{5}{6}$			

1-1 답 $\frac{3\sqrt{13}}{13}$

$\overline{AB}=3k$, $\overline{BC}=2k$ $(k>0)$라고 하면

$\overline{AC}=\sqrt{(3k)^2+(2k)^2}=\sqrt{13}k$

$\therefore \cos A=\frac{\overline{AB}}{\overline{AC}}=\frac{3k}{\sqrt{13}k}=\frac{3}{\sqrt{13}}=\frac{3\sqrt{13}}{13}$

1-2 답 $\frac{5\sqrt{41}}{41}$

$\overline{AC}=5k$, $\overline{BC}=4k$ $(k>0)$라고 하면

$\overline{AB}=\sqrt{(5k)^2+(4k)^2}=\sqrt{41}k$

$\therefore \sin A\times\tan B=\frac{4k}{\sqrt{41}k}\times\frac{5k}{4k}=\frac{5}{\sqrt{41}}=\frac{5\sqrt{41}}{41}$

2-1 답 $\frac{1}{3}$

$\tan A=\frac{1}{2}$인 직각삼각형 ABC를 그리면 오른쪽 그림과 같다.

이때 $\overline{AC}=\sqrt{2^2+1^2}=\sqrt{5}$이므로

$\cos A=\frac{2}{\sqrt{5}}=\frac{2\sqrt{5}}{5}$, $\sin A=\frac{1}{\sqrt{5}}=\frac{\sqrt{5}}{5}$

$\therefore \frac{\cos A-\sin A}{\cos A+\sin A}=\frac{\frac{2\sqrt{5}}{5}-\frac{\sqrt{5}}{5}}{\frac{2\sqrt{5}}{5}+\frac{\sqrt{5}}{5}}=\frac{\frac{\sqrt{5}}{5}}{\frac{3\sqrt{5}}{5}}=\frac{1}{3}$

2-2 답 $5\sqrt{5}+9$

$\cos A=\frac{2}{3}$인 직각삼각형 ABC를 그리면 오른쪽 그림과 같다.

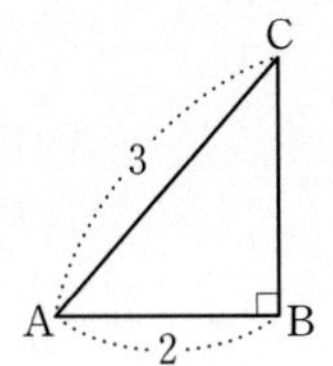

이때 $\overline{BC}=\sqrt{3^2-2^2}=\sqrt{5}$이므로

$\sin A=\frac{\sqrt{5}}{3}$, $\tan A=\frac{\sqrt{5}}{2}$

$$\therefore 3\sin A+\frac{\tan A+1}{\tan A-1}=3\times\frac{\sqrt{5}}{3}+\frac{\frac{\sqrt{5}}{2}+1}{\frac{\sqrt{5}}{2}-1}$$
$$=\sqrt{5}+\frac{\sqrt{5}+2}{\sqrt{5}-2}$$
$$=\sqrt{5}+(\sqrt{5}+2)^2$$
$$=5\sqrt{5}+9$$

3-1 답 $\frac{11\sqrt{11}}{30}$

$\triangle$ABC와 $\triangle$AED에서

$\angle BAC=\angle EAD=90^\circ$, $\angle C=\angle ADE$이므로

$\triangle ABC \backsim \triangle AED$ (AA 닮음)

$\triangle$ADE에서 $\overline{AE}=\sqrt{6^2-5^2}=\sqrt{11}$이므로

$\tan C=\tan(\angle ADE)=\frac{\sqrt{11}}{5}$

$\cos B=\cos(\angle AED)=\frac{\sqrt{11}}{6}$

$\therefore \tan C+\cos B=\frac{\sqrt{11}}{5}+\frac{\sqrt{11}}{6}=\frac{11\sqrt{11}}{30}$

3-2 답 $\frac{5}{6}$

$\triangle$ABC와 $\triangle$DBE에서

$\angle ACB=\angle DEB=90^\circ$, $\angle B$는 공통이므로

$\triangle ABC \backsim \triangle DBE$ (AA 닮음)

$\triangle$BDE에서 $\overline{BE}=\sqrt{12^2-8^2}=4\sqrt{5}$이므로

$\sin A=\sin(\angle BDE)=\frac{4\sqrt{5}}{12}=\frac{\sqrt{5}}{3}$

$\tan A=\tan(\angle BDE)=\frac{4\sqrt{5}}{8}=\frac{\sqrt{5}}{2}$

$\therefore \sin A\times\tan A=\frac{\sqrt{5}}{3}\times\frac{\sqrt{5}}{2}=\frac{5}{6}$

4-1 답 ①

$\tan 52^\circ=\frac{\overline{CD}}{\overline{OC}}=\overline{CD}$

$\sin 52^\circ=\frac{\overline{AB}}{\overline{OB}}=\overline{AB}$

$\therefore \overline{CD}-\overline{AB}=\tan 52^\circ-\sin 52^\circ$

4-2 답 ⑤

$\sin a=\frac{\overline{AB}}{\overline{OB}}=\overline{AB}$

$\cos a=\frac{\overline{OA}}{\overline{OB}}=\overline{OA}$

$b=\angle OBA$ (동위각)이므로

$\sin b=\sin(\angle OBA)=\frac{\overline{OA}}{\overline{OB}}=\overline{OA}$

$\cos b=\cos(\angle OBA)=\frac{\overline{AB}}{\overline{OB}}=\overline{AB}$

따라서 점 B의 좌표는 $(\sin b, \sin a)$ 또는 $(\sin b, \cos b)$ 또는 $(\cos a, \sin a)$ 또는 $(\cos a, \cos b)$이므로

점 B의 좌표로 옳지 않은 것은 ⑤이다.

5-1 답 $\frac{\sqrt{5}}{5}$

$\overline{EO}/\!/\overline{CD}$이므로 $\angle OCD=\angle EOC=x$ (엇각)

$\triangle$COD에서 $\overline{OC}=\sqrt{1^2+2^2}=\sqrt{5}$

$\therefore \sin x=\sin(\angle OCD)=\frac{\overline{OD}}{\overline{OC}}=\frac{1}{\sqrt{5}}=\frac{\sqrt{5}}{5}$

5-2 답 $\frac{15}{4}$

$\sin a=\frac{\overline{AB}}{5}=\frac{3}{5}$ $\quad\therefore \overline{AB}=3$

$\triangle$AOB에서 $\overline{OB}=\sqrt{5^2-3^2}=4$

$\triangle$OAB와 $\triangle$OCD에서

$\angle OBA=\angle ODC=90^\circ$, $\angle O$는 공통이므로

$\triangle OAB \backsim \triangle OCD$ (AA 닮음)

따라서 $\overline{OB}:\overline{OD}=\overline{AB}:\overline{CD}$에서

$4:5=3:\overline{CD}$ $\quad\therefore \overline{CD}=\frac{15}{4}$

6-1 답 ㉠, ㉡, ㉣, ㉢

x의 크기가 0°에서 90°로 커지면 sin x, tan x의 값은 각각 증가하므로

$\sin 20° < \sin 45° = \cos 45° < \sin 90° = 1$

$1 = \tan 45° < \tan 50°$

$\therefore \sin 20° < \cos 45° < \sin 90° < \tan 50°$

따라서 삼각비의 값을 작은 것부터 차례로 나열하면 ㉠, ㉡, ㉣, ㉢이다.

6-2 답 ②

$45° < x < 90°$이면 $0 < \cos x < \sin x < 1$이므로

$0 = \sin 0° < \cos 65° < \sin 65° < \tan 45° = 1$

x의 크기가 0°에서 90°로 커지면 tan x의 값은 증가하므로

$1 = \tan 45° < \tan 70°$

$\therefore \sin 0° < \cos 65° < \sin 65° < \tan 45° < \tan 70°$

따라서 두 번째에 해당하는 것은 cos 65°이다.

7-1 답 ②

② tan A의 최솟값은 0이고, 최댓값은 알 수 없다.

7-2 답 ①, ③

② $45° < x < 90°$이면 $\cos x < \sin x < \tan x$이다.

④ x의 크기가 0°에서 90°로 커지면 cos x의 값은 1에서 0까지 감소한다.

⑤ x의 크기가 0°에서 90°로 커지면 tan x의 값은 0에서 한없이 증가한다.

따라서 옳은 것은 ①, ③이다.

8-1 답 $\frac{4}{3}$

$0° < A < 45°$일 때, $0 < \sin A < \cos A$이므로

$\sin A - \cos A < 0$, $\sin A + \cos A > 0$

$\therefore \sqrt{(\sin A - \cos A)^2} + \sqrt{(\sin A + \cos A)^2}$

$= -(\sin A - \cos A) + (\sin A + \cos A)$

$= -\sin A + \cos A + \sin A + \cos A$

$= 2\cos A$

즉 $2\cos A = \frac{6}{5}$이므로 $\cos A = \frac{3}{5}$

이때 $\cos A = \frac{3}{5}$인 직각삼각형 ABC를 그리면 오른쪽 그림과 같으므로

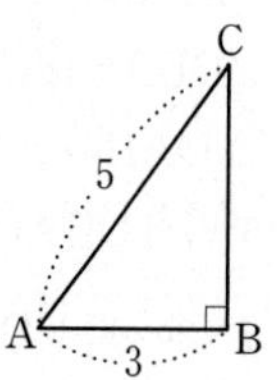

$\overline{BC} = \sqrt{5^2 - 3^2} = 4$

$\therefore \tan A = \frac{4}{3}$

8-2 답 $\frac{5}{6}$

$45° < A < 90°$일 때, $0 < \cos A < \sin A$이므로

$\sin A + \cos A > 0$, $\cos A - \sin A < 0$

$\therefore \sqrt{(\sin A + \cos A)^2} + \sqrt{(\cos A - \sin A)^2}$

$= (\sin A + \cos A) - (\cos A - \sin A)$

$= \sin A + \cos A - \cos A + \sin A$

$= 2\sin A$

즉 $2\sin A = \frac{5}{3}$이므로 $\sin A = \frac{5}{6}$

이때 $\sin A = \frac{5}{6}$인 직각삼각형 ABC를 그리면 오른쪽 그림과 같으므로

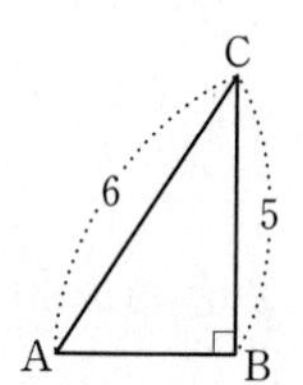

$\overline{AB} = \sqrt{6^2 - 5^2} = \sqrt{11}$

$\therefore \cos A \times \tan A = \frac{\sqrt{11}}{6} \times \frac{5}{\sqrt{11}} = \frac{5}{6}$

STEP 2 | 반드시 등수 올리는 문제 p. 11~15

01 $\frac{\sqrt{5}}{3}$	02 ②	03 $\frac{1}{5}$	04 0
05 ①	06 $\frac{\sqrt{33}}{3}$	07 $\frac{4\sqrt{7}}{7}$	08 $\frac{1}{3}$
09 $\frac{\sqrt{26}}{26}$	10 $\frac{5\sqrt{3}}{9}$	11 $\frac{1}{2}$	12 $2-\sqrt{3}$
13 $\frac{1+\sqrt{3}}{2}$	14 $2+\sqrt{3}$	15 ⑤	16 ④
17 $\frac{\sqrt{6}}{3}$	18 $\frac{\sqrt{3}}{2}$	19 ②	20 $\frac{8}{3}$
21 3	22 4		

01 답 $\frac{\sqrt{5}}{3}$

점 M은 △ABC의 외심이므로

$\overline{AM} = \overline{CM} = \overline{BM} = 3$

△ABC에서 $\overline{AC} = \overline{AM} + \overline{CM} = 3 + 3 = 6$이므로

$\overline{AB} = \sqrt{6^2 - 4^2} = 2\sqrt{5}$

이때 △ABM은 $\overline{AM} = \overline{BM}$인 이등변삼각형이므로

$\angle BAM = \angle ABM = x$

$\therefore \cos x = \cos(\angle BAC) = \frac{\overline{AB}}{\overline{AC}} = \frac{2\sqrt{5}}{6} = \frac{\sqrt{5}}{3}$

전략

직각삼각형의 빗변의 중점은 외심임을 이용한다.

02 답 ②

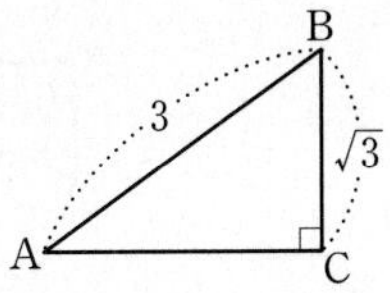

$\sin A=\frac{\sqrt{3}}{3}$인 직각삼각형 ABC를 그리면 오른쪽 그림과 같으므로

$\overline{AC}=\sqrt{3^2-(\sqrt{3})^2}=\sqrt{6}$

② $\tan A=\frac{\sqrt{3}}{\sqrt{6}}=\frac{1}{\sqrt{2}}=\frac{\sqrt{2}}{2}$

④ $\tan B=\frac{\sqrt{6}}{\sqrt{3}}=\sqrt{2}$이므로

$\tan A\times\tan B=\frac{\sqrt{2}}{2}\times\sqrt{2}=1$

⑤ $\sin B+\cos A=\frac{\sqrt{6}}{3}+\frac{\sqrt{6}}{3}=\frac{2\sqrt{6}}{3}$

따라서 옳지 않은 것은 ②이다.

전략

$\sin A=\frac{\sqrt{3}}{3}$인 직각삼각형 ABC를 그려서 생각한다.

03 답 $\frac{1}{5}$

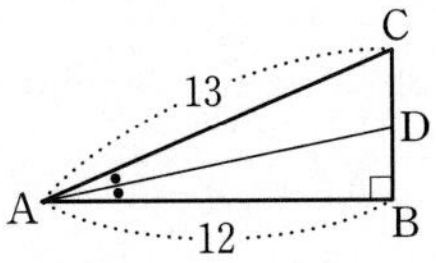

$\cos A=\frac{12}{13}$인 직각삼각형 ABC를 그리면 오른쪽 그림과 같으므로

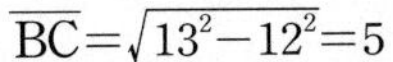

$\overline{BC}=\sqrt{13^2-12^2}=5$

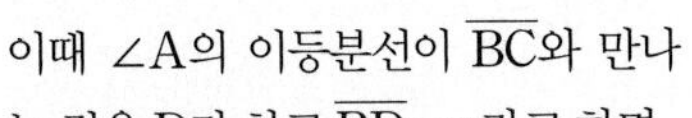

이때 ∠A의 이등분선이 $\overline{BC}$와 만나는 점을 D라 하고 $\overline{BD}=x$라고 하면

$\overline{CD}=5-x$이므로

$\overline{AB}:\overline{AC}=\overline{BD}:\overline{CD}$에서

$12:13=x:(5-x)$

$12(5-x)=13x,\ 25x=60\qquad\therefore x=\frac{12}{5}$

$\therefore \tan\frac{A}{2}=\frac{\overline{BD}}{\overline{AB}}=\frac{12}{5}\div 12=\frac{1}{5}$

전략

$\cos A=\frac{12}{13}$인 직각삼각형 ABC를 그리고 삼각형의 내각의 이등분선의 성질을 이용한다.

04 답 0

$9x^2-6x+1=0$에서 $(3x-1)^2=0$

$\therefore x=\frac{1}{3}$, 즉 $\cos A=\frac{1}{3}$

이때 $\cos A=\frac{1}{3}$인 직각삼각형 ABC를 그리면 오른쪽 그림과 같으므로

$\overline{BC}=\sqrt{3^2-1^2}=2\sqrt{2}$

$\therefore 3\sin A-\tan A=3\times\frac{2\sqrt{2}}{3}-2\sqrt{2}=0$

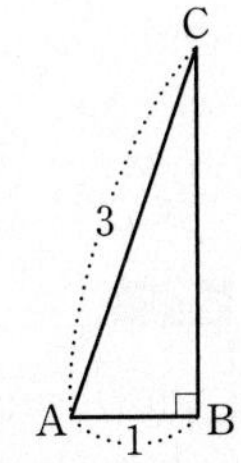

전략

이차방정식의 해를 구한 후 $\cos A$의 값에 맞는 직각삼각형 ABC를 그린다.

05 답 ①

①, ② $\sin A=\frac{4}{5}$인 직각삼각형 ABC를 그리면 오른쪽 그림과 같으므로

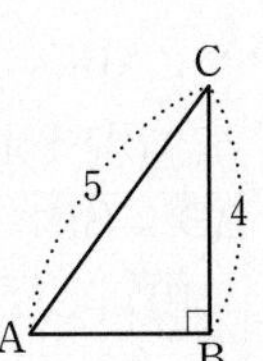

$\overline{AB}=\sqrt{5^2-4^2}=3$

$\therefore \cos A+\tan A=\frac{3}{5}+\frac{4}{3}=\frac{29}{15}$

$\cos A\times\tan A=\frac{3}{5}\times\frac{4}{3}=\frac{4}{5}$

③, ④ $\cos A=\frac{4}{5}$인 직각삼각형 ABC를 그리면 오른쪽 그림과 같으므로

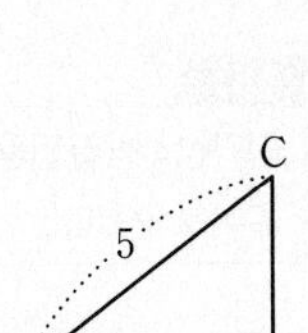

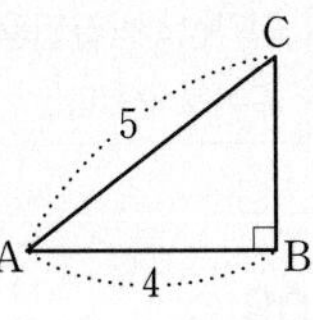

$\overline{BC}=\sqrt{5^2-4^2}=3$

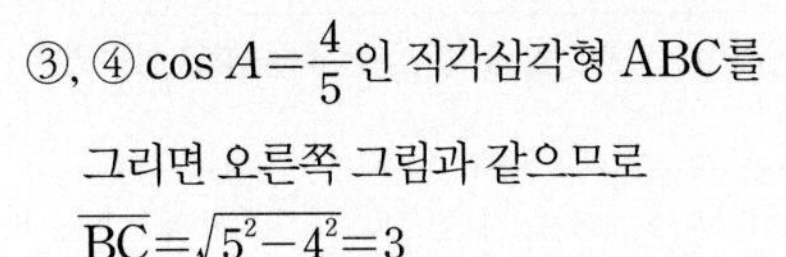

$\therefore \sin A+\tan A=\frac{3}{5}+\frac{3}{4}=\frac{27}{20}$

$\sin A\times\tan A=\frac{3}{5}\times\frac{3}{4}=\frac{9}{20}$

⑤ $\tan A=\frac{4}{5}$인 직각삼각형 ABC를 그리면 오른쪽 그림과 같으므로

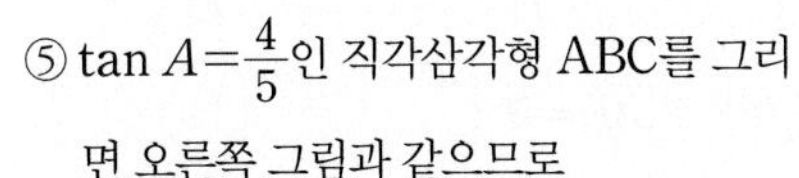

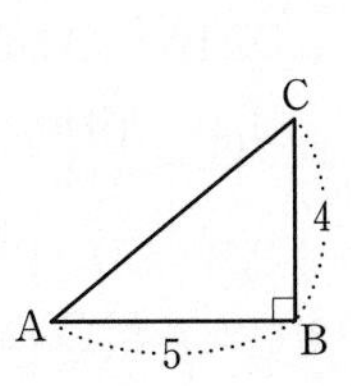

$\overline{AC}=\sqrt{5^2+4^2}=\sqrt{41}$

$\therefore \sin A\times\cos A=\frac{4}{\sqrt{41}}\times\frac{5}{\sqrt{41}}$

$=\frac{20}{41}$

따라서 그 값이 가장 큰 것은 ①이다.

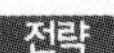

전략

$\sin A=\frac{4}{5}$, $\cos A=\frac{4}{5}$, $\tan A=\frac{4}{5}$인 직각삼각형 ABC를 각각 그리고 각 삼각형에 대하여 삼각비의 값을 계산한다.

06 답 $\frac{\sqrt{33}}{3}$

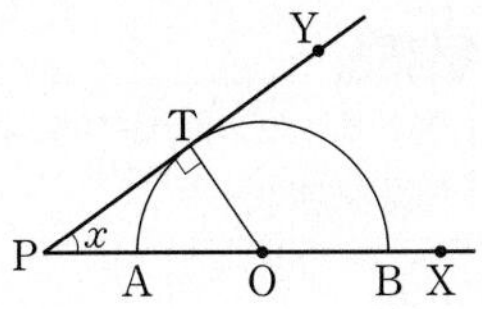

오른쪽 그림과 같이 $\overline{OT}$를 그으면 ∠PTO$=90^\circ$

$\sin x=\frac{4}{7}$이므로 $\overline{PO}=7k$,

$\overline{OT}=4k\ (k>0)$라고 하면

$\overline{PA}=7k-4k=3k$

$\overline{PT}=\sqrt{(7k)^2-(4k)^2}=\sqrt{33}k$

$\therefore \frac{\overline{PT}}{\overline{PA}}=\frac{\sqrt{33}k}{3k}=\frac{\sqrt{33}}{3}$

전략

∠PTO$=90^\circ$이므로 $\overline{PO}=7k$, $\overline{OT}=4k\ (k>0)$로 놓고, $\overline{PA}$와 $\overline{PT}$의 길이를 구한다.

07 답 $\frac{4\sqrt{7}}{7}$

오른쪽 그림의
$\triangle ABC$와 $\triangle DAC$에서
$\angle BAC = \angle ADC = 90°$,
$\angle C$는 공통이므로
$\triangle ABC \backsim \triangle DAC$ (AA 닮음)
$\therefore \angle ABC = \angle DAC = x$
$\triangle ABD$에서
$\overline{BD}^2 = \overline{BE} \times \overline{BA} = 4 \times 7 = 28$
$\therefore \overline{BD} = 2\sqrt{7}$ (cm) ($\because \overline{BD} > 0$)
$\therefore \cos x + \sin y = \frac{2\sqrt{7}}{7} + \frac{2\sqrt{7}}{7} = \frac{4\sqrt{7}}{7}$

전략
직각삼각형의 닮음을 이용하여 $\angle CAD$와 크기가 같은 각을 찾고, $\overline{BD}$의 길이를 구한다.

08 답 $\frac{1}{3}$

$\triangle ABD$는 $\overline{AB} = \overline{BD}$인 직각이등변삼각형이므로
$\angle DAB = \angle ADB = 45°$
$\sin 45° = \frac{\overline{BD}}{2\sqrt{2}} = \frac{\sqrt{2}}{2}$이므로 $\overline{BD} = 2$
$\therefore \overline{AB} = \overline{CD} = \overline{BD} = 2$
한편 오른쪽 그림과 같이 점 C에서 $\overline{AD}$의 연장선에 내린 수선의 발을 H라고 하면
$\triangle CDH$에서
$\angle CDH = \angle ADB = 45°$ (맞꼭지각)이므로 $\triangle CDH$도 $\overline{CH} = \overline{DH}$인 직각이등변삼각형이다.
$\sin 45° = \frac{\overline{CH}}{2} = \frac{\sqrt{2}}{2}$이므로 $\overline{CH} = \sqrt{2}$
이때 $\overline{DH} = \overline{CH} = \sqrt{2}$이므로
$\triangle CAH$에서
$\overline{AH} = \overline{AD} + \overline{DH} = 2\sqrt{2} + \sqrt{2} = 3\sqrt{2}$
$\therefore \tan x = \frac{\overline{CH}}{\overline{AH}} = \frac{\sqrt{2}}{3\sqrt{2}} = \frac{1}{3}$

전략
점 C에서 $\overline{AD}$의 연장선에 내린 수선의 발을 H라고 하고 $\overline{AH}$, $\overline{CH}$의 길이를 구한다.

09 답 $\frac{\sqrt{26}}{26}$

$\angle DPQ = \angle BPQ = x$ (접은 각),
$\angle BQP = \angle DPQ = x$ (엇각)이므로
$\angle BQP = \angle BPQ$
즉 $\triangle BQP$는 이등변삼각형이므로
$\overline{BQ} = \overline{BP} = \overline{PD} = 13$

한편 다음 그림과 같이 점 P에서 $\overline{BQ}$에 내린 수선의 발을 H라고 하면

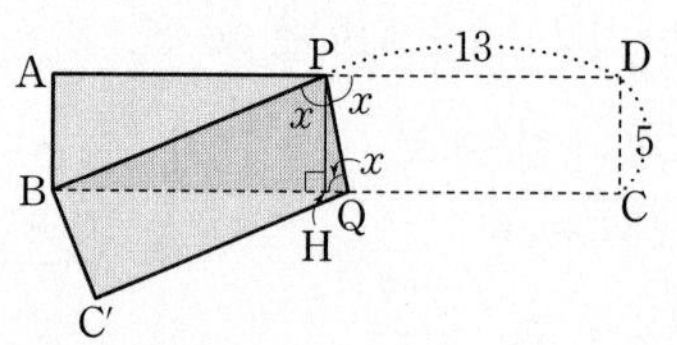

$\overline{BH} = \sqrt{13^2 - 5^2} = 12$이므로
$\overline{HQ} = \overline{BQ} - \overline{BH} = 13 - 12 = 1$
따라서 $\triangle PHQ$에서
$\overline{PQ} = \sqrt{1^2 + 5^2} = \sqrt{26}$이므로
$\cos x = \frac{\overline{HQ}}{\overline{PQ}} = \frac{1}{\sqrt{26}} = \frac{\sqrt{26}}{26}$

전략
$\angle BPQ = \angle DPQ = \angle BQP = x$임을 이용하여 $\triangle BQP$는 $\overline{BQ} = \overline{BP}$인 이등변삼각형임을 안다.

10 답 $\frac{5\sqrt{3}}{9}$

$\triangle ABC$에서
$\sin x = \frac{3}{\overline{AB}} = \frac{1}{3}$이므로 $\overline{AB} = 9$
$\therefore \overline{AC} = \sqrt{9^2 - 3^2} = 6\sqrt{2}$
$\triangle ADC$에서 $\overline{AD} = \sqrt{6^2 + (6\sqrt{2})^2} = 6\sqrt{3}$
$\triangle ABC$와 $\triangle DBE$에서
$\angle ACB = \angle DEB = 90°$, $\angle ABC = \angle DBE$ (맞꼭지각)이므로
$\triangle ABC \backsim \triangle DBE$ (AA 닮음)
즉 $\overline{AB} : \overline{DB} = \overline{BC} : \overline{BE}$에서
$9 : 3 = 3 : \overline{BE}$ $\quad \therefore \overline{BE} = 1$
따라서 $\triangle ADE$에서 $\overline{AE} = \overline{AB} + \overline{BE} = 9 + 1 = 10$이므로
$\cos y = \frac{\overline{AE}}{\overline{AD}} = \frac{10}{6\sqrt{3}} = \frac{5\sqrt{3}}{9}$

전략
$\triangle ABC$에서 $\sin x = \frac{1}{3}$임을 이용하여 $\overline{AB}$의 길이를 구한다.

11 답 $\frac{1}{2}$

$\tan 30° = \frac{\sqrt{3}}{3}$이므로 $x + 15° = 30°$ $\quad \therefore x = 15°$

$$\begin{aligned} \therefore \sin 2x + \cos 6x &= \sin(2 \times 15°) + \cos(6 \times 15°) \\ &= \sin 30° + \cos 90° \\ &= \frac{1}{2} + 0 \\ &= \frac{1}{2} \end{aligned}$$

전략
$\tan 30° = \frac{\sqrt{3}}{3}$임을 이용하여 x의 크기를 구한다.

12 답 $2-\sqrt{3}$

$\triangle$ABD에서 $\angle DAB=30^\circ-15^\circ=15^\circ$

즉 $\triangle$ABD는 이등변삼각형이므로 $\overline{AD}=\overline{BD}=4$

$\triangle$ADC에서

$\sin 30^\circ=\frac{\overline{AC}}{4}=\frac{1}{2}$이므로 $\overline{AC}=2$

$\cos 30^\circ=\frac{\overline{CD}}{4}=\frac{\sqrt{3}}{2}$이므로 $\overline{CD}=2\sqrt{3}$

$\therefore \tan 15^\circ=\frac{\overline{AC}}{\overline{BC}}=\frac{2}{4+2\sqrt{3}}$

$=\frac{1}{2+\sqrt{3}}=2-\sqrt{3}$

전략

$\triangle$ABD가 이등변삼각형임을 이용하여 $\overline{AD}$의 길이를 구한 후 특수한 각의 삼각비의 값을 이용하여 $\overline{AC}$, $\overline{CD}$의 길이를 구한다.

13 답 $\frac{1+\sqrt{3}}{2}$

$\triangle$ABE와 $\triangle$CBE에서

$\overline{AB}=\overline{CB}$, $\overline{BE}$는 공통, $\angle ABE=\angle CBE=45^\circ$이므로

$\triangle ABE\equiv\triangle CBE$ (SAS 합동)

$\triangle$ABE에서 $\angle AEB=180^\circ-(60^\circ+45^\circ)=75^\circ$

따라서 $\angle CEB=\angle AEB=75^\circ$,

$\angle FED=\angle AEB=75^\circ$ (맞꼭지각)이므로

$\angle x=180^\circ-(75^\circ+75^\circ)=30^\circ$

$\therefore \sin x+\cos x=\sin 30^\circ+\cos 30^\circ$

$=\frac{1}{2}+\frac{\sqrt{3}}{2}$

$=\frac{1+\sqrt{3}}{2}$

전략

$\triangle ABE\equiv\triangle CBE$ (SAS 합동)임을 이용한다.

14 답 $2+\sqrt{3}$

$\triangle$ABC에서

$\tan 30^\circ=\frac{2}{\overline{BC}}=\frac{\sqrt{3}}{3}$이므로 $\overline{BC}=2\sqrt{3}$

$\triangle$CBD는 $\overline{BD}=\overline{CD}$인 직각이등변삼각형이므로

$\angle CBD=\angle BCD=45^\circ$

$\sin 45^\circ=\frac{\overline{CD}}{2\sqrt{3}}=\frac{\sqrt{2}}{2}$이므로 $\overline{CD}=\sqrt{6}$

$\therefore \overline{BD}=\overline{CD}=\sqrt{6}$

$\angle FCD=90^\circ$이므로 $\angle FCG=90^\circ-45^\circ=45^\circ$

$\therefore \angle ACF=90^\circ-45^\circ=45^\circ$

$\triangle$AFC에서

$\sin 45^\circ=\frac{\overline{AF}}{2}=\frac{\sqrt{2}}{2}$이므로 $\overline{AF}=\sqrt{2}$

$\therefore \overline{FC}=\overline{AF}=\sqrt{2}$

한편 □FEDC는 네 내각의 크기가 모두 같으므로 직사각형이다.

즉 $\overline{FE}=\overline{CD}=\sqrt{6}$, $\overline{ED}=\overline{FC}=\sqrt{2}$이므로

$\overline{AE}=\overline{AF}+\overline{FE}=\sqrt{2}+\sqrt{6}$

$\overline{BE}=\overline{BD}-\overline{ED}=\sqrt{6}-\sqrt{2}$

따라서 $\triangle$ABE에서 $\angle ABE=30^\circ+45^\circ=75^\circ$이므로

$\tan 75^\circ=\frac{\overline{AE}}{\overline{BE}}=\frac{\sqrt{2}+\sqrt{6}}{\sqrt{6}-\sqrt{2}}=\frac{(\sqrt{2}+\sqrt{6})^2}{(\sqrt{6}-\sqrt{2})(\sqrt{6}+\sqrt{2})}$

$=\frac{2+4\sqrt{3}+6}{4}=2+\sqrt{3}$

전략

$\tan 30^\circ$의 값을 이용하여 $\overline{BC}$의 길이를 구한 후 $\triangle$CBD와 $\triangle$AFC가 직각이등변삼각형임을 이용한다.

15 답 ⑤

$\sin x=\frac{\overline{BC}}{\overline{AB}}=\frac{\overline{BC}}{1}=\overline{BC}$

$\tan x=\frac{\overline{DE}}{\overline{AE}}=\frac{\overline{DE}}{1}=\overline{DE}$

$\cos x=\frac{\overline{AC}}{\overline{AB}}=\frac{\overline{AC}}{1}=\overline{AC}$이므로

$\overline{CE}=\overline{AE}-\overline{AC}=1-\cos x$

$\therefore$ □BCED$=\frac{1}{2}\times(\overline{BC}+\overline{DE})\times\overline{CE}$

$=\frac{1}{2}(\sin x+\tan x)(1-\cos x)$

전략

(사다리꼴의 넓이)$=\frac{1}{2}\times${(윗변의 길이)+(아랫변의 길이)}$\times$(높이)

임을 이용한다.

16 답 ④

$\cos x=\frac{\overline{OB}}{\overline{OA}}=\frac{\overline{OB}}{r}$이므로

$\overline{OB}=r\cos x$

$\triangle$OAB와 $\triangle$OCD에서

$\angle ABO=\angle CDO=90^\circ$, $\angle x$는 공통이므로

$\triangle OAB\backsim\triangle OCD$ (AA 닮음)

즉 $\overline{OA}:\overline{OC}=\overline{OB}:\overline{OD}$이므로

$r:\overline{OC}=r\cos x:r$

$\overline{OC}\times r\cos x=r^2$ $\quad\therefore \overline{OC}=\frac{r}{\cos x}$

$\therefore \overline{AC}=\overline{OC}-\overline{OA}=\frac{r}{\cos x}-r=r\left(\frac{1}{\cos x}-1\right)$

전략

$\cos x=\frac{\overline{OB}}{\overline{OA}}$임을 이용하여 $\overline{OB}$의 길이를 $\cos x$를 사용한 식으로 나타낸다.

17 답 $\frac{\sqrt{6}}{3}$

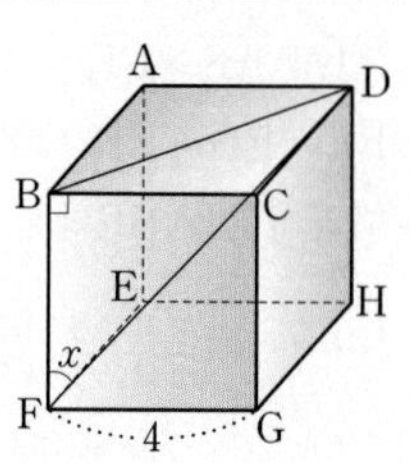

$\overline{BD}$를 그으면

$\overline{BD}=\sqrt{4^2+4^2}=4\sqrt{2}$

$\triangle BFD$에서 $\angle DBF=90^\circ$이므로

$\overline{DF}=\sqrt{(4\sqrt{2})^2+4^2}=4\sqrt{3}$

$\therefore \sin x=\frac{\overline{BD}}{\overline{DF}}=\frac{4\sqrt{2}}{4\sqrt{3}}=\frac{\sqrt{6}}{3}$

전략

$\triangle BFD$에서 각 변의 길이를 구한다.

18 답 $\frac{\sqrt{3}}{2}$

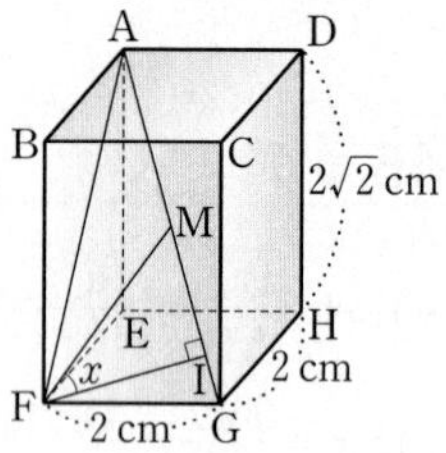

$\overline{AF}$를 그으면

$\overline{AF}=\sqrt{(2\sqrt{2})^2+2^2}=2\sqrt{3}$ (cm)

$\triangle AFG$에서 $\angle AFG=90^\circ$이므로

$\overline{AG}=\sqrt{(2\sqrt{3})^2+2^2}=4$ (cm)

이때 점 M은 $\triangle AFG$의 외심이므로

$\overline{AM}=\overline{FM}=\overline{GM}=\frac{1}{2}\overline{AG}$

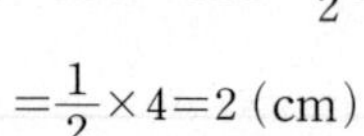

$=\frac{1}{2}\times 4=2$ (cm)

즉 $\triangle MFG$는 정삼각형이므로 $\angle MFG=60^\circ$

$\therefore \angle x=\frac{1}{2}\angle MFG=\frac{1}{2}\times 60^\circ=30^\circ$

$\therefore \cos x=\cos 30^\circ=\frac{\sqrt{3}}{2}$

전략

직각삼각형 AFG에서 빗변 AG의 중점 M이 $\triangle AFG$의 외심임을 이용한다.

19 답 ②

$\triangle VAB$에서 $\overline{AM}=\overline{BM}=\frac{1}{2}\overline{AB}=\frac{1}{2}\times 2=1$

$\overline{VM}\perp\overline{AB}$이므로 직각삼각형 VAM에서

$\overline{VM}=\sqrt{2^2-1^2}=\sqrt{3}$

또 $\overline{VN}\perp\overline{DC}$이므로 직각삼각형 VDN에서

$\overline{VN}=\sqrt{2^2-1^2}=\sqrt{3}$

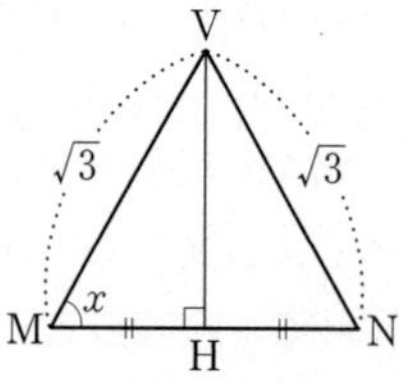

오른쪽 그림에서 $\triangle VMN$은

$\overline{VM}=\overline{VN}=\sqrt{3}$인 이등변삼각형이므로

점 V에서 $\overline{MN}$에 내린 수선의 발을 H라고 하면

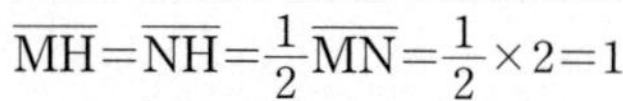

$\overline{MH}=\overline{NH}=\frac{1}{2}\overline{MN}=\frac{1}{2}\times 2=1$

$\triangle VMH$에서 $\overline{VH}=\sqrt{(\sqrt{3})^2-1^2}=\sqrt{2}$

따라서 $\sin x=\frac{\overline{VH}}{\overline{VM}}=\frac{\sqrt{2}}{\sqrt{3}}$, $\cos x=\frac{\overline{MH}}{\overline{VM}}=\frac{1}{\sqrt{3}}$,

$\tan x=\frac{\overline{VH}}{\overline{MH}}=\frac{\sqrt{2}}{1}=\sqrt{2}$이므로

$\sin x : \cos x : \tan x=\frac{\sqrt{2}}{\sqrt{3}} : \frac{1}{\sqrt{3}} : \sqrt{2}=\sqrt{2} : 1 : \sqrt{6}$

참고

이등변삼각형의 꼭지각의 이등분선은 밑변을 수직이등분한다.

전략

꼭짓점 V에서 $\overline{MN}$에 내린 수선의 발을 H라고 하고, 직각삼각형 VMH에서 삼각비의 값을 생각한다.

20 답 $\frac{8}{3}$

$3x+8y-24=0$에 $y=0$을 대입하면

$3x-24=0 \quad \therefore x=8$, 즉 $A(8, 0)$

$3x+8y-24=0$에 $x=0$을 대입하면

$8y-24=0 \quad \therefore y=3$, 즉 $B(0, 3)$

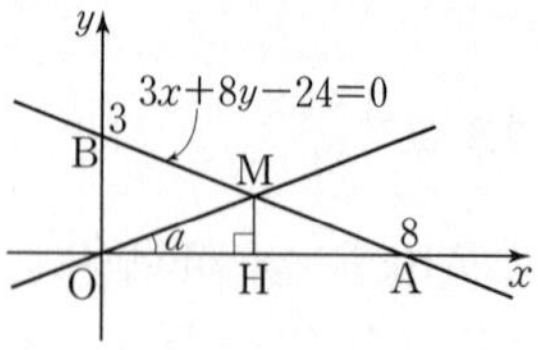

오른쪽 그림과 같이 점 M에서 x축에 내린 수선의 발을 H라고 하면 $\triangle BOA$에서

$\overline{BM}=\overline{MA}$, $\overline{BO}\,/\!/\,\overline{MH}$이므로

$\overline{OH}=\frac{1}{2}\overline{OA}=\frac{1}{2}\times 8=4$

$\overline{MH}=\frac{1}{2}\overline{BO}=\frac{1}{2}\times 3=\frac{3}{2}$

따라서 $\triangle MOH$에서

$\tan(90^\circ-a)=\tan(\angle OMH)$

$=\frac{\overline{OH}}{\overline{MH}}=4\div\frac{3}{2}=\frac{8}{3}$

전략

점 M에서 x축에 내린 수선의 발을 H로 놓고, $\overline{OH}$와 $\overline{MH}$의 길이를 구한다. 또 $\tan(90^\circ-a)=\tan(\angle OMH)$임을 이용한다.

21 답 3

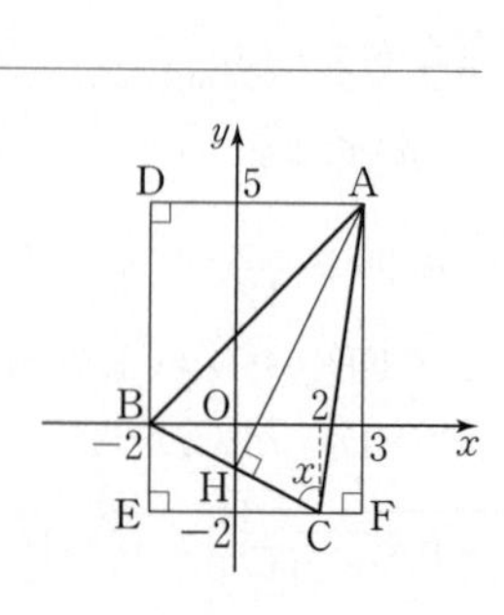

오른쪽 그림과 같이 $\triangle ABC$의 각 꼭짓점을 지나고 x축 또는 y축에 평행한 직선의 교점을 각각 D, E, F라고 하자.

$\triangle ADB$에서

$\overline{AD}=3-(-2)=5$, $\overline{DB}=5$이므로

$\overline{AB}=\sqrt{5^2+5^2}=5\sqrt{2}$

$\triangle BEC$에서

$\overline{BE}=2$, $\overline{EC}=2-(-2)=4$이므로

$\overline{BC}=\sqrt{2^2+4^2}=2\sqrt{5}$

$\triangle ACF$에서

$\overline{AF}=5-(-2)=7$, $\overline{CF}=3-2=1$이므로

$\overline{AC}=\sqrt{7^2+1^2}=5\sqrt{2}$

즉 △ABC는 $\overline{AB}=\overline{AC}$인 이등변삼각형이므로
점 A에서 $\overline{BC}$에 내린 수선의 발을 H라고 하면

$\overline{BH}=\overline{CH}=\frac{1}{2}\overline{BC}=\frac{1}{2}\times2\sqrt{5}=\sqrt{5}$

△AHC에서 $\overline{AH}=\sqrt{(5\sqrt{2})^2-(\sqrt{5})^2}=3\sqrt{5}$

$\therefore \tan x=\frac{\overline{AH}}{\overline{CH}}=\frac{3\sqrt{5}}{\sqrt{5}}=3$

전략
△ABC의 세 변의 길이를 구해 어떤 삼각형인지 알아본다. 또 점 A에서 $\overline{BC}$에 수선의 발을 내린 후 $\tan x$의 값을 구한다.

22 답 4

$y=ax+b$에서 $a=\tan A=\frac{8}{15}$

△AOB와 △OHB에서
∠AOB=∠OHB=90°, ∠B는 공통이므로
△AOB∽△OHB (AA 닮음)

즉 $\tan(\angle BOH)=\tan A=\frac{8}{15}$이므로

$\frac{\overline{BH}}{4}=\frac{8}{15}\quad \therefore \overline{BH}=\frac{32}{15}$

$\therefore \overline{BO}=\sqrt{4^2+\left(\frac{32}{15}\right)^2}=\sqrt{\frac{4624}{225}}=\frac{68}{15}$

직선 $y=\frac{8}{15}x+b$가 점 $B\left(0, \frac{68}{15}\right)$을 지나므로 $b=\frac{68}{15}$

$\therefore b-a=\frac{68}{15}-\frac{8}{15}=4$

다른 풀이

△AOB에서 $\tan A=\frac{8}{15}$이므로
$\overline{AO}=15k$, $\overline{BO}=8k$ $(k>0)$라고 하면
$\overline{AB}=\sqrt{(15k)^2+(8k)^2}=17k$
이때 $\overline{AO}\times\overline{BO}=\overline{AB}\times\overline{OH}$이므로

$15k\times8k=17k\times4\quad \therefore k=\frac{17}{30}\ (\because k>0)$

즉 $\overline{AO}=15k=15\times\frac{17}{30}=\frac{17}{2}$, $\overline{BO}=8k=8\times\frac{17}{30}=\frac{68}{15}$

이므로 $A\left(-\frac{17}{2}, 0\right)$, $B\left(0, \frac{68}{15}\right)$

직선 $y=ax+b$가 점 $B\left(0, \frac{68}{15}\right)$을 지나므로 $b=\frac{68}{15}$

직선 $y=ax+\frac{68}{15}$이 점 $A\left(-\frac{17}{2}, 0\right)$을 지나므로

$0=-\frac{17}{2}a+\frac{68}{15}\quad \therefore a=\frac{8}{15}$

$\therefore b-a=\frac{68}{15}-\frac{8}{15}=4$

전략
$\tan(\angle BOH)=\tan A=\frac{8}{15}$임을 이용하여 $\overline{BH}$, $\overline{BO}$의 길이를 각각 구한다.

STEP 3 | 전교 1등 확실하게 굳히는 문제 p. 16~17

1 $24\sqrt{2}-12\sqrt{6}$ **2** $\frac{2\sqrt{13}}{13}$ **3** $\frac{\sqrt{2}}{2}$
4 $\frac{9\sqrt{7}}{14}$

1 답 $24\sqrt{2}-12\sqrt{6}$

정육각형의 한 내각의 크기는

$\frac{180°\times(6-2)}{6}=120°$

오른쪽 그림과 같이 큰 정육각형의 한 꼭짓점을 A, 이웃하는 두 변의 중점을 각각 B, C라고 하면 두 정육각형의 넓이의 차는 6△ABC이다.

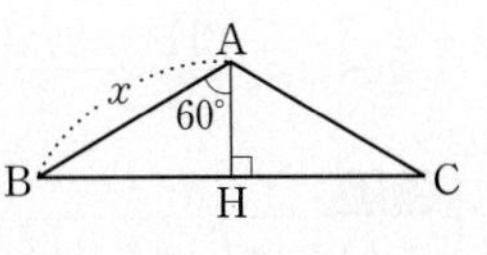

즉 큰 정육각형의 한 변의 길이를 $2x$라고 하면

$\overline{AB}=\frac{1}{2}\times2x=x$

점 A에서 $\overline{BC}$에 내린 수선의 발을 H라고 하면

$\angle BAH=\frac{1}{2}\times120°=60°$

$\cos60°=\frac{\overline{AH}}{x}=\frac{1}{2}$이므로 $\overline{AH}=\frac{1}{2}x$

$\sin60°=\frac{\overline{BH}}{x}=\frac{\sqrt{3}}{2}$이므로 $\overline{BH}=\frac{\sqrt{3}}{2}x$

$\therefore \overline{BC}=2\overline{BH}=2\times\frac{\sqrt{3}}{2}x=\sqrt{3}x$

$\therefore 6\triangle ABC=6\times\left(\frac{1}{2}\times\overline{BC}\times\overline{AH}\right)=6\times\frac{1}{2}\times\sqrt{3}x\times\frac{1}{2}x$
$=\frac{3\sqrt{3}}{2}x^2$

즉 $\frac{3\sqrt{3}}{2}x^2=12\sqrt{3}$이므로

$x^2=8\quad \therefore x=2\sqrt{2}\ (\because x>0)$

따라서 큰 정육각형의 한 변의 길이는 $2x=2\times2\sqrt{2}=4\sqrt{2}$,
작은 정육각형의 한 변의 길이는 $\sqrt{3}x=\sqrt{3}\times2\sqrt{2}=2\sqrt{6}$이므로
두 정육각형의 둘레의 길이의 차는
$6\times4\sqrt{2}-6\times2\sqrt{6}=24\sqrt{2}-12\sqrt{6}$

전략
큰 정육각형의 한 변의 길이를 $2x$로 놓고, 정육각형의 한 내각의 크기가 120°임을 이용하여 작은 정육각형의 한 변의 길이를 x의 식으로 나타낸다.

2 답 $\frac{2\sqrt{13}}{13}$

△ABC에서 $(\sqrt{3})^2=(\sqrt{2})^2+1^2$, 즉 $\overline{AC}^2=\overline{AB}^2+\overline{BC}^2$이므로
∠ABC=90°
△ABD에서 $(\sqrt{10})^2=(\sqrt{2})^2+(2\sqrt{2})^2$, 즉 $\overline{AD}^2=\overline{AB}^2+\overline{BD}^2$
이므로 ∠ABD=90°
따라서 △ABH에서 ∠ABH=90°이다.

한편 $\triangle$ACD에서 $\overline{CH}=a$라고 하면 $\overline{DH}=3-a$이므로

$\triangle$ACH에서 $\overline{AH}^2=(\sqrt{3})^2-a^2$

$\triangle$ADH에서 $\overline{AH}^2=(\sqrt{10})^2-(3-a)^2$

즉 $(\sqrt{3})^2-a^2=(\sqrt{10})^2-(3-a)^2$이므로

$6a=2 \quad \therefore a=\frac{1}{3}$

$\therefore \overline{AH}=\sqrt{(\sqrt{3})^2-\left(\frac{1}{3}\right)^2}=\frac{\sqrt{26}}{3}$

$\triangle$ABH에서

$\overline{BH}=\sqrt{\left(\frac{\sqrt{26}}{3}\right)^2-(\sqrt{2})^2}=\frac{2\sqrt{2}}{3}$

$\therefore \cos x=\frac{\overline{BH}}{\overline{AH}}=\frac{2\sqrt{2}}{3}\div\frac{\sqrt{26}}{3}=\frac{2}{\sqrt{13}}=\frac{2\sqrt{13}}{13}$

전략

$\triangle$ABC에서 $\angle ABC=90^\circ$, $\triangle$ABD에서 $\angle ABD=90^\circ$임을 구하여 $\triangle$ABH에서 $\angle ABH=90^\circ$임을 안다.

3 답 $\frac{\sqrt{2}}{2}$

$\triangle$ABC에서 $\overline{AB}=\sqrt{1^2+3^2}=\sqrt{10}$

$\triangle$ADC에서 $\overline{AD}=\sqrt{1^2+2^2}=\sqrt{5}$

$\triangle$AEC에서 $\overline{AE}=\sqrt{1^2+1^2}=\sqrt{2}$ …… 30%

이때 $\triangle$ADE와 $\triangle$BAE에서

$\overline{AD}:\overline{BA}=\sqrt{5}:\sqrt{10}=1:\sqrt{2}$,

$\overline{DE}:\overline{AE}=1:\sqrt{2}$,

$\overline{AE}:\overline{BE}=\sqrt{2}:2=1:\sqrt{2}$

이므로 $\triangle ADE \backsim \triangle BAE$ (SSS 닮음)

$\therefore \angle DAE=\angle ABE=x$ …… 40%

$\triangle$ADE에서

$\angle AEC=\angle DAE+\angle ADE=x+y$ …… 10%

따라서 $\triangle$AEC에서

$\sin(x+y)=\sin(\angle AEC)=\frac{\overline{AC}}{\overline{AE}}=\frac{1}{\sqrt{2}}=\frac{\sqrt{2}}{2}$ …… 20%

전략

삼각형의 닮음을 이용하여 x와 크기가 같은 각을 찾는다.

4 답 $\frac{9\sqrt{7}}{14}$

$\triangle$ABC에서 $\overline{AD}=\overline{BD}=\frac{1}{2}\overline{AB}=\frac{1}{2}\times2=1$이므로

$\overline{AB}\perp\overline{CD}$

$\triangle$ACD에서 $\overline{CD}=\sqrt{2^2-1^2}=\sqrt{3}$이므로

$\overline{DE}=\overline{CE}=\frac{1}{2}\overline{CD}=\frac{\sqrt{3}}{2}$

$\triangle$ADE에서 $\overline{AE}=\sqrt{1^2+\left(\frac{\sqrt{3}}{2}\right)^2}=\frac{\sqrt{7}}{2}$

$\therefore \sin x=\frac{\overline{AD}}{\overline{AE}}=1\div\frac{\sqrt{7}}{2}=\frac{2\sqrt{7}}{7}$

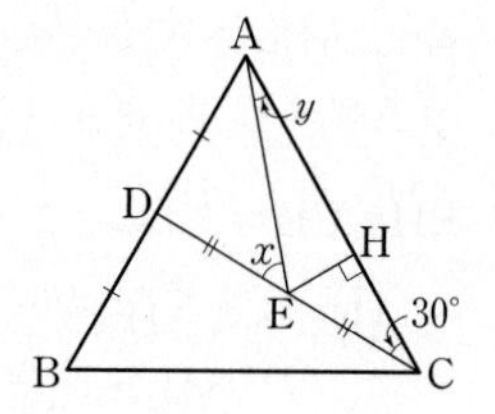

한편 오른쪽 그림과 같이 점 E에서 $\overline{AC}$에 내린 수선의 발을 H라고 하면

$\angle ACD=\angle BCD=\frac{1}{2}\angle ACB$

$=\frac{1}{2}\times60^\circ=30^\circ$

$\triangle$ECH에서

$\cos 30^\circ=\overline{CH}\div\frac{\sqrt{3}}{2}=\frac{\sqrt{3}}{2}$이므로

$\overline{CH}=\frac{\sqrt{3}}{2}\times\frac{\sqrt{3}}{2}=\frac{3}{4}$

$\therefore \overline{AH}=\overline{AC}-\overline{CH}=2-\frac{3}{4}=\frac{5}{4}$

따라서 $\triangle$AEH에서

$\cos y=\frac{\overline{AH}}{\overline{AE}}=\frac{5}{4}\div\frac{\sqrt{7}}{2}=\frac{5\sqrt{7}}{14}$

$\therefore \sin x+\cos y=\frac{2\sqrt{7}}{7}+\frac{5\sqrt{7}}{14}=\frac{9\sqrt{7}}{14}$

전략

오른쪽 그림과 같은 정삼각형 ABC에서 $\overline{BM}=\overline{CM}$이면 $\overline{AM}\perp\overline{BC}$임을 이용한다.

➡ $\overline{AM}=\sqrt{a^2-\left(\frac{1}{2}a\right)^2}=\frac{\sqrt{3}}{2}a$

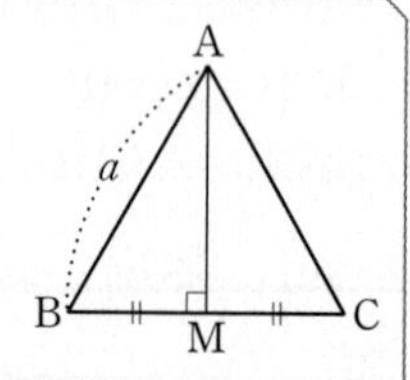

02 삼각비의 활용

확인 ❶ 답 17

$\triangle ABC$에서 $\angle B=180^\circ-(90^\circ+58^\circ)=32^\circ$

$\therefore \overline{BC}=20\cos 32^\circ=20\times0.85=17$

확인 ❷ 답 $2\sqrt{7}$

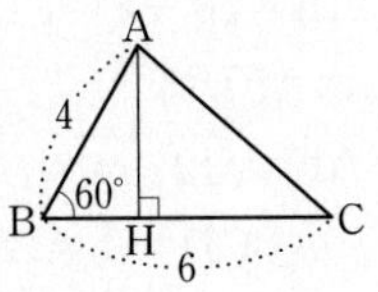

오른쪽 그림과 같이 꼭짓점 A에서 $\overline{BC}$에 내린 수선의 발을 H라고 하면

$\overline{AH}=4\sin 60^\circ=4\times\frac{\sqrt{3}}{2}=2\sqrt{3}$

$\overline{BH}=4\cos 60^\circ=4\times\frac{1}{2}=2$

이때 $\overline{CH}=\overline{BC}-\overline{BH}=6-2=4$이므로

$\triangle AHC$에서

$\overline{AC}=\sqrt{\overline{AH}^2+\overline{CH}^2}=\sqrt{(2\sqrt{3})^2+4^2}=2\sqrt{7}$

확인 ❸ 답 $5\sqrt{3}$

$\overline{AH}=h$라고 하면

$\angle BAH=60^\circ$이므로 $\overline{BH}=h\tan 60^\circ=\sqrt{3}h$

$\angle CAH=30^\circ$이므로 $\overline{CH}=h\tan 30^\circ=\frac{\sqrt{3}}{3}h$

따라서 $\overline{BC}=\overline{BH}+\overline{CH}$에서

$20=\sqrt{3}h+\frac{\sqrt{3}}{3}h$, $20=\frac{4\sqrt{3}}{3}h$

$\therefore h=20\times\frac{3}{4\sqrt{3}}=5\sqrt{3}$

따라서 $\overline{AH}$의 길이는 $5\sqrt{3}$이다.

확인 ❹ 답 16

$\triangle ABC$는 $\overline{AB}=\overline{AC}$인 이등변삼각형이므로

$\angle C=\angle B=75^\circ$

따라서 $\angle A=180^\circ-2\times75^\circ=30^\circ$이므로

$\triangle ABC=\frac{1}{2}\times8\times8\times\sin 30^\circ$

$=\frac{1}{2}\times8\times8\times\frac{1}{2}$

$=16$

확인 ❺ 답 $8\sqrt{2}$

$\square ABCD$는 마름모이므로

$\overline{CD}=\overline{BC}=4$

또 마름모는 평행사변형이므로

$\square ABCD=4\times4\times\sin(180^\circ-135^\circ)$

$=4\times4\times\sin 45^\circ$

$=4\times4\times\frac{\sqrt{2}}{2}=8\sqrt{2}$

확인 ❻ 답 $52\sqrt{3}\text{ cm}^2$

$\triangle ABC$에서

$\overline{AC}=8\tan 60^\circ=8\times\sqrt{3}=8\sqrt{3}\text{ (cm)}$

$\therefore \square ABCD=\triangle ABC+\triangle ACD$

$=\frac{1}{2}\times8\times16\times\underbrace{\sin 60^\circ}_{\frac{\sqrt{3}}{2}}+\frac{1}{2}\times8\sqrt{3}\times10\times\underbrace{\sin 30^\circ}_{\frac{1}{2}}$

$=32\sqrt{3}+20\sqrt{3}$

$=52\sqrt{3}\text{ (cm}^2)$

확인 ❼ 답 60

$\triangle OBC$에서

$\angle BOC=180^\circ-(55^\circ+35^\circ)=90^\circ$

$\therefore \square ABCD=\frac{1}{2}\times10\times12\times\sin 90^\circ$

$=60$

STEP 1 | 억울하게 울리는 문제 p. 20~21

1-1 25 cm	**1-2** 1.3 m	**2-1** 1700 m	**2-2** 50초
3-1 $\frac{5}{13}$	**3-2** $\frac{\sqrt{5}}{5}$	**4-1** 8	**4-2** $\frac{\sqrt{5}}{3}$

1-1 답 25 cm

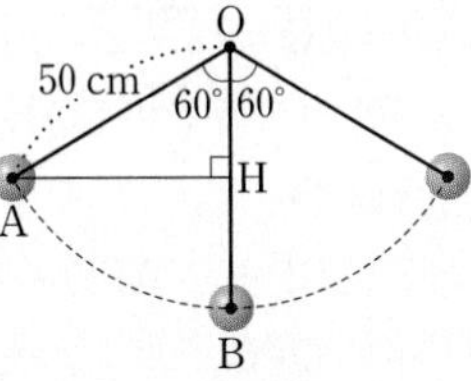

오른쪽 그림과 같이 점 A에서 $\overline{OB}$에 내린 수선의 발을 H라고 하면

$\overline{OH}=50\cos 60^\circ$

$=50\times\frac{1}{2}=25\text{ (cm)}$

이때 추가 A 지점에 있을 때와 B 지점에 있을 때의 높이의 차는 $\overline{BH}$의 길이와 같으므로

$\overline{BH}=\overline{OB}-\overline{OH}$

$=50-25=25\text{ (cm)}$

1-2 답 1.3 m

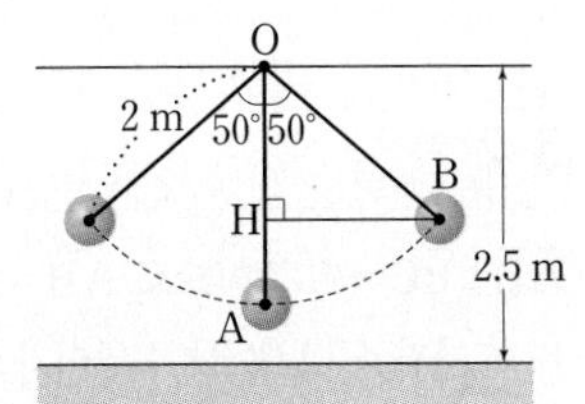

오른쪽 그림과 같이 추가 가장 높은 위치에 있을 때의 지점을 B라 하고, 점 B에서 $\overline{OA}$에 내린 수선의 발을 H라고 하면

$\overline{OH}=\overline{OB}\cos 50^\circ$

$=2\times0.6=1.2\text{ (m)}$

따라서 추가 가장 높은 위치에 있을 때, 지면으로부터의 높이는

$2.5-1.2=1.3\text{ (m)}$

2-1 답 1700 m

불꽃이 터진 뒤 10초 후에 폭발하는 소리를 들었으므로

$\overline{AB}=340\times10=3400\ (m)$

$\overline{AC}=\overline{AB}\sin30^\circ=3400\times\frac{1}{2}=1700\ (m)$

따라서 C지점에서 불꽃이 폭발한 중심 A지점까지의 높이는 1700 m이다.

2-2 답 50초

$\angle B=180^\circ-(10^\circ+90^\circ)=80^\circ$

$\overline{AB}=\frac{\overline{BC}}{\cos80^\circ}=\frac{2000}{0.2}=10000\ (m)$

따라서 비행기가 이륙한 지 $\frac{10000}{200}=50$(초) 후에 2000 m 상공에 있다.

참고

(시간)$=\frac{(거리)}{(속력)}$임을 이용하여 비행기가 2000 m 상공에 다다를 때는 비행기가 이륙한 지 몇 초 후인지 구한다.

3-1 답 $\frac{5}{13}$

$\overline{BP}:\overline{PC}=2:1$이므로

$\overline{BP}=3\times\frac{2}{3}=2,\ \overline{PC}=3\times\frac{1}{3}=1$

$\overline{CQ}:\overline{QD}=1:2$이므로

$\overline{CQ}=3\times\frac{1}{3}=1,\ \overline{QD}=3\times\frac{2}{3}=2$

$\overline{AP}=\overline{AQ}=\sqrt{3^2+2^2}=\sqrt{13}$

오른쪽 그림과 같이 $\overline{PQ}$를 그으면

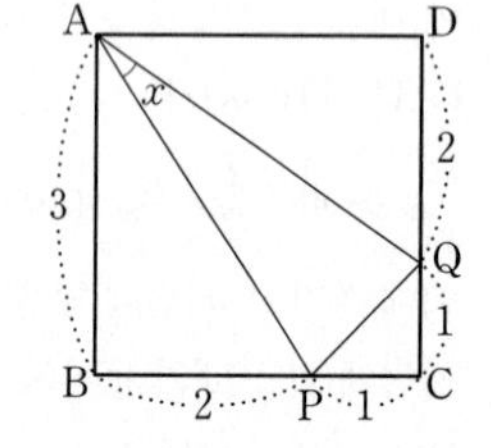

□ABCD

$=\triangle ABP+\triangle APQ+\triangle AQD+\triangle QPC$

에서

3×3

$=\frac{1}{2}\times2\times3+\frac{1}{2}\times\sqrt{13}\times\sqrt{13}\times\sin x+\frac{1}{2}\times3\times2+\frac{1}{2}\times1\times1$

$9=\frac{13}{2}+\frac{13}{2}\sin x$

$\frac{13}{2}\sin x=\frac{5}{2}\qquad\therefore \sin x=\frac{5}{13}$

3-2 답 $\frac{\sqrt5}{5}$

$\overline{AB}:\overline{BC}=2:3$이므로 $\overline{AB}=2a$ cm, $\overline{BC}=3a$ cm (단, $a>0$)라고 하자. □ABCD의 넓이가 96 cm²이므로

$2a\times3a=96,\ 6a^2=96$

$a^2=16\qquad\therefore a=4\ (\because a>0)$

즉 $\overline{AB}=8$ cm, $\overline{BC}=12$ cm

이때 $\overline{BE}=2\overline{EC}$에서

$\overline{BE}:\overline{EC}=2:1$이므로

$\overline{BE}=\frac{2}{3}\overline{BC}=\frac{2}{3}\times12=8\ (cm)$

$\overline{EC}=\frac{1}{3}\overline{BC}=\frac{1}{3}\times12=4\ (cm)$

또 $\overline{CF}=\overline{DF}=\frac{1}{2}\overline{AB}=\frac{1}{2}\times8=4\ (cm)$

△ABE에서

$\overline{AE}=\sqrt{8^2+8^2}=\sqrt{128}=8\sqrt2\ (cm)$

△AFD에서

$\overline{AF}=\sqrt{12^2+4^2}=\sqrt{160}=4\sqrt{10}\ (cm)$

□ABCD$=\triangle ABE+\triangle AEF+\triangle AFD+\triangle FEC$에서

$96=\frac{1}{2}\times8\times8+\frac{1}{2}\times8\sqrt2\times4\sqrt{10}\times\sin x+\frac{1}{2}\times12\times4+\frac{1}{2}\times4\times4$

$96=64+32\sqrt5\sin x$

$32\sqrt5\sin x=32\qquad\therefore \sin x=\frac{1}{\sqrt5}=\frac{\sqrt5}{5}$

4-1 답 8

□ABCD에서 $\overline{BD}=x$라고 하면 $\overline{AC}=\frac{1}{2}x$

□ABCD의 넓이가 $8\sqrt2$이므로

$\frac{1}{2}\times\overline{AC}\times\overline{BD}\times\sin45^\circ=8\sqrt2$

$\frac{1}{2}\times\frac{1}{2}x\times x\times\frac{\sqrt2}{2}=8\sqrt2$

$\frac{\sqrt2}{8}x^2=8\sqrt2,\ x^2=64\qquad\therefore x=8\ (\because x>0)$

4-2 답 $\frac{\sqrt5}{3}$

처음 사각형의 넓이는 $\frac{1}{2}\times10\times4\times\sin x=20\sin x$

이때 긴 대각선의 길이를 3 cm 줄인 사각형의 넓이는

$\frac{1}{2}\times(10-3)\times4\times\sin x=14\sin x$

$20\sin x-14\sin x=4$이므로

$6\sin x=4\qquad\therefore \sin x=\frac{2}{3}$

$\sin x=\frac{2}{3}$인 직각삼각형 ABC를 그리면 오른쪽 그림과 같고 이때

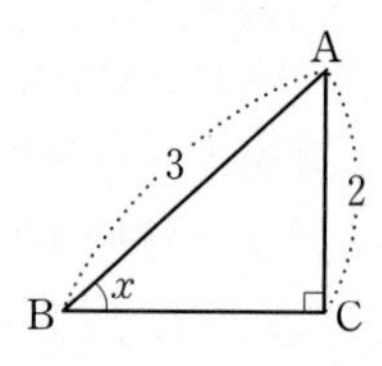

$\overline{BC}=\sqrt{3^2-2^2}=\sqrt5$이므로

$\cos x=\frac{\sqrt5}{3}$

STEP 2 | 반드시 등수 올리는 문제

p. 22~27

01 11 m **02** $2\sqrt{3}$ **03** $8-\frac{8\sqrt{3}}{3}$ **04** $\frac{\sqrt{3}}{3}a$

05 230 m **06** $\sqrt{2}+\sqrt{6}$ **07** $8(\sqrt{3}+1)$ **08** $2\sqrt{7}$ km

09 ① **10** $9(\sqrt{3}-1)$ **11** $150(\sqrt{3}-1)$ m

12 초속 $20(\sqrt{3}-1)$ m **13** $\frac{45\sqrt{3}}{8}$ **14** ③

15 $\sqrt{2}$ m **16** $(3\pi-3\sqrt{3})$ cm² **17** $6\sqrt{3}-2\pi$

18 $6\sqrt{13}$ **19** $\frac{2\sqrt{2}}{3}$ **20** $80+10\sqrt{13}$

21 $20\sqrt{3}$ **22** $32\sqrt{3}$ cm² **23** $(432\pi-432\sqrt{3})$ cm²

24 20π **25** $2(1+\sqrt{2})a^2$

01 답 11 m

오른쪽 그림에서

$\overline{AC}=\overline{AB}\sin 65^\circ$

$=10\times 0.9=9$ (m)

따라서 전신주의 높이는

$9+2=11$ (m)

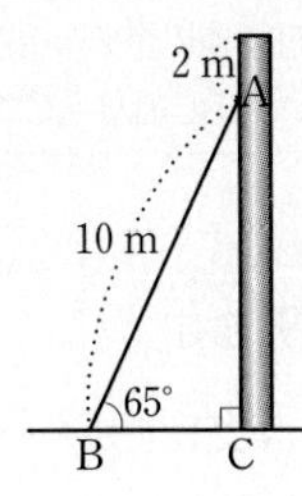

전략
직각삼각형에서 한 예각의 크기와 한 변의 길이를 알고 있으면 삼각비를 이용하여 다른 변의 길이를 구할 수 있다.

02 답 $2\sqrt{3}$

$\triangle$ABC에서 $\overline{AB}=\overline{BC}\cos 60^\circ=16\times\frac{1}{2}=8$

$\triangle$ABD에서 $\overline{AD}=\overline{AB}\sin 60^\circ=8\times\frac{\sqrt{3}}{2}=4\sqrt{3}$

이때 $\triangle$ABD에서 $\angle BAD=30^\circ$이므로

$\angle DAE=60^\circ$

따라서 $\triangle$ADE에서

$\overline{AE}=\overline{AD}\cos 60^\circ=4\sqrt{3}\times\frac{1}{2}=2\sqrt{3}$

전략
삼각비의 값을 이용하여 $\overline{AB}$, $\overline{AD}$, $\overline{AE}$의 길이를 차례로 구한다.

03 답 $8-\frac{8\sqrt{3}}{3}$

오른쪽 그림과 같이 $\overline{AH}$를 그으면

$\triangle$ADH와 $\triangle$AEH에서

$\overline{AD}=\overline{AE}$,

$\angle ADH=\angle AEH=90^\circ$,

$\overline{AH}$는 공통이므로

$\triangle ADH\equiv\triangle AEH$ (RHS 합동)

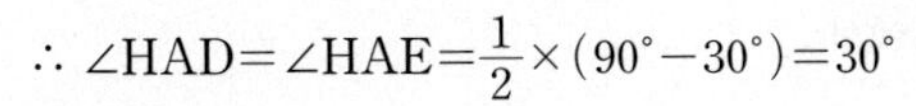

$\therefore \angle HAD=\angle HAE=\frac{1}{2}\times(90^\circ-30^\circ)=30^\circ$

$\triangle$AEH에서

$\overline{HE}=\overline{AE}\tan 30^\circ=2\times\frac{\sqrt{3}}{3}=\frac{2\sqrt{3}}{3}$

$\therefore$ (색칠한 부분의 넓이) $=2\times(\square ABCD-2\triangle AEH)$

$$=2\times\left\{2\times 2-2\times\left(\frac{1}{2}\times 2\times\frac{2\sqrt{3}}{3}\right)\right\}$$

$$=2\times\left(4-\frac{4\sqrt{3}}{3}\right)=8-\frac{8\sqrt{3}}{3}$$

전략
$\triangle$ADH와 $\triangle$AEH가 합동임을 이용하여 $\angle$HAD와 $\angle$HAE의 크기를 구한다.

04 답 $\frac{\sqrt{3}}{3}a$

$\overline{CE}=x$라고 하면 $\overline{BC}=a+x$

$\triangle$ABC에서 $\overline{AC}=\overline{BC}\tan 45^\circ=a+x$

$\triangle$AEC에서 $\tan 75^\circ=\frac{\overline{AC}}{\overline{CE}}=\frac{a+x}{x}=2+\sqrt{3}$이므로

$\frac{a}{x}=\sqrt{3}+1 \quad \therefore x=\frac{a}{\sqrt{3}+1}=\frac{(\sqrt{3}-1)a}{2}$

이때 $\overline{BC}=\overline{AC}=a+x=a+\frac{(\sqrt{3}-1)a}{2}=\frac{(\sqrt{3}+1)a}{2}$이므로

$\overline{CD}=\overline{BC}\tan 30^\circ=\frac{(\sqrt{3}+1)a}{2}\times\frac{\sqrt{3}}{3}=\frac{(3+\sqrt{3})a}{6}$

$\therefore \overline{AD}=\overline{AC}-\overline{CD}$

$$=\frac{(\sqrt{3}+1)a}{2}-\frac{(3+\sqrt{3})a}{6}$$

$$=\frac{3\sqrt{3}a+3a-3a-\sqrt{3}a}{6}$$

$$=\frac{2\sqrt{3}}{6}a=\frac{\sqrt{3}}{3}a$$

전략
$\overline{CE}=x$로 놓고 $\triangle$AEC에서 $\tan 75^\circ$를 구하는 식을 이용하여 x를 a의 식으로 나타낸다.

05 답 230 m

경사도가 10 %이면

$10=100\times\tan A \quad \therefore \tan A=\frac{1}{10}$

다음 그림과 같이 자동차가 경사도가 10 %인 도로를 800 m 달렸을 때 $\overline{PH}=h$ m라고 하면

$\overline{AH}=\frac{\overline{PH}}{\tan A}=\overline{PH}\div\frac{1}{10}=10\overline{PH}=10h$ (m)

$\overline{AP}=\sqrt{(10h)^2+h^2}=\sqrt{101}h$ (m)

즉 $\sqrt{101}h=800$이므로 $10h=800 \quad \therefore h=80$

따라서 이 자동차의 현재 위치는 해발 $150+80=230$ (m)

전략
$\tan A=\frac{1}{10}$이므로 높이를 h m라고 하고, 밑변의 길이를 h의 식으로 나타낸다.

06 답 $\sqrt{2}+\sqrt{6}$

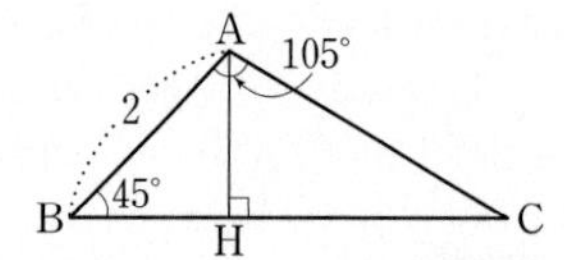

오른쪽 그림과 같이 점 A에서 $\overline{BC}$에 내린 수선의 발을 H라고 하면

$\angle BAH=45^\circ$,

$\angle CAH=105^\circ-45^\circ=60^\circ$

$\triangle ABH$에서

$\overline{BH}=2\cos 45^\circ=2\times\dfrac{\sqrt{2}}{2}=\sqrt{2}$

$\overline{AH}=2\sin 45^\circ=2\times\dfrac{\sqrt{2}}{2}=\sqrt{2}$

$\triangle AHC$에서

$\overline{CH}=\sqrt{2}\tan 60^\circ=\sqrt{2}\times\sqrt{3}=\sqrt{6}$

$\therefore \overline{BC}=\overline{BH}+\overline{CH}=\sqrt{2}+\sqrt{6}$

전략

점 A에서 $\overline{BC}$에 수선을 긋고 특수한 각의 삼각비의 값을 이용하여 $\overline{BH}$, $\overline{CH}$의 길이를 구한다.

07 답 $8(\sqrt{3}+1)$

$\overline{AB}=\overline{AC}$이므로 $\angle B=\angle C=\dfrac{1}{2}\times(180^\circ-30^\circ)=75^\circ$

$\overline{BC}=\overline{DC}$이므로 $\angle BCD=180^\circ-2\times 75^\circ=30^\circ$

$\therefore \angle ACD=75^\circ-30^\circ=45^\circ$

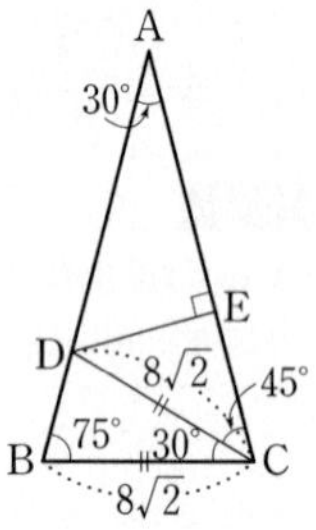

오른쪽 그림과 같이 점 D에서 $\overline{AC}$에 내린 수선의 발을 E라고 하면 $\triangle EDC$에서

$\overline{DE}=8\sqrt{2}\sin 45^\circ=8\sqrt{2}\times\dfrac{\sqrt{2}}{2}=8$

$\overline{CE}=8\sqrt{2}\cos 45^\circ=8\sqrt{2}\times\dfrac{\sqrt{2}}{2}=8$

$\triangle ADE$에서

$\overline{AE}=\dfrac{\overline{DE}}{\tan 30^\circ}=8\div\dfrac{\sqrt{3}}{3}=8\sqrt{3}$

$\therefore \overline{AC}=\overline{AE}+\overline{EC}=8\sqrt{3}+8=8(\sqrt{3}+1)$

이등변삼각형의 성질을 이용하여 $\angle ACD$의 크기를 구하고, 점 D에서 $\overline{AC}$에 수선을 그어 직각삼각형을 만든다.

08 답 $2\sqrt{7}$ km

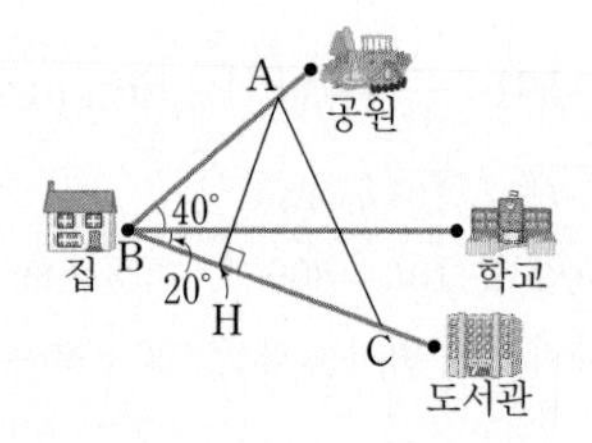

위 그림과 같이 집을 출발한 지 40분 후 동생의 위치를 A, 형의 위치를 C라 하고, $\triangle ABC$의 꼭짓점 A에서 $\overline{BC}$에 내린 수선의 발을 H라고 하자.

$\overline{AB}$는 동생이 시속 6 km로 40분 동안 간 거리이고 $\overline{BC}$는 형이 시속 9 km로 40분 동안 간 거리이므로

$\overline{AB}=6\times\dfrac{40}{60}=4\text{ (km)}$, $\overline{BC}=9\times\dfrac{40}{60}=6\text{ (km)}$

$\triangle ABH$에서

$\overline{BH}=\overline{AB}\cos 60^\circ=4\times\dfrac{1}{2}=2\text{ (km)}$

$\therefore \overline{CH}=\overline{BC}-\overline{BH}=6-2=4\text{ (km)}$

또 $\overline{AH}=\overline{BH}\tan 60^\circ=2\times\sqrt{3}=2\sqrt{3}\text{ (km)}$

$\triangle AHC$에서

$\overline{AC}=\sqrt{(2\sqrt{3})^2+4^2}=2\sqrt{7}\text{ (km)}$

따라서 집을 출발한 지 40분 후 두 사람 사이의 거리는 $2\sqrt{7}$ km이다.

전략

집을 출발한 지 40분 후 동생의 위치를 A, 형의 위치를 C라고 하고 $\triangle ABC$에서 $\overline{AC}$의 길이를 구한다.

09 답 ①

$\angle ACH=180^\circ-(90^\circ+34^\circ)=56^\circ$

$\angle BCH=180^\circ-(90^\circ+42^\circ)=48^\circ$

$\overline{CH}=h$ m라고 하면

$\overline{AH}=h\tan 56^\circ$ m, $\overline{BH}=h\tan 48^\circ$ m

$\overline{AH}-\overline{BH}=\overline{AB}$에서

$h\tan 56^\circ-h\tan 48^\circ=100$

$(\tan 56^\circ-\tan 48^\circ)h=100$

$\therefore h=\dfrac{100}{\tan 56^\circ-\tan 48^\circ}$

따라서 산의 높이는 $\dfrac{100}{\tan 56^\circ-\tan 48^\circ}$ m이다.

전략

$\overline{CH}=h$ m라고 하고 $\overline{AH}$, $\overline{BH}$의 길이를 h의 식으로 나타낸 후 $\overline{AB}=\overline{AH}-\overline{BH}$임을 이용한다.

10 답 $9(\sqrt{3}-1)$

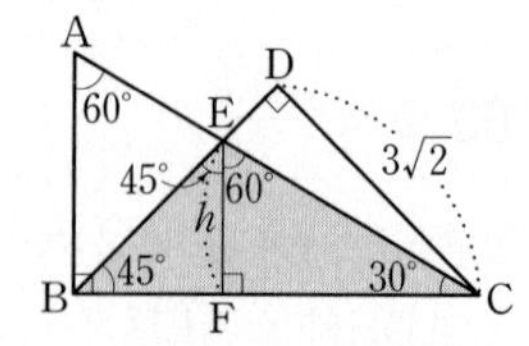

오른쪽 그림의 $\triangle DBC$에서

$\angle DCB=180^\circ-(90^\circ+45^\circ)=45^\circ$

이므로

$\overline{BC}=\dfrac{\overline{CD}}{\cos 45^\circ}=3\sqrt{2}\div\dfrac{\sqrt{2}}{2}=6$

$\angle BEF=45^\circ$, $\angle ECF=30^\circ$,

$\angle CEF=60^\circ$이므로 $\overline{EF}=h$라고 하면

$\overline{BF}=h\tan 45^\circ=h$

$\overline{CF}=h\tan 60^\circ=\sqrt{3}h$

$\overline{BF}+\overline{CF}=\overline{BC}$에서

$h+\sqrt{3}h=6$, $(1+\sqrt{3})h=6$ $\quad\therefore h=\dfrac{6}{1+\sqrt{3}}=3(\sqrt{3}-1)$

$\therefore$ (색칠한 부분의 넓이)$=\dfrac{1}{2}\times 6\times 3(\sqrt{3}-1)=9(\sqrt{3}-1)$

전략
$\overline{BC}=\frac{\overline{CD}}{\cos 45^\circ}$임을 이용하여 $\overline{BC}$의 길이를 구하고 $\overline{BC}=\overline{BF}+\overline{CF}$임을 이용한다.

11 답 $150(\sqrt{3}-1)$ m

오른쪽 그림과 같이 점 A에서 $\overline{BC}$에 내린 수선의 발을 H라고 하자.

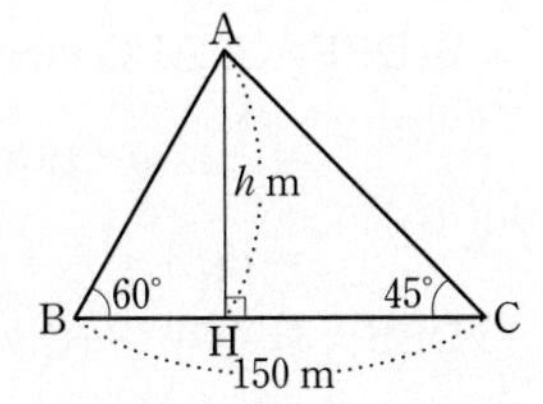

$\overline{AH}=h$ m라고 하면

$\angle BAH=30^\circ$, $\angle CAH=45^\circ$이므로

$\overline{BH}=h\tan 30^\circ$

$=h\times\frac{\sqrt{3}}{3}=\frac{\sqrt{3}}{3}h$ (m)

$\overline{CH}=h\tan 45^\circ=h$ (m)

$\overline{BH}+\overline{CH}=\overline{BC}$에서

$\frac{\sqrt{3}}{3}h+h=150$, $\frac{\sqrt{3}+3}{3}h=150$

$\therefore h=150\times\frac{3}{\sqrt{3}+3}=75(3-\sqrt{3})$

$\triangle ABH$에서

$\overline{AB}=\frac{h}{\sin 60^\circ}=75(3-\sqrt{3})\div\frac{\sqrt{3}}{2}$

$=\frac{150(3-\sqrt{3})}{\sqrt{3}}=150(\sqrt{3}-1)$ (m)

전략
점 A에서 $\overline{BC}$에 내린 수선의 발을 H라고 할 때, $\overline{BC}=\overline{BH}+\overline{CH}$임을 이용하여 $\overline{AH}$의 길이를 먼저 구한다.

12 답 초속 $20(\sqrt{3}-1)$ m

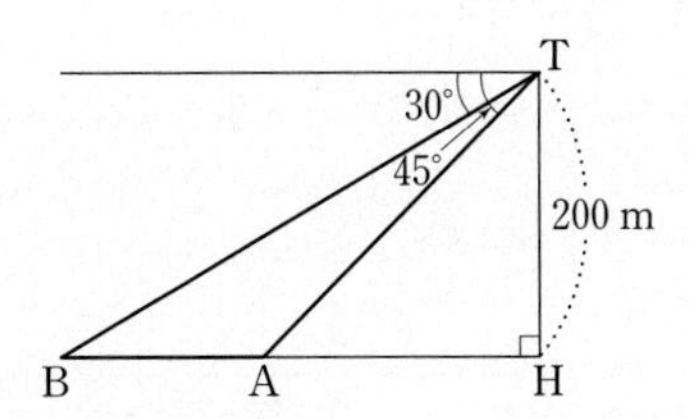

위 그림에서 $\angle BTH=60^\circ$이므로

$\overline{BH}=200\tan 60^\circ=200\sqrt{3}$ (m)

$\angle ATH=45^\circ$이므로

$\overline{AH}=200\tan 45^\circ=200$ (m)

$\therefore \overline{BA}=\overline{BH}-\overline{AH}=200\sqrt{3}-200=200(\sqrt{3}-1)$ (m)

$\overline{BA}$의 길이가 자동차가 10초 동안 이동한 거리이므로

자동차의 속력은 초속 $\frac{200(\sqrt{3}-1)}{10}=20(\sqrt{3}-1)$ (m)

전략
두 직각삼각형 BTH, ATH에서 각각 삼각비를 이용하여 10초 동안 자동차가 이동한 거리를 구한다. 또 (속력)$=\frac{(\text{거리})}{(\text{시간})}$임을 이용한다.

13 답 $\frac{45\sqrt{3}}{8}$

$\overline{AD}=x$라고 하면

$\triangle ABC=\triangle ABD+\triangle ADC$이므로

$\frac{1}{2}\times 15\times 9\times\sin 60^\circ$ ($\sin 60^\circ \to \frac{\sqrt{3}}{2}$)

$=\frac{1}{2}\times 15\times x\times\sin 30^\circ+\frac{1}{2}\times x\times 9\times\sin 30^\circ$ ($\sin 30^\circ \to \frac{1}{2}$)

$\frac{135\sqrt{3}}{4}=\frac{15}{4}x+\frac{9}{4}x$

$24x=135\sqrt{3}$ $\quad\therefore x=\frac{45\sqrt{3}}{8}$

$\therefore \overline{AD}=x=\frac{45\sqrt{3}}{8}$

전략
삼각형의 넓이 구하는 공식과 $\triangle ABC=\triangle ABD+\triangle ADC$임을 이용하여 x에 대한 방정식을 세운다.

14 답 ③

(삼각형 A의 넓이)$=\frac{1}{2}\times a\times b\times\sin 30^\circ=\frac{1}{4}ab$ ($\sin 30^\circ \to \frac{1}{2}$)

(삼각형 B의 넓이)$=\frac{1}{2}\times a\times c\times\sin 60^\circ=\frac{\sqrt{3}}{4}ac$ ($\sin 60^\circ \to \frac{\sqrt{3}}{2}$)

(삼각형 C의 넓이)$=\frac{1}{2}\times b\times c\times\sin 45^\circ=\frac{\sqrt{2}}{4}bc$ ($\sin 45^\circ \to \frac{\sqrt{2}}{2}$)

세 삼각형의 넓이가 모두 같으므로

$\frac{1}{4}ab=\frac{\sqrt{3}}{4}ac=\frac{\sqrt{2}}{4}bc$

이때 $a>0$, $b>0$, $c>0$이므로

$\frac{1}{4}ab=\frac{\sqrt{3}}{4}ac$에서 $b=\sqrt{3}c$

$\frac{1}{4}ab=\frac{\sqrt{2}}{4}bc$에서 $a=\sqrt{2}c$

$\therefore a^2:b^2:c^2=(\sqrt{2}c)^2:(\sqrt{3}c)^2:c^2=2c^2:3c^2:c^2=2:3:1$

전략
오른쪽 그림과 같은 삼각형에서

(넓이)$=\frac{1}{2}ab\sin x$

임을 이용한다.

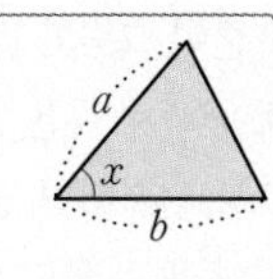

15 답 $\sqrt{2}$ m

오른쪽 그림과 같이 출입문의 반지름의 길이를 r m라고 하면

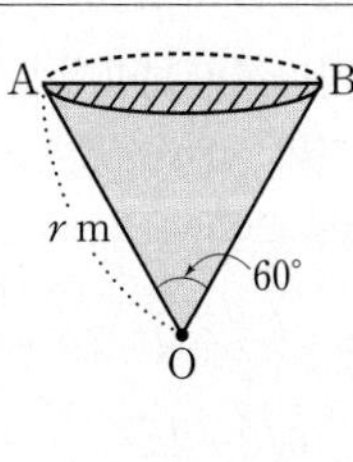

(빗금친 부분의 넓이)

$=$(부채꼴 AOB의 넓이)$-\triangle AOB$

$=\pi\times r^2\times\frac{60}{360}-\frac{1}{2}\times r\times r\times\sin 60^\circ$ ($\sin 60^\circ \to \frac{\sqrt{3}}{2}$)

$=\frac{\pi}{6}r^2-\frac{\sqrt{3}}{4}r^2$

$=\frac{1}{12}(2\pi-3\sqrt{3})r^2$

즉 $\frac{1}{12}(2\pi-3\sqrt{3})r^2=\frac{1}{6}(2\pi-3\sqrt{3})$이므로

$r^2=2 \qquad \therefore r=\sqrt{2}\ (\because r>0)$

따라서 출입문의 반지름의 길이는 $\sqrt{2}$ m이다.

전략

부채꼴의 넓이와 삼각형의 넓이 구하는 공식을 이용한다.

16 답 $(3\pi-3\sqrt{3})\ \text{cm}^2$

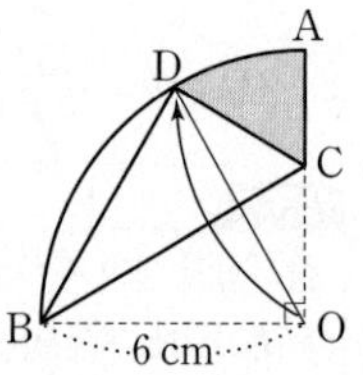

오른쪽 그림과 같이 $\overline{OD}$를 그으면

$\triangle DBO$에서 $\overline{BD}=\overline{BO}=\overline{DO}$이므로

$\triangle DBO$는 정삼각형이다.

$\therefore \angle DOB=60^\circ,\ \angle DOA=30^\circ$

$\triangle DOC$에서 $\overline{CD}=\overline{CO}$이므로

$\angle CDO=\angle DOC=30^\circ$

$\therefore \angle DCO=180^\circ-(30^\circ+30^\circ)=120^\circ$

한편 $\triangle CBO$에서 $\angle CBO=\frac{1}{2}\angle DBO=\frac{1}{2}\times 60^\circ=30^\circ$이므로

$\overline{CO}=6\tan 30^\circ=6\times\frac{\sqrt{3}}{3}=2\sqrt{3}\ (\text{cm})$

$\therefore$ (색칠한 부분의 넓이)

$=$(부채꼴 DOA의 넓이)$-\triangle DOC$

$=\pi\times 6^2\times\frac{30}{360}-\frac{1}{2}\times 2\sqrt{3}\times 2\sqrt{3}\times \sin(180^\circ-120^\circ)$ ($\sin 60^\circ=\frac{\sqrt{3}}{2}$)

$=3\pi-3\sqrt{3}\ (\text{cm}^2)$

전략

$\overline{OD}$를 그어 $\triangle DBO$가 정삼각형임을 이용한다. 이때
(색칠한 부분의 넓이)=(부채꼴 DOA의 넓이)$-\triangle DOC$이다.

17 답 $6\sqrt{3}-2\pi$

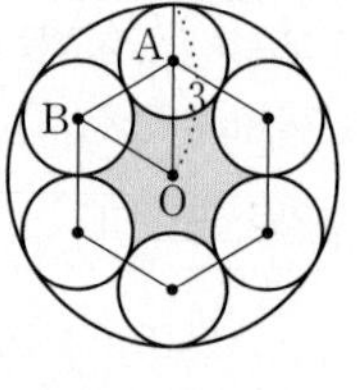

오른쪽 그림과 같이 원 O에 내접하면서 서로 접하는 작은 원 6개의 중심을 각각 선분으로 연결하면 정육각형이 만들어진다.

이때 작은 원의 반지름의 길이를 r라고 하면 $\overline{AB}=2r$

한편 $\triangle ABO$는 정삼각형이고, 원 O의 반지름의 길이가 3이므로

$3r=3 \qquad \therefore r=1$

따라서 색칠한 부분의 넓이는 정삼각형 6개의 넓이에서 반지름의 길이가 1이고 중심각의 크기가 60°인 부채꼴 12개의 넓이를 뺀 것과 같으므로

$6\times\left(\frac{1}{2}\times 2\times 2\times \sin 60^\circ\right)-12\times\left(\pi\times 1^2\times\frac{60}{360}\right)$ ($\sin 60^\circ=\frac{\sqrt{3}}{2}$)

$=6\sqrt{3}-2\pi$

전략

작은 원의 중심을 연결하여 얻은 정육각형에서 색칠한 부분의 넓이를 구할 수 있는 방법을 찾는다.

18 답 $6\sqrt{13}$

$\triangle ABC$에서 $\overline{AD}=\overline{BE}=\overline{CF}=10\times\frac{1}{1+4}=2$

$\overline{BD}=\overline{CE}=\overline{AF}=10-2=8$

$\triangle ADF\equiv\triangle BED\equiv\triangle CFE$ (SAS 합동)이므로

$\overline{FD}=\overline{DE}=\overline{EF}$

즉 $\triangle DEF$는 정삼각형이다.

$\therefore \triangle DEF=\triangle ABC-3\triangle ADF$

$=\frac{1}{2}\times 10\times 10\times \sin 60^\circ-3\times\left(\frac{1}{2}\times 2\times 8\times \sin 60^\circ\right)$

$=25\sqrt{3}-12\sqrt{3}=13\sqrt{3}$

$\triangle DEF$의 한 변의 길이를 a라고 하면

$\frac{1}{2}\times a\times a\times \sin 60^\circ=13\sqrt{3}$

$\frac{\sqrt{3}}{4}a^2=13\sqrt{3},\ a^2=52 \qquad \therefore a=2\sqrt{13}\ (\because a>0)$

$\therefore$ ($\triangle DEF$의 둘레의 길이)$=3\times 2\sqrt{13}=6\sqrt{13}$

전략

$\triangle ADF\equiv\triangle BED\equiv\triangle CFE$ (SAS 합동)임을 이용하여 $\triangle DEF$가 정삼각형임을 안다.

19 답 $\frac{2\sqrt{2}}{3}$

$\overline{AM}=\frac{1}{2}\overline{AB}=\frac{1}{2}\times 4=2$이므로

$\triangle OAM$에서 $\overline{OM}=\sqrt{4^2-2^2}=2\sqrt{3}$

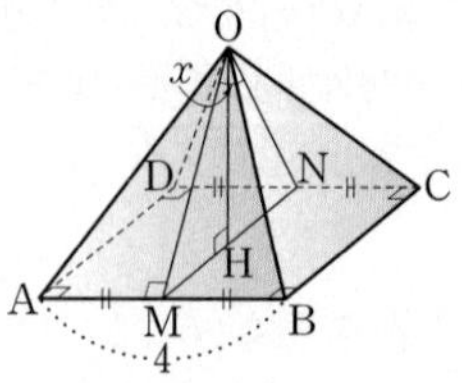

오른쪽 그림과 같이 점 O에서 $\overline{MN}$에 내린 수선의 발을 H라고 하면

$\overline{ON}=\overline{OM}=2\sqrt{3}$이고

$\overline{MH}=\frac{1}{2}\overline{MN}=\frac{1}{2}\times 4=2$이므로

$\overline{OH}=\sqrt{(2\sqrt{3})^2-2^2}=2\sqrt{2}$

이때 $\triangle OMN=\frac{1}{2}\times 4\times 2\sqrt{2}=\frac{1}{2}\times 2\sqrt{3}\times 2\sqrt{3}\times \sin x$에서

$4\sqrt{2}=6\sin x \qquad \therefore \sin x=\frac{2\sqrt{2}}{3}$

전략

$\triangle OMN$의 넓이를 이용하여 $\sin x$의 값을 구한다.

20 답 $80+10\sqrt{13}$

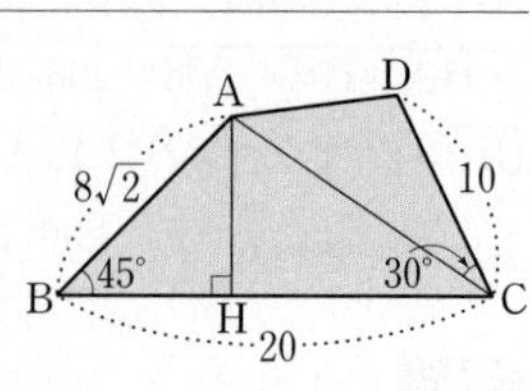

오른쪽 그림과 같이 점 A에서 $\overline{BC}$에 내린 수선의 발을 H라고 하자.

$\triangle ABH$에서

$\overline{AH}=\overline{AB}\sin 45^\circ=8\sqrt{2}\times\frac{\sqrt{2}}{2}=8$

$\overline{BH}=\overline{AB}\cos 45^\circ=8\sqrt{2}\times\frac{\sqrt{2}}{2}=8$

한편 $\overline{CH}=\overline{BC}-\overline{BH}=20-8=12$이므로

$\overline{AC}=\sqrt{8^2+12^2}=4\sqrt{13}$

$\therefore \square ABCD=\triangle ABC+\triangle ACD$

$=\frac{1}{2}\times 8\sqrt{2}\times 20\times \sin 45^\circ+\frac{1}{2}\times 4\sqrt{13}\times 10\times \sin 30^\circ$

$=80+10\sqrt{13}$

전략

점 A에서 $\overline{BC}$에 수선을 그은 후 $\overline{AC}$의 길이를 구한다.

21 답 $20\sqrt{3}$

$\square ABCD=12\times 10\times \sin 60^\circ=12\times 10\times \frac{\sqrt{3}}{2}=60\sqrt{3}$

$\triangle DBC=\frac{1}{2}\square ABCD=\frac{1}{2}\times 60\sqrt{3}=30\sqrt{3}$

$\therefore \ \triangle DBN=\frac{2}{3}\triangle DBC=\frac{2}{3}\times 30\sqrt{3}=20\sqrt{3}$

전략

$\overline{CN}:\overline{ND}=1:2$이므로 $\triangle BCN:\triangle DBN=1:2$, 즉 $\triangle DBN=\frac{2}{3}\triangle DBC$임을 안다.

22 답 $32\sqrt{3}$ cm²

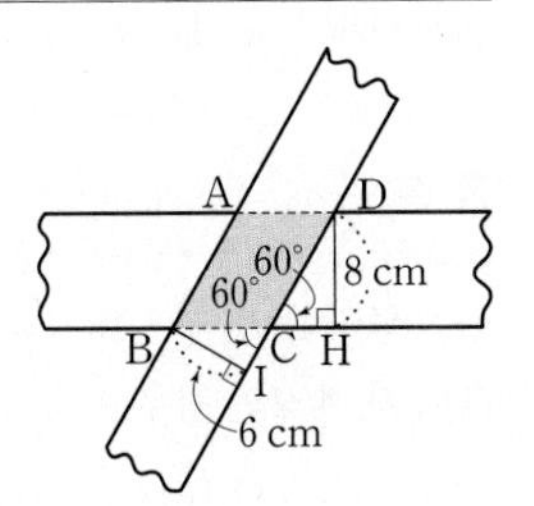

오른쪽 그림과 같이 점 D에서 $\overline{BC}$의 연장선 위에 내린 수선의 발을 H, 점 B에서 $\overline{CD}$의 연장선 위에 내린 수선의 발을 I라고 하자.

$\triangle DCH$에서

$\overline{CD}=\frac{8}{\sin 60^\circ}=8\div \frac{\sqrt{3}}{2}$

$=\frac{16\sqrt{3}}{3}$ (cm)

$\angle BCI=\angle DCH=60^\circ$ (맞꼭지각)

이므로 $\triangle BIC$에서

$\overline{BC}=\frac{6}{\sin 60^\circ}=6\div \frac{\sqrt{3}}{2}=4\sqrt{3}$ (cm)

이때 $\square ABCD$는 평행사변형이므로 구하는 넓이는

$4\sqrt{3}\times \frac{16\sqrt{3}}{3}\times \sin(180^\circ-120^\circ)$

$=4\sqrt{3}\times \frac{16\sqrt{3}}{3}\times \frac{\sqrt{3}}{2}=32\sqrt{3}$ (cm²)

다른 풀이

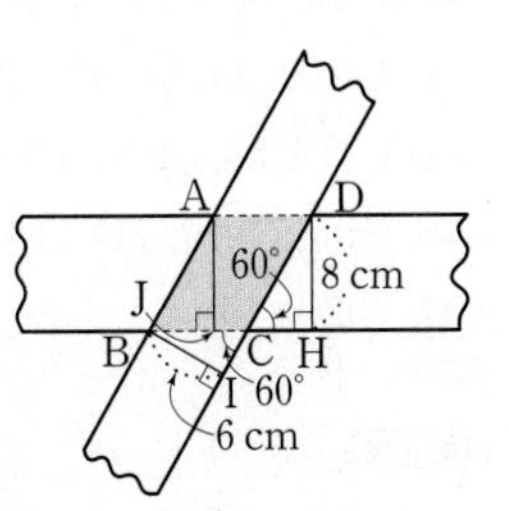

$\overline{BC}=4\sqrt{3}$ cm이고 점 A에서 $\overline{BC}$에 내린 수선의 발을 J라고 하면

$\overline{AJ}=8$ cm

이때 $\square ABCD$는 평행사변형이므로 구하는 넓이는

$4\sqrt{3}\times 8=32\sqrt{3}$ (cm²)

전략

두 종이테이프의 폭이 일정하므로 겹쳐진 부분은 평행사변형임을 안다.

23 답 $(432\pi-432\sqrt{3})$ cm²

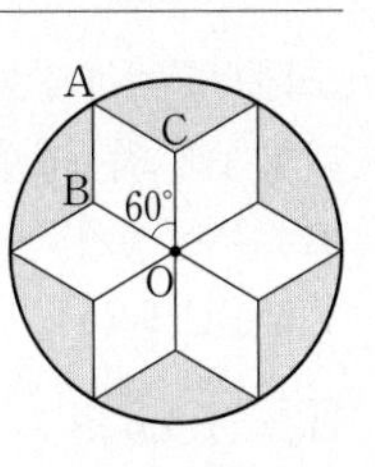

오른쪽 그림과 같이 A, B, C를 정하면 마름모 ABOC에서

$\angle BOC=\frac{360^\circ}{6}=60^\circ$

이때 마름모의 두 대각선은 서로 다른 것을 수직이등분하므로 마름모 ABOC의 두 대각선의 교점을 H라고 하면 오른쪽 그림과 같다.

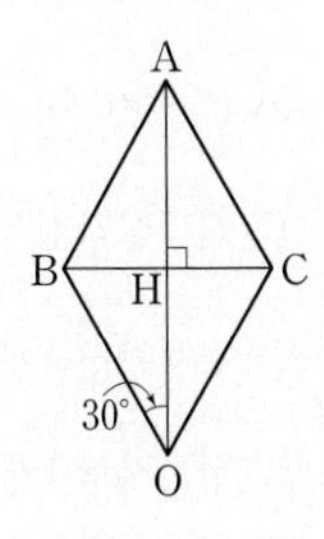

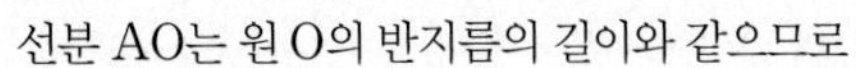

선분 AO는 원 O의 반지름의 길이와 같으므로

$\overline{AO}=\frac{24\sqrt{3}}{2}=12\sqrt{3}$ (cm)

즉 $\overline{OH}=\overline{AH}=\frac{12\sqrt{3}}{2}=6\sqrt{3}$ (cm)이고,

직각삼각형 BOH에서

$\overline{OB}=\frac{\overline{OH}}{\cos 30^\circ}=6\sqrt{3}\div \frac{\sqrt{3}}{2}=12$ (cm)

마름모는 네 변의 길이가 모두 같은 평행사변형이므로

$\square ABOC=12\times 12\times \sin 60^\circ$

$=12\times 12\times \frac{\sqrt{3}}{2}=72\sqrt{3}$ (cm²)

$\therefore$ (색칠한 부분의 넓이)=(원 O의 넓이)$-6\square ABOC$

$=\pi\times(12\sqrt{3})^2-6\times 72\sqrt{3}$

$=432\pi-432\sqrt{3}$ (cm²)

다른 풀이

$\square ABOC$에서 $\angle BOC=60^\circ$이므로 $\square ABOC$는 합동인 두 정삼각형 BOC, ABC로 이루어진 사각형이다.

이때 $\triangle BOC=\frac{\sqrt{3}}{4}\times 12^2=36\sqrt{3}$ (cm²)이므로

$\square ABOC=2\triangle BOC=2\times 36\sqrt{3}=72\sqrt{3}$ (cm²)

전략

마름모는 네 변의 길이가 모두 같은 평행사변형임을 이용하여 넓이를 구한다.

24 답 20π

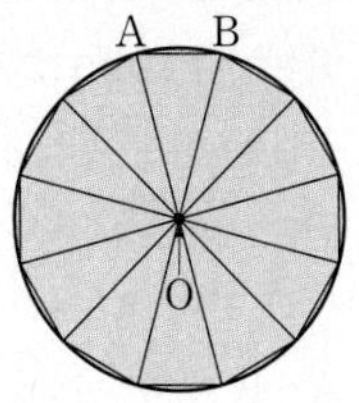

오른쪽 그림과 같이 원 O의 중심과 정십이각형의 각 꼭짓점을 잇는 선분을 그리면 이등변삼각형 12개가 만들어진다.

이등변삼각형 1개의 넓이는 $60\div 12=5$이고 $\angle AOB=\frac{360^\circ}{12}=30^\circ$이므로

원 O의 반지름의 길이를 r라고 하면

$\frac{1}{2}\times r\times r\times \sin 30^\circ=5$

$\frac{1}{4}r^2=5,\ r^2=20 \qquad \therefore r=2\sqrt{5}\ (\because r>0)$

$\therefore$ (원 O의 넓이)$=\pi\times(2\sqrt{5})^2=20\pi$

전략

원 O의 중심과 정십이각형의 꼭짓점을 연결하면 이등변삼각형 12개가 만들어진다.

25 답 $2(1+\sqrt{2})a^2$

오른쪽 그림과 같이 정팔각형을 직각삼각형 4개, 직사각형 4개, 정사각형 1개로 나누어 보자.

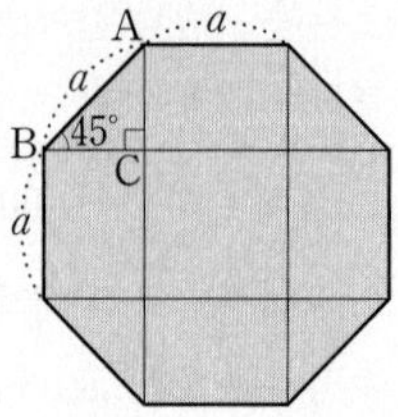

△ABC에서

$\overline{BC}=a\cos 45^\circ=\dfrac{\sqrt{2}}{2}a$

$\overline{AC}=a\sin 45^\circ=\dfrac{\sqrt{2}}{2}a$

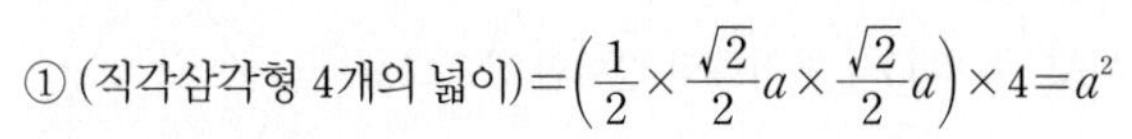

① (직각삼각형 4개의 넓이)$=\left(\dfrac{1}{2}\times\dfrac{\sqrt{2}}{2}a\times\dfrac{\sqrt{2}}{2}a\right)\times4=a^2$

② (직사각형 4개의 넓이)$=\left(a\times\dfrac{\sqrt{2}}{2}a\right)\times4=2\sqrt{2}a^2$

③ (정사각형 1개의 넓이)$=a^2$

∴ (정팔각형의 넓이)$=①+②+③$

$=a^2+2\sqrt{2}a^2+a^2$

$=2(1+\sqrt{2})a^2$

전략

정팔각형을 직각삼각형 4개, 직사각형 4개, 정사각형 1개로 나누어 넓이를 구한다.

STEP 3 | 전교 1등 **확실하게** 굳히는 문제 p. 28~30

1 $30\sqrt{3}$ cm **2** $\dfrac{\sqrt{10}}{4}$ **3** $\dfrac{5}{36}$ **4** $\dfrac{5\sqrt{7}}{14}$

5 $(\sqrt{5}-1)\sin 36^\circ$ **6** $\dfrac{6\sqrt{2}}{19}$

1 답 $30\sqrt{3}$ cm

바퀴가 1초에 0.5°씩 움직이므로 2분, 즉 120초 동안 $120\times0.5^\circ=60^\circ$ 움직인다. 이때 두 지점 A, B는 오른쪽 그림과 같이 A′, B′에 위치하고 두 점 A′, B′에서 $\overline{AB}$에 내린 수선의 발을 각각 C, D라고 하면

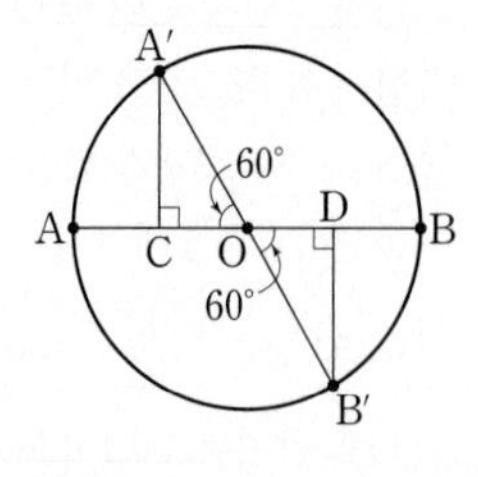

$\overline{A'C}=\overline{OA'}\sin 60^\circ=30\times\dfrac{\sqrt{3}}{2}=15\sqrt{3}\,(\text{cm})$

$\overline{B'D}=\overline{OB'}\sin 60^\circ=30\times\dfrac{\sqrt{3}}{2}=15\sqrt{3}\,(\text{cm})$

따라서 2분 후 자전거 바퀴의 A 지점은 B 지점보다 지면으로부터 $15\sqrt{3}+15\sqrt{3}=30\sqrt{3}\,(\text{cm})$ 더 높은 곳에 있게 된다.

전략

2분 후 자전거 바퀴의 두 지점 A, B의 위치를 그림에 나타내어 본다.

2 답 $\dfrac{\sqrt{10}}{4}$

오른쪽 그림과 같이 $\overline{BD}$를 긋고 점 D에서 $\overline{BG}$에 내린 수선의 발을 H라고 하자.

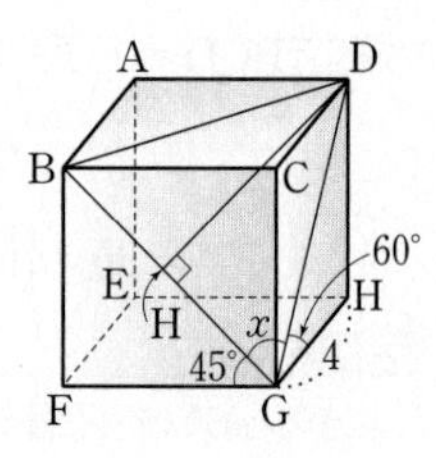

△DGH에서

$\overline{DG}=\dfrac{\overline{GH}}{\cos 60^\circ}=4\div\dfrac{1}{2}=8$

$\overline{DH}=\overline{GH}\tan 60^\circ=4\sqrt{3}$

한편 ∠BGF=45°이므로 □BFGC는 한 변의 길이가 $4\sqrt{3}$인 정사각형이다.

∴ $\overline{BG}=\sqrt{(4\sqrt{3})^2+(4\sqrt{3})^2}=4\sqrt{6}$

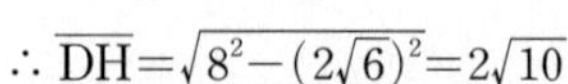

또 $\overline{BC}=4\sqrt{3}$, $\overline{CD}=4$이므로

$\overline{BD}=\sqrt{(4\sqrt{3})^2+4^2}=8$

따라서 오른쪽 그림과 같이 △DBG는 $\overline{DB}=\overline{DG}=8$인 이등변삼각형이므로

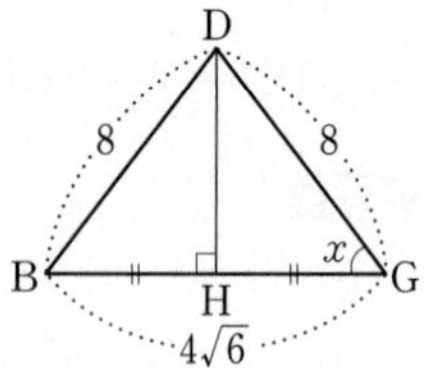

$\overline{HG}=\dfrac{1}{2}\overline{BG}=\dfrac{1}{2}\times4\sqrt{6}=2\sqrt{6}$

∴ $\overline{DH}=\sqrt{8^2-(2\sqrt{6})^2}=2\sqrt{10}$

∴ $\sin x=\dfrac{\overline{DH}}{\overline{DG}}=\dfrac{2\sqrt{10}}{8}=\dfrac{\sqrt{10}}{4}$

전략

$\overline{DG}$, $\overline{DB}$의 길이를 구한 후 △DBG가 이등변삼각형임을 이용한다.

3 답 $\dfrac{5}{36}$

삼각형의 두 변의 길이가 a, b이고 그 끼인각의 크기가 x일 때

(i) x가 예각인 경우

(삼각형의 넓이)$=\dfrac{1}{2}\times a\times b\times\sin x$

(ii) x가 둔각인 경우

(삼각형의 넓이)$=\dfrac{1}{2}\times a\times b\times\sin(180^\circ-x)$

이므로 삼각형의 넓이가 자연수이려면 $\sin x$ 또는 $\sin(180^\circ-x)$가 유리수이어야 한다. 즉

$\sin 30^\circ=\dfrac{1}{2}$, $\sin(180^\circ-150^\circ)=\sin 30^\circ=\dfrac{1}{2}$

이므로 B 주사위를 한 번 던질 때 30° 또는 150°가 나와야 하고, A 주사위를 두 번 던져서 나온 수의 곱은 4의 배수이어야 한다.

A 주사위를 두 번 던져서 나온 두 수의 곱이 4의 배수가 되는 경우를 순서쌍 (a, b)로 나타내면

$(1, 4)$, $(2, 2)$, $(2, 4)$, $(2, 6)$, $(3, 4)$, $(4, 1)$, $(4, 2)$, $(4, 3)$, $(4, 4)$, $(4, 5)$, $(4, 6)$, $(5, 4)$, $(6, 2)$, $(6, 4)$, $(6, 6)$의 15가지이다.

따라서 삼각형의 넓이가 자연수일 확률은

$\dfrac{15}{36}\times\dfrac{2}{6}=\dfrac{5}{36}$

전략

$\sin 30^\circ=\dfrac{1}{2}$, $\sin 45^\circ=\dfrac{\sqrt{2}}{2}$, $\sin 60^\circ=\dfrac{\sqrt{3}}{2}$임을 이용하여 B 주사위를 던질 때 $\sin x$ 또는 $\sin(180^\circ-x)$가 유리수가 되는 경우를 찾는다.

4 답 $\frac{5\sqrt{7}}{14}$

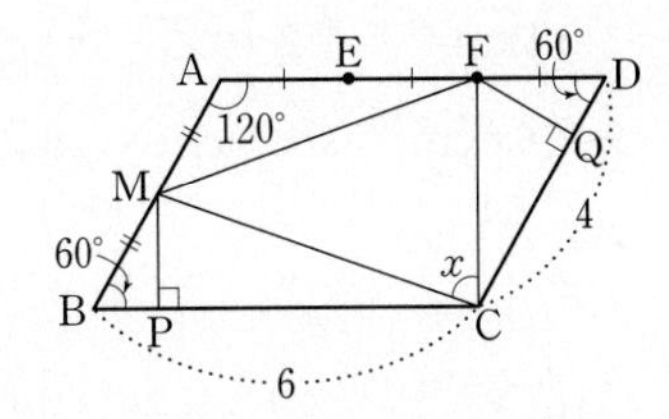

위 그림과 같이 두 점 M, F에서 각각 $\overline{BC}$와 $\overline{CD}$에 내린 수선의 발을 차례로 P, Q라고 하자.

$\overline{BM}=\frac{1}{2}\overline{AB}=2$, $\overline{DF}=\frac{1}{3}\overline{AD}=2$, $\overline{AF}=\frac{2}{3}\overline{AD}=4$이고,

$\angle MBP=\angle FDQ=180^\circ-120^\circ=60^\circ$이므로

$\overline{MP}=\overline{FQ}=2\sin 60^\circ=2\times\frac{\sqrt{3}}{2}=\sqrt{3}$

$\overline{BP}=\overline{DQ}=2\cos 60^\circ=2\times\frac{1}{2}=1$

$\overline{PC}=\overline{BC}-\overline{BP}=5$, $\overline{CQ}=\overline{CD}-\overline{DQ}=3$이므로

$\overline{MC}=\sqrt{(\sqrt{3})^2+5^2}=2\sqrt{7}$

$\overline{FC}=\sqrt{3^2+(\sqrt{3})^2}=2\sqrt{3}$

이때 $\triangle AMF=\frac{1}{2}\times 2\times 4\times\sin(180^\circ-120^\circ)=2\sqrt{3}$,

$\triangle MBC=\frac{1}{2}\times 6\times 2\times\sin 60^\circ=3\sqrt{3}$,

$\triangle FCD=\frac{1}{2}\times 4\times 2\times\sin 60^\circ=2\sqrt{3}$,

$\triangle MCF=\frac{1}{2}\times 2\sqrt{7}\times 2\sqrt{3}\times\sin x=2\sqrt{21}\sin x$이므로

$\square ABCD=\triangle AMF+\triangle MBC+\triangle FCD+\triangle MCF$에서

$4\times 6\times\sin 60^\circ=2\sqrt{3}+3\sqrt{3}+2\sqrt{3}+2\sqrt{21}\sin x$

$12\sqrt{3}=7\sqrt{3}+2\sqrt{21}\sin x$

$2\sqrt{21}\sin x=5\sqrt{3}\qquad\therefore \sin x=\frac{5\sqrt{7}}{14}$

전략

평행사변형의 넓이가 나누어진 네 삼각형의 넓이와 같음을 이용한다.
이때 $\triangle MBC$와 $\triangle FCD$의 수선을 이용해 $\overline{MP}$, $\overline{FQ}$의 길이를 구한다.

5 답 $(\sqrt{5}-1)\sin 36^\circ$

정오각형의 한 내각의 크기는

$\frac{180^\circ\times(5-2)}{5}=108^\circ$

즉 $\angle ABC=108^\circ$이고 $\triangle ABC$는 $\overline{AB}=\overline{BC}$인 이등변삼각형이므로

$\angle BAC=\angle BCA=\frac{1}{2}\times(180^\circ-108^\circ)=36^\circ$

마찬가지로 $\triangle ABE$에서

$\angle ABG=\angle AEG=36^\circ$

이때 $\angle CBG=108^\circ-36^\circ=72^\circ$이고, $\angle BGC=36^\circ+36^\circ=72^\circ$이므로 $\triangle BCG$는 $\overline{CB}=\overline{CG}$인 이등변삼각형이다.

$\therefore \overline{CG}=\overline{CB}=2$

$\overline{AG}=\overline{BG}=x$라고 하면 $\overline{AC}=x+2$

$\triangle AGB\backsim\triangle ABC$ (AA 닮음)이므로

$\overline{AB}:\overline{AC}=\overline{AG}:\overline{AB}$

$2:(x+2)=x:2$에서 $x(x+2)=4$

$x^2+2x-4=0\qquad\therefore x=-1+\sqrt{5}\ (\because x>0)$

$\therefore$ (색칠한 부분의 넓이)$=\frac{1}{2}\times 2\times x\times\sin 36^\circ$

$=(\sqrt{5}-1)\sin 36^\circ$

전략

$\triangle ABC$, $\triangle ABG$, $\triangle BCG$가 이등변삼각형임을 알고 $\triangle AGB$와 $\triangle ABC$가 닮음임을 이용한다.

6 답 $\frac{6\sqrt{2}}{19}$

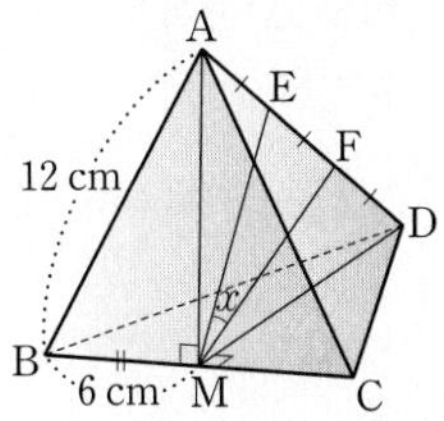

오른쪽 그림과 같이 $\overline{AM}$, $\overline{DM}$을 그으면 $\overline{AM}\perp\overline{BC}$, $\overline{DM}\perp\overline{BC}$이므로

$\triangle ABM$에서

$\overline{AM}=\sqrt{12^2-6^2}=6\sqrt{3}$ (cm)

마찬가지로

$\overline{DM}=6\sqrt{3}$ cm

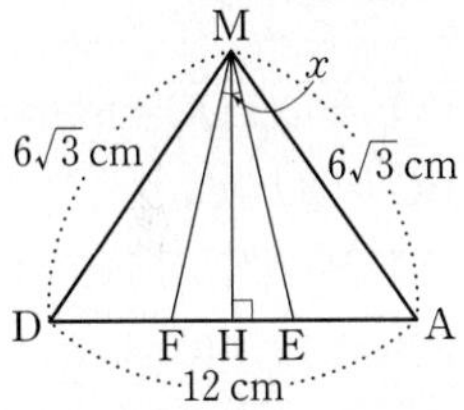

오른쪽 그림과 같이 점 M에서 $\overline{DA}$에 내린 수선의 발을 H라고 하면

$\overline{DH}=\frac{1}{2}\overline{DA}=\frac{1}{2}\times 12=6$ (cm)

$\therefore \overline{MH}=\sqrt{(6\sqrt{3})^2-6^2}=6\sqrt{2}$ (cm)

한편 $\triangle MFH$에서

$\overline{FH}=\overline{DH}-\overline{DF}=6-4=2$ (cm)

이므로

$\overline{MF}=\sqrt{2^2+(6\sqrt{2})^2}=\sqrt{76}$ (cm)

마찬가지로

$\overline{ME}=\sqrt{76}$ cm

따라서 $\triangle MFE$의 넓이를 이용하면

$\frac{1}{2}\times\overline{FE}\times\overline{MH}=\frac{1}{2}\times\overline{MF}\times\overline{ME}\times\sin x$

$\frac{1}{2}\times 4\times 6\sqrt{2}=\frac{1}{2}\times\sqrt{76}\times\sqrt{76}\times\sin x$

$12\sqrt{2}=38\sin x\qquad\therefore \sin x=\frac{6\sqrt{2}}{19}$

전략

$\overline{AM}$, $\overline{DM}$의 길이를 구한 후 $\triangle MDA$의 높이를 구한다.

Ⅱ 원의 성질

01 원과 직선

[확인 ❶] 답 $8\sqrt{3}$

$\overline{OM}=\frac{1}{2}\overline{OC}=\frac{1}{2}\times8=4$이므로

△OAM에서

$\overline{AM}=\sqrt{8^2-4^2}=4\sqrt{3}$

$\therefore \overline{AB}=2\overline{AM}=2\times4\sqrt{3}=8\sqrt{3}$

[확인 ❷] 답 53°

$\overline{OM}=\overline{ON}$이므로 $\overline{AC}=\overline{BC}$

즉 △ABC는 $\overline{AC}=\overline{BC}$인 이등변삼각형이다.

□ONCM에서

$\angle MCN=360^\circ-(90^\circ+106^\circ+90^\circ)=74^\circ$

$\therefore \angle x=\frac{1}{2}\times(180^\circ-74^\circ)=53^\circ$

[확인 ❸] 답 $6\sqrt{3}$

$\overline{PO}=\overline{PQ}+\overline{QO}=6+6=12$

$\overline{BO}=\overline{QO}=6$

△PBO에서 ∠PBO=90°이므로

$\overline{PB}=\sqrt{12^2-6^2}=6\sqrt{3}$

$\therefore \overline{PA}=\overline{PB}=6\sqrt{3}$

[확인 ❹] 답 5 cm

$\overline{AD}=x$ cm라고 하면 $\overline{AF}=\overline{AD}=x$ cm

$\overline{BD}=\overline{BE}=6$ cm, $\overline{CE}=\overline{CF}=8$ cm

이때 △ABC의 둘레의 길이가 38 cm이므로

$2x+12+16=38$, $2x=10$ $\quad\therefore x=5$

따라서 $\overline{AD}$의 길이는 5 cm이다.

[확인 ❺] 답 30 cm^2

$\overline{AD}+\overline{BC}=\overline{AB}+\overline{CD}=5+7=12$ (cm)

$\therefore \square ABCD=\frac{1}{2}\times(\overline{AD}+\overline{BC})\times\overline{AB}$

$=\frac{1}{2}\times12\times5=30\ (\text{cm}^2)$

STEP 1 | 억울하게 울리는 문제 p. 34~35

1-1 $\left(15\sqrt{3}+\frac{10}{3}\pi\right)$ cm **1-2** $(9\sqrt{3}-3\pi)\text{ cm}^2$
2-1 $3\sqrt{5}$ cm **2-2** $6\pi\text{ cm}^2$ **3-1** 9 cm **3-2** 96
4-1 $\frac{34}{5}$ **4-2** $\frac{50}{3}\text{ cm}^2$

1-1 답 $\left(15\sqrt{3}+\frac{10}{3}\pi\right)$ cm

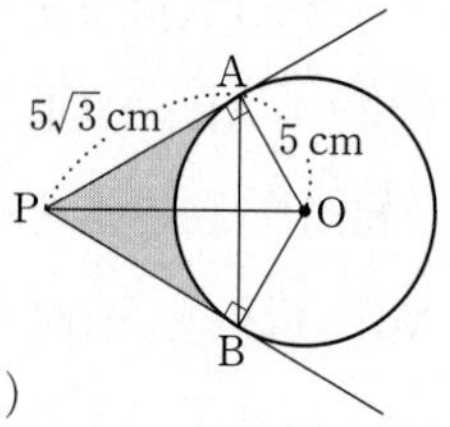

오른쪽 그림과 같이 $\overline{PO}$를 그으면

△APO에서 ∠PAO=90°이므로

$\overline{PO}=\sqrt{5^2+(5\sqrt{3})^2}=10$ (cm)이고

$\cos(\angle POA)=\frac{5}{10}=\frac{1}{2}$

$\therefore \angle POA=60^\circ$ ($\because 0^\circ<\angle POA<90^\circ$)

이때 △APO≡△BPO (RHS 합동)이므로

$\angle AOB=2\angle POA=2\times60^\circ=120^\circ$

즉 △PAB는 정삼각형이므로

$\overline{AB}=\overline{PA}=5\sqrt{3}$ cm

(색칠한 부분의 둘레의 길이)

$=\overline{PA}+\widehat{AB}+\overline{PB}$

$=5\sqrt{3}+2\pi\times5\times\frac{120}{360}+5\sqrt{3}$

$=10\sqrt{3}+\frac{10}{3}\pi$ (cm)

따라서 $\overline{AB}$의 길이와 색칠한 부분의 둘레의 길이의 합은

$5\sqrt{3}+\left(10\sqrt{3}+\frac{10}{3}\pi\right)=15\sqrt{3}+\frac{10}{3}\pi$ (cm)

1-2 답 $(9\sqrt{3}-3\pi)\text{ cm}^2$

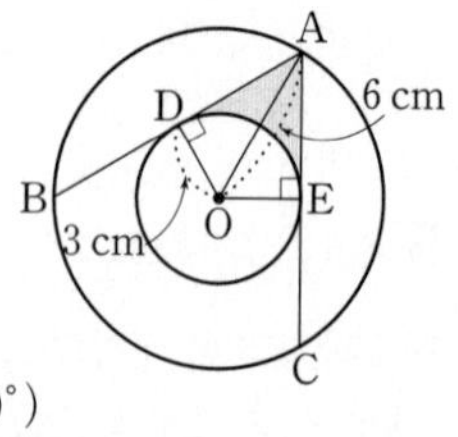

오른쪽 그림과 같이 $\overline{AO}$를 그으면

△ADO에서 ∠ADO=90°이므로

$\overline{AD}=\sqrt{6^2-3^2}=3\sqrt{3}$ (cm)이고

$\cos(\angle AOD)=\frac{3}{6}=\frac{1}{2}$

$\therefore \angle AOD=60^\circ$ ($\because 0^\circ<\angle AOD<90^\circ$)

이때 △ADO≡△AEO (RHS 합동)이므로

$\angle DOE=120^\circ$

∴ (색칠한 부분의 넓이)

$=\square ADOE-$(부채꼴 ODE의 넓이)

$=2\triangle ADO-\pi\times3^2\times\frac{120}{360}$

$=2\times\left(\frac{1}{2}\times3\sqrt{3}\times3\right)-3\pi$

$=9\sqrt{3}-3\pi\ (\text{cm}^2)$

2-1 답 $3\sqrt{5}$ cm

$\overline{CP}=\overline{CA}=5$ cm, $\overline{DP}=\overline{DB}=9$ cm이므로

$\overline{CD}=\overline{CP}+\overline{DP}=5+9=14$ (cm)

오른쪽 그림과 같이 점 C에서 $\overleftrightarrow{BD}$에 내린 수선의 발을 H라고 하면

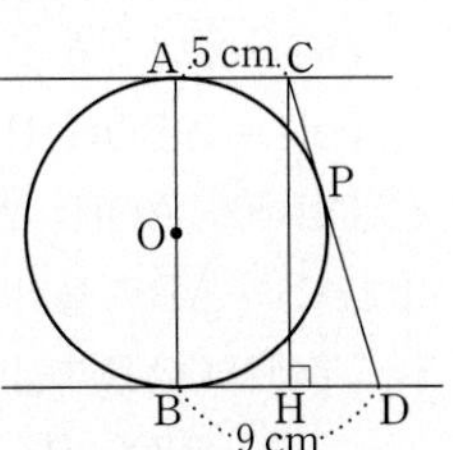
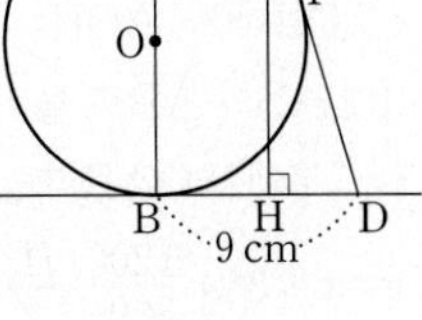

$\overline{BH}=\overline{AC}=5$ cm이므로

$\overline{HD}=\overline{BD}-\overline{BH}$

$=9-5=4$ (cm)

△CHD에서

$\overline{CH}=\sqrt{14^2-4^2}=6\sqrt{5}$ (cm)이므로

$\overline{AB}=\overline{CH}=6\sqrt{5}$ cm

∴ (원 O의 반지름의 길이)$=\frac{1}{2}\overline{AB}=\frac{1}{2}\times6\sqrt{5}=3\sqrt{5}$ (cm)

2-2 답 6π cm^2

$\overline{AE}=\overline{AB}=6$ cm이므로

$\overline{DC}=\overline{DE}=\overline{AD}-\overline{AE}=8-6=2$ (cm)

오른쪽 그림과 같이 점 D에서 $\overline{AB}$에 내린 수선의 발을 H라고 하면

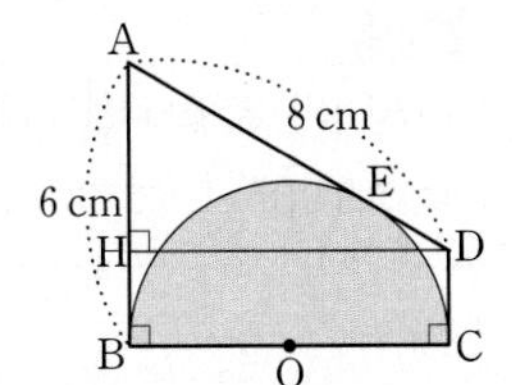

$\overline{HB}=\overline{DC}=2$ cm이므로

$\overline{AH}=\overline{AB}-\overline{HB}=6-2=4$ (cm)

△AHD에서

$\overline{HD}=\sqrt{8^2-4^2}=4\sqrt{3}$ (cm)이므로

$\overline{BC}=\overline{HD}=4\sqrt{3}$ cm

따라서 반원 O의 반지름의 길이는

$\frac{1}{2}\overline{BC}=\frac{1}{2}\times4\sqrt{3}=2\sqrt{3}$ (cm)이므로

(반원 O의 넓이)$=\frac{1}{2}\times\pi\times(2\sqrt{3})^2=6\pi$ (cm^2)

3-1 답 9 cm

오른쪽 그림과 같이 $\overline{OD}$, $\overline{OF}$를 그으면 □ADOF는 정사각형이므로

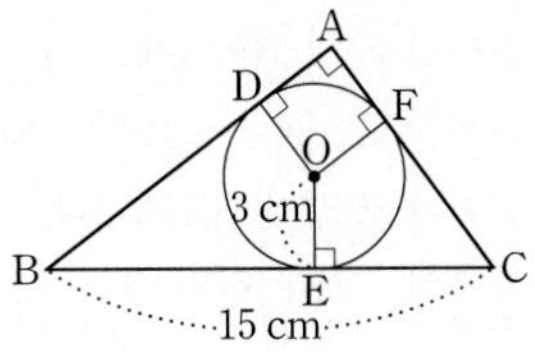

$\overline{AD}=\overline{AF}=\overline{OE}=3$ cm

$\overline{CF}=x$ cm라고 하면

$\overline{CE}=\overline{CF}=x$ cm

$\overline{BD}=\overline{BE}=(15-x)$ cm

△ABC에서

$(18-x)^2+(3+x)^2=15^2$

$x^2-15x+54=0$, $(x-6)(x-9)=0$

$\therefore x=6$ ($\because \overline{AB}>\overline{AC}$)

$\therefore \overline{AC}=\overline{AF}+\overline{CF}=3+6=9$ (cm)

3-2 답 96

오른쪽 그림과 같이 △ABC와 원 O′의 세 접점을 각각 D, E, F라고 하고 $\overline{O'E}$, $\overline{O'F}$를 그으면 □O′ECF는 정사각형이므로

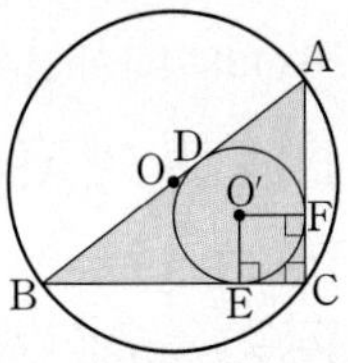

$\overline{CE}=\overline{CF}=4$

$\overline{BE}=x$라고 하면 $\overline{BD}=\overline{BE}=x$

$\overline{AF}=\overline{AD}=20-x$

△ABC에서

$20^2=(x+4)^2+(24-x)^2$

$x^2-20x+96=0$, $(x-8)(x-12)=0$

$\therefore x=12$ ($\because \overline{BC}>\overline{AC}$)

따라서 $\overline{BC}=12+4=16$, $\overline{AC}=24-12=12$이므로

$\triangle ABC=\frac{1}{2}\times16\times12=96$

다른 풀이

$\overline{AC}=a$, $\overline{BC}=b$라고 하면

$\overline{AD}=\overline{AF}=a-4$, $\overline{BD}=\overline{BE}=b-4$

이때 $\overline{AB}=\overline{AD}+\overline{BD}$이므로

$20=(a-4)+(b-4)$ $\quad\therefore a+b=28$

$\therefore \triangle ABC=\frac{1}{2}\times4\times(\overline{AB}+\overline{BC}+\overline{AC})$

$=\frac{1}{2}\times4\times(20+28)=96$

4-1 답 $\frac{34}{5}$

원 O의 지름의 길이는 $\overline{AB}$의 길이와 같으므로

$\overline{AS}=\overline{BQ}=\frac{1}{2}\overline{AB}=\frac{1}{2}\times6=3$

$\overline{DR}=\overline{DS}=8-3=5$

$\overline{EQ}=x$라고 하면 $\overline{ER}=\overline{EQ}=x$

$\overline{CE}=8-(3+x)=5-x$

△DEC에서

$(5+x)^2=(5-x)^2+6^2$

$20x=36$ $\quad\therefore x=\frac{9}{5}$

$\therefore \overline{DE}=\overline{DR}+\overline{ER}=5+\frac{9}{5}=\frac{34}{5}$

다른 풀이

$\overline{DE}=x$라고 하면

□ABED가 원 O에 외접하므로

$\overline{AB}+\overline{DE}=\overline{AD}+\overline{BE}$에서

$6+x=8+\overline{BE}$ $\quad\therefore \overline{BE}=x-2$

$\overline{CE}=8-(x-2)=10-x$

△DEC에서

$x^2=(10-x)^2+6^2$

$20x=136$ $\quad\therefore x=\frac{34}{5}$

따라서 $\overline{DE}$의 길이는 $\frac{34}{5}$이다.

4-2 답 $\frac{50}{3}$ cm²

원 O의 지름의 길이는 $\overline{AB}$의 길이와 같으므로

$\overline{CQ}=\overline{DS}=\frac{1}{2}\overline{AB}=\frac{1}{2}\times4=2$ (cm)

$\overline{BP}=\overline{BQ}=5-2=3$ (cm)

$\overline{ES}=x$ cm라고 하면 $\overline{EP}=\overline{ES}=x$ cm

$\overline{AE}=5-(x+2)=3-x$ (cm)

△ABE에서 $4^2+(3-x)^2=(3+x)^2$, $12x=16$ $\quad\therefore x=\frac{4}{3}$

따라서 $\overline{ED}=\overline{ES}+\overline{DS}=\frac{4}{3}+2=\frac{10}{3}$ (cm)이므로

□EBCD$=\frac{1}{2}\times\left(\frac{10}{3}+5\right)\times4=\frac{50}{3}$ (cm²)

STEP 2 | 반드시 등수 올리는 문제 p. 36~40

01 $(4-\sqrt{7})$ m		**02** $\left(3\pi+\frac{9\sqrt{3}}{2}\right)$ cm²	
03 16개	**04** 24	**05** 9π	**06** 56
07 $(18\sqrt{3}+12\pi)$ cm		**08** 30°	**09** $\frac{32}{5}$ cm
10 4 cm	**11** $6\sqrt{2}-6$	**12** $\frac{16}{5}$ cm	**13** 3
14 28	**15** 20π	**16** 36π	**17** $\frac{5\sqrt{2}-3}{2}$
18 $110-25\pi$	**19** 3π cm	**20** $(24-12\sqrt{3})$ cm	

01 답 $(4-\sqrt{7})$ m

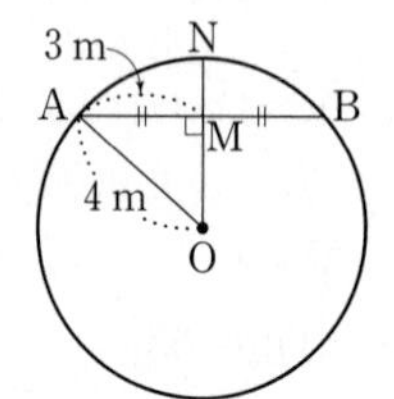

오른쪽 그림과 같이 $\widehat{AB}$를 포함하는 원의 중심을 O라고 하면 $\overline{MN}\perp\overline{AB}$, $\overline{AM}=\overline{BM}$이므로 $\overline{MN}$의 연장선은 원의 중심 O를 지난다.

△AOM에서

$\overline{AM}=\frac{1}{2}\overline{AB}=\frac{1}{2}\times6=3$ (m)이므로

$\overline{OM}=\sqrt{4^2-3^2}=\sqrt{7}$ (m)

$\therefore \overline{MN}=\overline{ON}-\overline{OM}=4-\sqrt{7}$ (m)

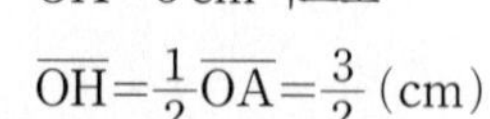

전략
원에서 현의 수직이등분선은 그 원의 중심을 지남을 이용한다.

02 답 $\left(3\pi+\frac{9\sqrt{3}}{2}\right)$ cm²

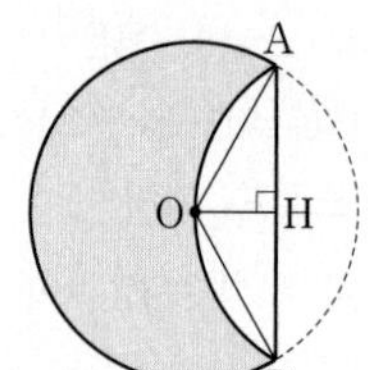

오른쪽 그림과 같이 원의 중심 O에서 $\overline{AB}$에 내린 수선의 발을 H라고 하면

$\overline{OA}=3$ cm이므로

$\overline{OH}=\frac{1}{2}\overline{OA}=\frac{3}{2}$ (cm)

△AOH에서

$\overline{AH}=\sqrt{3^2-\left(\frac{3}{2}\right)^2}=\frac{3\sqrt{3}}{2}$ (cm)

$\therefore \overline{AB}=2\overline{AH}=2\times\frac{3\sqrt{3}}{2}=3\sqrt{3}$ (cm)

또 $\cos(\angle AOH)=\frac{\overline{OH}}{\overline{OA}}=\frac{3}{2}\div3=\frac{1}{2}$이므로

$\angle AOH=60°$ ($\because 0°<\angle AOH<90°$)

△AOH≡△BOH (RHS 합동)이므로

$\angle AOB=2\angle AOH=2\times60°=120°$

이때 $\widehat{AB}$와 $\overline{AB}$로 둘러싸인 도형의 넓이를 S라고 하면

S=(부채꼴 OAB의 넓이)−△AOB

$=\pi\times3^2\times\frac{120}{360}-\frac{1}{2}\times3\sqrt{3}\times\frac{3}{2}$

$=3\pi-\frac{9\sqrt{3}}{4}$ (cm²)

∴ (색칠한 부분의 넓이)=(원 O의 넓이)$-2S$

$=\pi\times3^2-2\times\left(3\pi-\frac{9\sqrt{3}}{4}\right)$

$=3\pi+\frac{9\sqrt{3}}{2}$ (cm²)

전략
색칠한 부분의 넓이는 원 O의 넓이에서 $\widehat{AB}$와 $\overline{AB}$로 둘러싸인 도형의 넓이의 2배를 뺀 것과 같다.

참고
△AOB의 넓이는 다음과 같이 구할 수도 있다.
➡ △AOB$=\frac{1}{2}\times3\times3\times\sin(180°-120°)=\frac{9\sqrt{3}}{4}$ (cm²)

03 답 16개

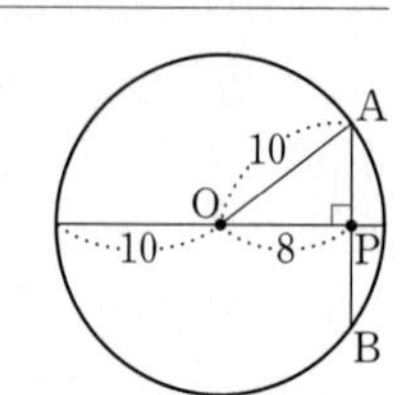

점 P를 지나는 원 O의 현 중에서 길이가 가장 짧은 현은 중점이 P인 현이다. 오른쪽 그림과 같이 중점이 P인 현의 양 끝점을 각각 A, B라고 하면

△AOP에서 $\overline{AP}=\sqrt{10^2-8^2}=6$

$\therefore \overline{AB}=2\overline{AP}=2\times6=12$

또 점 P를 지나는 원 O의 현 중에서 길이가 가장 긴 현은 원의 지름이고 그 길이는 20이다. 즉 점 P를 지나는 현의 길이는 12 이상 20 이하이므로 점 P를 지나고 그 길이가 자연수인 현의 개수는

길이가 12인 현이 1개,

길이가 13, 14, ⋯, 19인 현이 각각 2개씩,

길이가 20인 현이 1개이다.

따라서 구하는 현의 개수는 $1+7\times2+1=16$(개)

전략
점 P를 지나는 원 O의 현 중에서 길이가 가장 짧은 현은 중점이 P인 현이고, 길이가 가장 긴 현은 지름이다.
또 오른쪽 그림과 같이 점 P를 지나는 현은 점 P를 중점으로 하는 현과 지름을 제외하면 길이가 같은 현이 모두 2개씩 존재한다.

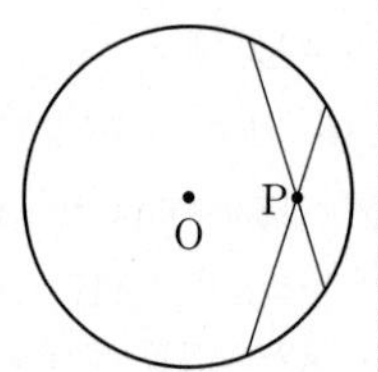

04 답 24

오른쪽 그림과 같이 원의 중심 O에서 $\overline{AB}$, $\overline{CD}$에 내린 수선의 발을 각각 E, F라고 하고 $\overline{OE}=x$라고 하면 $\overline{OF}=2-x$

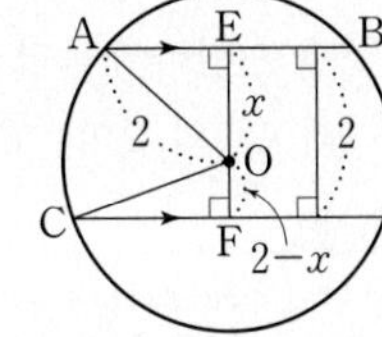

△OAE에서

$\overline{AE}=\sqrt{2^2-x^2}=\sqrt{4-x^2}$

$\therefore\ \overline{AB}=2\overline{AE}=2\sqrt{4-x^2}$

△OCF에서

$\overline{CF}=\sqrt{2^2-(2-x)^2}=\sqrt{4x-x^2}$

$\therefore\ \overline{CD}=2\overline{CF}=2\sqrt{4x-x^2}$

$$\begin{aligned}\therefore\ \overline{AB}^2+\overline{CD}^2&=(2\sqrt{4-x^2})^2+(2\sqrt{4x-x^2})^2\\&=4(4-x^2)+4(4x-x^2)\\&=-8x^2+16x+16\\&=-8(x-1)^2+24\end{aligned}$$

이때 $(x-1)^2\geq 0$이므로 $-8(x-1)^2\leq 0$

따라서 $\overline{AB}^2+\overline{CD}^2$의 최댓값은 24이다.

전략

원의 중심 O와 $\overline{AB}$ 사이의 거리를 x라고 하고 $\overline{AB}^2+\overline{CD}^2$을 x에 대한 식으로 나타낸다. 또 $(ax+b)^2\geq 0$임을 이용하여 $\overline{AB}^2+\overline{CD}^2$의 최댓값을 구한다.

05 답 9π

현의 길이가 6으로 모두 같으므로 현의 중점에서 원의 중심까지의 거리도 모두 같다. 즉 무한히 많은 현의 중점을 연결하면 그림의 안쪽 원의 테두리가 되므로 내부에 생긴 도형은 원이 된다.

오른쪽 그림과 같이 내부에 생긴 작은 원의 반지름의 길이를 r, 처음 큰 원의 반지름의 길이를 R라고 하면 원의 중심에서 현에 수선을 내려 만든 직각삼각형에서

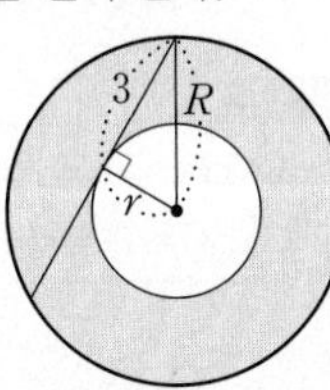

$R^2=r^2+3^2\qquad \therefore\ R^2-r^2=9$

따라서 현이 지나간 부분의 넓이는 큰 원의 넓이에서 작은 원의 넓이를 뺀 것과 같으므로

$\pi R^2-\pi r^2=\pi(R^2-r^2)=9\pi$

전략

현의 중점에서 원의 중심까지의 거리가 모두 같으므로 무한히 많은 현의 중점을 연결하여 생긴 도형은 원이 된다.

06 답 56

오른쪽 그림과 같이 $\overline{OD}$, $\overline{OE}$를 그으면

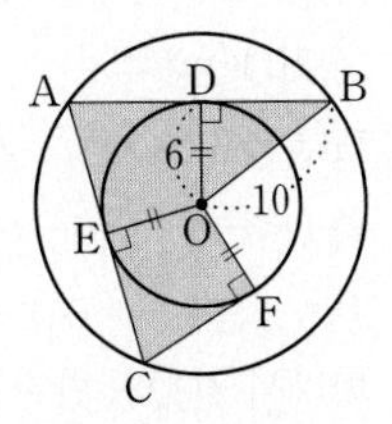

△OBD에서 ∠ODB=90°이고

$\overline{OD}=6$, $\overline{OB}=10$이므로

$\overline{BD}=\sqrt{10^2-6^2}=8$

$\therefore\ \overline{AB}=2\overline{BD}=2\times 8=16$

$\overline{OE}=\overline{OD}=6$이므로

$\overline{AC}=\overline{AB}=16$

또 $\overline{OE}\perp\overline{AC}$이므로

$\overline{CF}=\overline{CE}=\frac{1}{2}\overline{AC}=\frac{1}{2}\times 16=8$

따라서 색칠한 부분의 둘레의 길이는

$\overline{OB}+\overline{AB}+\overline{AC}+\overline{CF}+\overline{OF}=10+16+16+8+6=56$

전략

큰 원의 반지름을 빗변으로 하는 직각삼각형에서 피타고라스 정리를 이용한다. 또 원의 중심에서 현에 그은 수선은 그 현을 이등분함을 이용한다.

07 답 $(18\sqrt{3}+12\pi)$ cm

원기둥을 실로 감은 부분의 단면은 오른쪽 그림과 같다. 이때 원의 중심을 O, 두 접점을 각각 A, B라 하고 $\overrightarrow{PO}$와 원의 교점을 각각 Q, R라고 하면

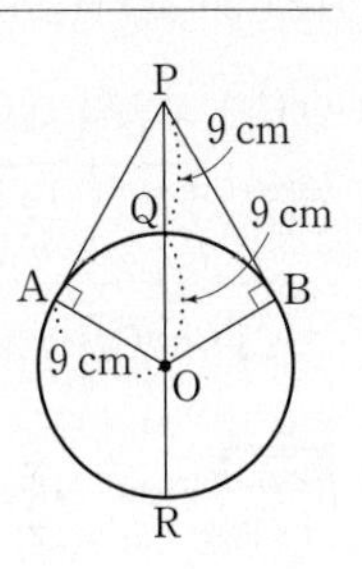

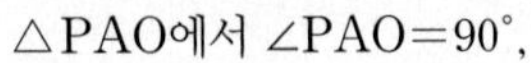

△PAO에서 ∠PAO=90°,

$\overline{PO}=9+9=18$ (cm)이므로

$\overline{PA}=\sqrt{18^2-9^2}=9\sqrt{3}$ (cm)

$\therefore\ \overline{PB}=\overline{PA}=9\sqrt{3}$ cm

또 $\cos(\angle POA)=\frac{9}{18}=\frac{1}{2}$이므로

$\angle POA=60^\circ\ (\because\ 0^\circ<\angle POA<90^\circ)$

△PAO≡△PBO (RHS 합동)이므로

$\angle AOB=2\angle POA=2\times 60^\circ=120^\circ$

따라서 실의 길이는

$$\begin{aligned}\overline{PA}+\widehat{ARB}+\overline{PB}&=9\sqrt{3}+\left(2\pi\times 9\times\frac{240}{360}\right)+9\sqrt{3}\\&=18\sqrt{3}+12\pi\ (\text{cm})\end{aligned}$$

전략

원기둥을 실로 감은 부분의 단면을 그렸을 때, 점 P와 원기둥의 최단 거리는 $\overline{PQ}$임을 안다. 이때 실의 길이는 $\overline{PA}+\widehat{ARB}+\overline{PB}$이다.

08 답 30°

오른쪽 그림과 같이 $\overline{OA}$, $\overline{OB}$를 그으면

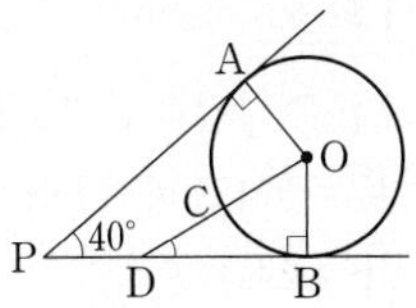

∠PAO=∠PBO=90°이므로

∠AOB=180°−40°=140°

$\angle AOC : \angle BOC=\widehat{AC} : \widehat{BC}=4 : 3$

이므로

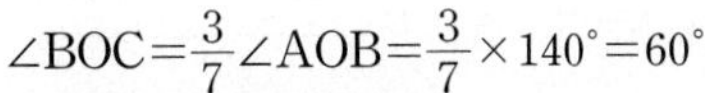

$\angle BOC=\frac{3}{7}\angle AOB=\frac{3}{7}\times 140^\circ=60^\circ$

따라서 △ODB에서

$\angle ODB=180^\circ-(60^\circ+90^\circ)=30^\circ$

전략

중심각의 크기와 호의 길이는 정비례함을 이용하여 ∠BOC의 크기를 구한다.

09 답 $\frac{32}{5}$ cm

다음 그림과 같이 $\overline{O''B}$를 긋고, 점 O′에서 $\overline{CD}$에 내린 수선의 발을 H라고 하면

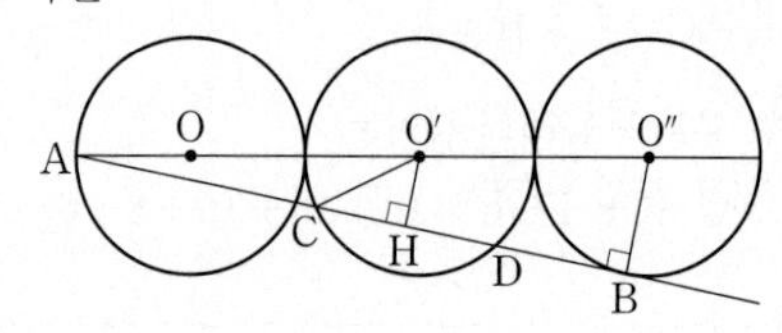

$\triangle AO'H$와 $\triangle AO''B$에서

$\angle A$는 공통, $\angle AHO'=\angle ABO''=90°$이므로

$\triangle AO'H \backsim \triangle AO''B$ (AA 닮음)

이때 $\overline{AO'}:\overline{AO''}=\overline{O'H}:\overline{O''B}$이므로

$12:20=\overline{O'H}:4 \qquad \therefore \overline{O'H}=\frac{12}{5}$ (cm)

$\overline{O'C}$를 그으면 $\triangle O'CH$에서

$\overline{CH}=\sqrt{4^2-\left(\frac{12}{5}\right)^2}=\frac{16}{5}$ (cm)

$\therefore \overline{CD}=2\overline{CH}=2\times\frac{16}{5}=\frac{32}{5}$ (cm)

전략
$\overline{O''B}$를 긋고 점 O′에서 $\overline{CD}$에 수선을 그어 닮음인 삼각형을 찾는다.

10 답 4 cm

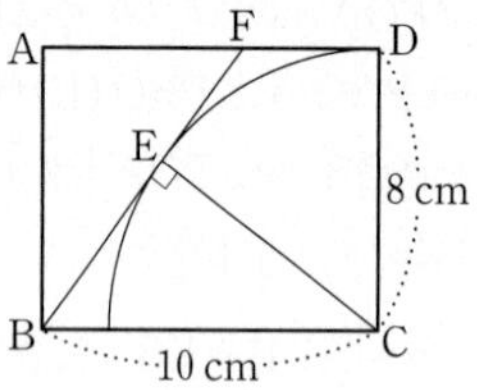

오른쪽 그림과 같이 $\overline{CE}$를 그으면

$\triangle BCE$에서 $\angle BEC=90°$이므로

$\overline{BE}=\sqrt{10^2-8^2}=6$ (cm)

이때 $\overline{FD}=x$ cm라고 하면

$\overline{EF}=\overline{FD}=x$ cm이므로

$\triangle ABF$에서

$8^2+(10-x)^2=(x+6)^2$, $32x=128 \qquad \therefore x=4$

따라서 $\overline{FD}$의 길이는 4 cm이다.

전략
$\overline{FD}=x$ cm라고 하고 $\triangle ABF$의 변의 길이를 x에 대한 식으로 나타낸 후 피타고라스 정리를 이용한다.

11 답 $6\sqrt{2}-6$

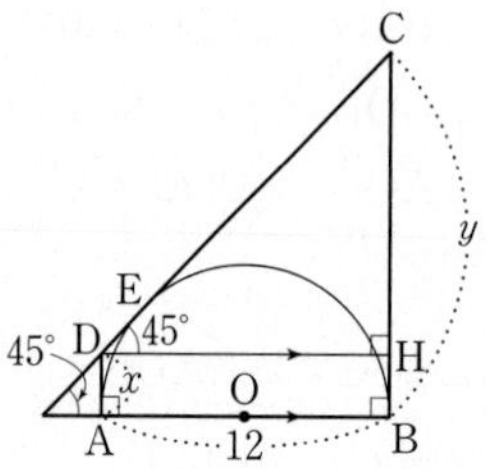

오른쪽 그림과 같이 $\overline{AD}=x$,

$\overline{BC}=y$라고 하면 $\overline{DE}=\overline{AD}=x$,

$\overline{CE}=\overline{BC}=y$이므로

$\overline{CD}=\overline{CE}+\overline{DE}=y+x$

한편 점 D에서 $\overline{BC}$에 내린 수선의 발을 H라고 하면

$\overline{BH}=\overline{AD}=x$이므로

$\overline{CH}=\overline{BC}-\overline{BH}=y-x$

또 $\overline{DH}/\!/\overline{AB}$이므로 $\angle CDH=45°$

$\triangle CDH$에서 $\overline{CD}=\frac{\overline{DH}}{\cos 45°}=12\div\frac{\sqrt{2}}{2}=12\sqrt{2}$

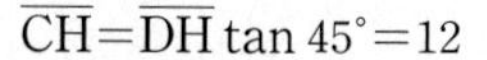

$\overline{CH}=\overline{DH}\tan 45°=12$

즉 $y+x=12\sqrt{2}$, $y-x=12$이므로

두 식을 연립하여 풀면 $x=6\sqrt{2}-6$, $y=6\sqrt{2}+6$

따라서 $\overline{AD}$의 길이는 $6\sqrt{2}-6$이다.

전략
점 D에서 $\overline{BC}$에 내린 수선의 발을 H라고 하면 $\overline{DH}/\!/\overline{AB}$이므로 $\angle CDH=45°$이다.

12 답 $\frac{16}{5}$ cm

$\overline{AP}=\overline{AB}=2$ cm, $\overline{DP}=\overline{DC}=8$ cm이고

$\overline{AB}\perp\overline{BC}$, $\overline{PH}\perp\overline{BC}$, $\overline{DC}\perp\overline{BC}$이므로

$\overline{AB}/\!/\overline{PH}/\!/\overline{DC}$이다.

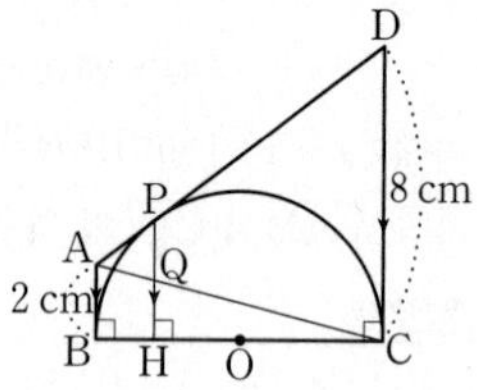

오른쪽 그림에서 $\overline{AC}$를 긋고, $\overline{AC}$와 $\overline{PH}$의 교점을 Q라고 하면

$\triangle APQ \backsim \triangle ADC$ (AA 닮음)이므로

$\overline{AP}:\overline{AD}=\overline{PQ}:\overline{DC}$에서

$2:10=\overline{PQ}:8 \qquad \therefore \overline{PQ}=\frac{8}{5}$ (cm)

또 $\triangle ABC \backsim \triangle QHC$ (AA 닮음)이므로

$\overline{AB}:\overline{QH}=\overline{AC}:\overline{QC}$이고

$\triangle ACD$에서 $\overline{PQ}/\!/\overline{DC}$이므로

$\overline{AC}:\overline{CQ}=\overline{AD}:\overline{DP}=10:8=5:4$

즉 $\overline{AB}:\overline{QH}=5:4$이므로

$2:\overline{QH}=5:4 \qquad \therefore \overline{QH}=\frac{8}{5}$ (cm)

$\therefore \overline{PH}=\overline{PQ}+\overline{QH}=\frac{8}{5}+\frac{8}{5}=\frac{16}{5}$ (cm)

전략
$\overline{AC}$와 $\overline{PH}$의 교점을 Q라고 하면 $\triangle APQ \backsim \triangle ADC$ (AA 닮음), $\triangle ABC \backsim \triangle QHC$ (AA 닮음)이므로 닮음비를 이용한다.

13 답 3

반원 O의 반지름의 길이가 12이므로 원 P의 반지름의 길이는 6이다.

오른쪽 그림과 같이 점 Q에서 $\overline{PO}$에 내린 수선의 발을 H, 원 Q의 반지름의 길이를 r라고 하면

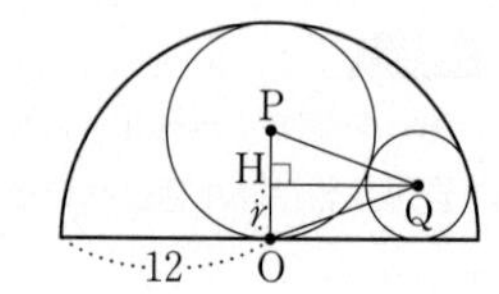

$\overline{HO}=r$, $\overline{PH}=6-r$,

$\overline{OQ}=12-r$, $\overline{PQ}=6+r$

$\triangle PHQ$에서

$\overline{HQ}^2=(6+r)^2-(6-r)^2$

$\triangle HOQ$에서

$\overline{HQ}^2=(12-r)^2-r^2$

즉 $(6+r)^2-(6-r)^2=(12-r)^2-r^2$

$48r=144 \qquad \therefore r=3$

따라서 원 Q의 반지름의 길이는 3이다.

전략
점 Q에서 $\overline{PO}$에 내린 수선의 발을 H라고 하고, △PHQ와 △HOQ에서 피타고라스 정리를 이용한다.

14 답 28

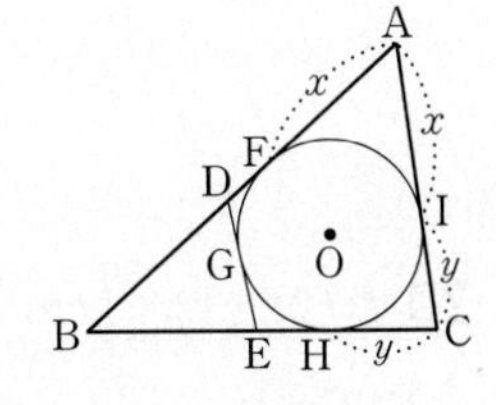

오른쪽 그림과 같이 원 O와 □ADEC의 접점을 각각 F, G, H, I라고 하면

△BED의 둘레의 길이가 12이므로

$\overline{BF}+\overline{BH}=12$

이때 $\overline{AF}=\overline{AI}=x$, $\overline{CH}=\overline{CI}=y$라고 하면

$\overline{AB}+\overline{BC}=(x+\overline{BF})+(\overline{BH}+y)$

$=x+y+(\overline{BF}+\overline{BH})$

$=x+y+12=20$

이므로 $x+y=8$

∴ (△ABC의 둘레의 길이)$=\overline{AB}+\overline{BC}+\overline{AC}$

$=20+(x+y)$

$=20+8=28$

전략
원의 접선의 성질을 이용하여 길이가 같은 선분을 찾는다.

15 답 20π

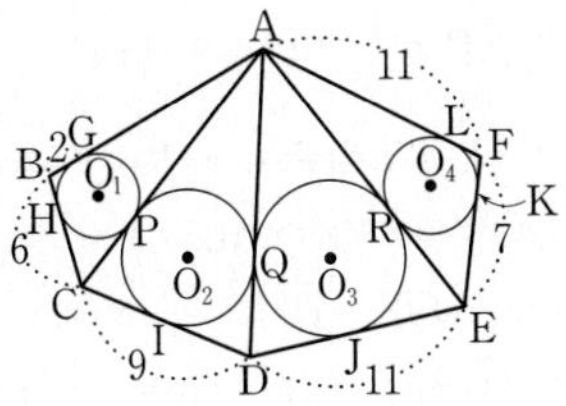

오른쪽 그림과 같이 네 원과 삼각형의 나머지 접점을 각각 H, I, J, K, L이라고 하면

$\overline{BH}=\overline{BG}=2$

$\overline{CI}=\overline{CP}=\overline{CH}=6-2=4$

$\overline{DJ}=\overline{DQ}=\overline{DI}=9-4=5$

$\overline{EK}=\overline{ER}=\overline{EJ}=11-5=6$

$\overline{FL}=\overline{FK}=7-6=1$

∴ $\overline{AP}=\overline{AQ}=\overline{AR}=\overline{AL}=11-1=10$

따라서 세 점 P, Q, R를 지나는 원의 반지름의 길이가 10이므로 구하는 원의 둘레의 길이는

$2\pi\times10=20\pi$

전략
세 점 P, Q, R를 지나는 원의 반지름은 $\overline{AP}$, $\overline{AQ}$, $\overline{AR}$이다.

16 답 36π

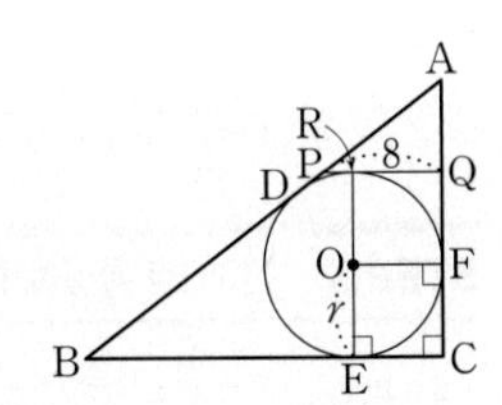

오른쪽 그림과 같이 $\overline{OF}$를 긋고, 원 O의 반지름의 길이를 r라고 하면

□OECF가 정사각형이므로

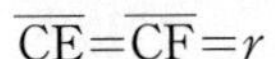

$\overline{CE}=\overline{CF}=r$

이때 $\overline{QC}=\overline{RE}=2r$이므로

$\overline{AQ}:\overline{QC}=1:2$에서

$\overline{AQ}:2r=1:2$ ∴ $\overline{AQ}=r$

또 △APQ∽△ABC (AA 닮음)이므로

$\overline{AQ}:\overline{AC}=\overline{PQ}:\overline{BC}$에서

$1:(1+2)=8:\overline{BC}$ ∴ $\overline{BC}=24$

즉 $\overline{AD}=\overline{AF}=2r$, $\overline{BD}=\overline{BE}=24-r$이므로

$\overline{AB}=\overline{AD}+\overline{BD}=2r+(24-r)=r+24$

△ABC에서 $(r+24)^2=24^2+(3r)^2$

$r^2-6r=0$, $r(r-6)=0$ ∴ $r=6$ ($\because r>0$)

∴ (원 O의 넓이)$=\pi\times6^2=36\pi$

전략
△APQ∽△ABC (AA 닮음)를 이용하여 원 O의 반지름의 길이를 구한다.

17 답 $\frac{5\sqrt{2}-3}{2}$

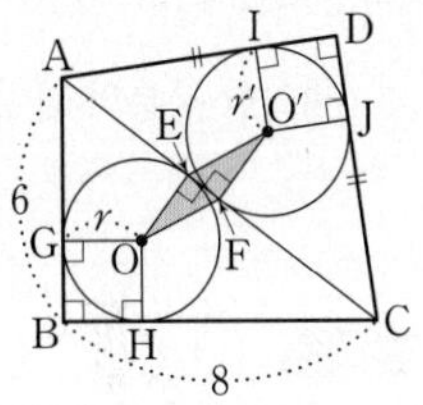

오른쪽 그림과 같이 원 O와 $\overline{AB}$, $\overline{BC}$의 접점을 각각 G, H라 하고 원 O의 반지름의 길이를 r라고 하면

□GBHO가 정사각형이므로

$\overline{BG}=\overline{BH}=r$

$\overline{AE}=\overline{AG}=6-r$

$\overline{CE}=\overline{CH}=8-r$

△ABC에서 $\overline{AC}=\sqrt{6^2+8^2}=10$이고

$\overline{AC}=\overline{AE}+\overline{CE}$이므로

$10=(6-r)+(8-r)$

$2r=4$ ∴ $r=2$

∴ $\overline{AE}=6-2=4$

한편 △ACD는 ∠D=90°이고 $\overline{AD}=\overline{CD}$인 직각이등변삼각형이므로 ∠ACD=45°

$\overline{AD}=\overline{AC}\sin45°=10\times\frac{\sqrt{2}}{2}=5\sqrt{2}$

∴ $\overline{CD}=\overline{AD}=5\sqrt{2}$

또 원 O′과 $\overline{AD}$, $\overline{CD}$의 접점을 각각 I, J라 하고 원 O′의 반지름의 길이를 r'이라고 하면 □IO′JD가 정사각형이므로

$\overline{DI}=\overline{DJ}=r'$

$\overline{AF}=\overline{AI}=5\sqrt{2}-r'$, $\overline{CF}=\overline{CJ}=5\sqrt{2}-r'$

$\overline{AC}=10$이고 $\overline{AC}=\overline{AF}+\overline{CF}$이므로

$10=(5\sqrt{2}-r')+(5\sqrt{2}-r')$

$2r'=10\sqrt{2}-10$ ∴ $r'=5\sqrt{2}-5$

∴ $\overline{CF}=5\sqrt{2}-(5\sqrt{2}-5)=5$

즉 $\overline{EF}=\overline{AC}-(\overline{AE}+\overline{CF})=10-(4+5)=1$

∴ □EOFO′$=$△OFE$+$△O′EF

$=\frac{1}{2}\times2\times1+\frac{1}{2}\times(5\sqrt{2}-5)\times1$

$=\frac{5\sqrt{2}-3}{2}$

전략
원 O의 반지름의 길이를 r, 원 O′의 반지름의 길이를 r'이라고 하고 $\overline{AE}$, $\overline{CE}$, $\overline{AF}$, $\overline{CF}$를 r 또는 r'에 대한 식으로 나타낸다.

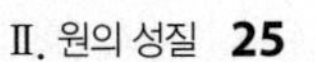

18 답 $110-25\pi$

$\overline{AB}+\overline{CD}=\overline{AD}+\overline{BC}=10+12=22$

오른쪽 그림과 같이 $\overline{OA}$, $\overline{OB}$, $\overline{OC}$, $\overline{OD}$를 그으면

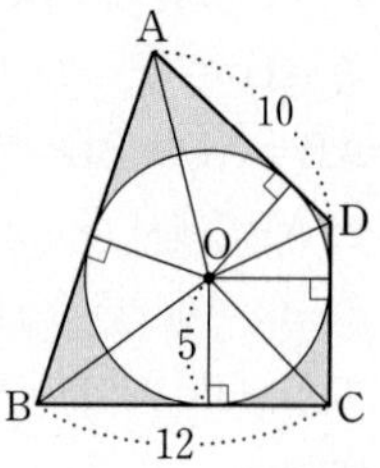

$\square ABCD$

$=\triangle OAB+\triangle OBC+\triangle OCD+\triangle ODA$

$=\frac{1}{2}\times\overline{AB}\times 5+\frac{1}{2}\times 12\times 5+\frac{1}{2}\times\overline{CD}\times 5+\frac{1}{2}\times 10\times 5$

$=\frac{5}{2}\overline{AB}+\frac{5}{2}\overline{CD}+55$

$=\frac{5}{2}(\overline{AB}+\overline{CD})+55$

$=\frac{5}{2}\times 22+55=110$

$\therefore$ (색칠한 부분의 넓이)$=\square ABCD-$(원 O의 넓이)

$=110-\pi\times 5^2$

$=110-25\pi$

전략

$\square ABCD$가 원 O에 외접하므로 $\overline{AB}+\overline{CD}=\overline{AD}+\overline{BC}$이고, $\square ABCD=\triangle OAB+\triangle OBC+\triangle OCD+\triangle ODA$이다.

19 답 3π cm

원 O′의 반지름의 길이는 $\frac{1}{2}\overline{AB}=\frac{1}{2}\times 6=3$ (cm)이므로

(원 O′의 둘레의 길이)$=2\pi\times 3=6\pi$ (cm) ······ ㉠

한편 $\overline{BE}=x$ cm라고 하면 $\overline{EC}=(9-x)$ cm

$\square AECD$에서

$\overline{AE}+\overline{CD}=\overline{AD}+\overline{EC}$이므로

$\overline{AE}+6=9+(9-x)$ $\quad\therefore \overline{AE}=12-x$ (cm)

$\triangle ABE$에서 $6^2+x^2=(12-x)^2$

$24x=108$ $\quad\therefore x=\frac{9}{2}$

즉 $\overline{BE}=\frac{9}{2}$ cm, $\overline{AE}=12-\frac{9}{2}=\frac{15}{2}$ (cm)이므로

원 O의 반지름의 길이를 r cm라고 하면

$\triangle ABE$에서

$\frac{1}{2}\times\overline{BE}\times\overline{AB}=\frac{1}{2}\times r\times(\overline{AB}+\overline{BE}+\overline{AE})$

$\frac{1}{2}\times\frac{9}{2}\times 6=\frac{1}{2}\times r\times\left(6+\frac{9}{2}+\frac{15}{2}\right)$

$9r=\frac{27}{2}$ $\quad\therefore r=\frac{3}{2}$

$\therefore$ (원 O의 둘레의 길이)$=2\pi\times\frac{3}{2}=3\pi$ (cm) ······ ㉡

㉠, ㉡에서 두 원 O, O′의 둘레의 길이의 차는

$6\pi-3\pi=3\pi$ (cm)

$\triangle ABC=\frac{1}{2}\times\overline{BC}\times\overline{AC}$

$=\frac{1}{2}\times r\times(\overline{AB}+\overline{BC}+\overline{CA})$

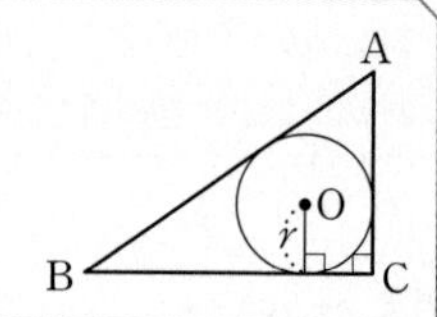

20 답 $(24-12\sqrt{3})$ cm

$\triangle DPC$에서

$\overline{DP}=\sqrt{9^2+12^2}=15$ (cm)

$\overline{AD}=x$ cm라고 하면 $\overline{BP}=(x-9)$ cm

$\square ABPD$에서

$\overline{AB}+\overline{PD}=\overline{AD}+\overline{BP}$이므로

$12+15=x+(x-9)$

$2x=36$ $\quad\therefore x=18$

오른쪽 그림과 같이 두 원 O, O′과 $\overline{AD}$의 접점을 각각 E, F라 하고 $\overline{OE}$, $\overline{OF}$를 그은 후 점 O′에서 $\overline{OE}$에 내린 수선의 발을 H라고 하자.

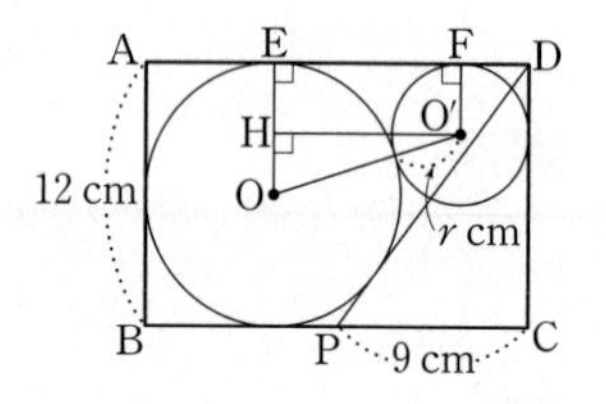

원 O의 반지름의 길이는

$\frac{1}{2}\overline{AB}=\frac{1}{2}\times 12=6$ (cm)

원 O′의 반지름의 길이를 r cm라고 하면

$\overline{OO'}=(6+r)$ cm,

$\overline{OH}=\overline{OE}-\overline{EH}=6-r$ (cm)

$\overline{O'H}=\overline{EF}=18-(6+r)=12-r$ (cm)

$\triangle O'HO$에서

$(6+r)^2=(6-r)^2+(12-r)^2$

$r^2-48r+144=0$ $\quad\therefore r=24-12\sqrt{3}$ ($\because 0<r<6$)

따라서 원 O′의 반지름의 길이는 $(24-12\sqrt{3})$ cm이다.

전략

$\overline{AB}+\overline{PD}=\overline{AD}+\overline{BP}$임을 이용하여 $\overline{AD}$의 길이를 구한 후 $\overline{OO'}$을 빗변으로 하는 직각삼각형에서 피타고라스 정리를 이용하여 원 O′의 반지름의 길이를 구한다.

STEP 3 전교 1등 **확실하게 굳히는 문제** p. 41~43

1 $\sqrt{41}$ **2** $\frac{\pi}{2}$ cm **3** $\frac{8\sqrt{5}}{5}$ **4** $2\sqrt{3}$

5 $(3+\sqrt{17})$ km **6** 4

1 답 $\sqrt{41}$

오른쪽 그림과 같이 점 O에서 $\overline{AB}$, $\overline{CD}$, $\overline{EF}$에 내린 수선의 발을 각각 P, Q, R라 고 하면

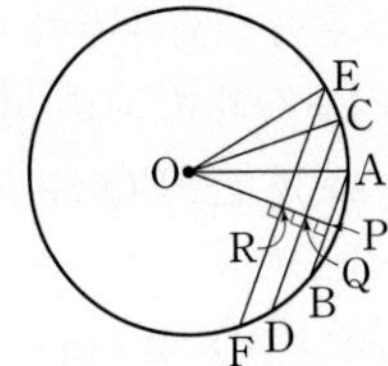

$\overline{AP}=\frac{1}{2}\overline{AB}=\frac{1}{2}\times 2\sqrt{5}=\sqrt{5}$

$\overline{CQ}=\frac{1}{2}\overline{CD}=\frac{1}{2}\times 8=4$

$\overline{ER}=\frac{1}{2}\overline{EF}=\frac{1}{2}\times 10=5$ …… 20 %

원 O의 반지름의 길이를 r, $\overline{OR}=a$, $\overline{PQ}=\overline{QR}=b$라고 하면

$\triangle$OER에서

$r^2=a^2+25$ …… ㉠

$\triangle$OCQ에서

$r^2=(a+b)^2+16$ …… ㉡

$\triangle$OAP에서

$r^2=(a+2b)^2+5$ …… ㉢

㉠, ㉡에서

$a^2+25=(a+b)^2+16$

$a^2+25=a^2+2ab+b^2+16$

$\therefore 2ab+b^2=9$ …… ㉣

㉠, ㉢에서

$a^2+25=(a+2b)^2+5$

$a^2+25=a^2+4ab+4b^2+5$

$\therefore ab+b^2=5$ …… ㉤

…… 40 %

㉣, ㉤을 연립하여 풀면

$b^2=1 \quad \therefore b=1\ (\because b>0)$

$b=1$을 ㉤에 대입하면

$a+1=5 \quad \therefore a=4$ …… 20 %

$a=4$를 ㉠에 대입하면

$r^2=16+25=41 \quad \therefore r=\sqrt{41}\ (\because r>0)$

따라서 원 O의 반지름의 길이는 $\sqrt{41}$이다. …… 20 %

전략

점 O에서 $\overline{AB}$, $\overline{CD}$, $\overline{EF}$에 수선을 그어 세 직각삼각형 OER, OCQ, OAP를 만든다.

2 답 $\frac{\pi}{2}$ cm

오른쪽 그림과 같이 $\overline{OB}$, $\overline{OP}$를 그 으면

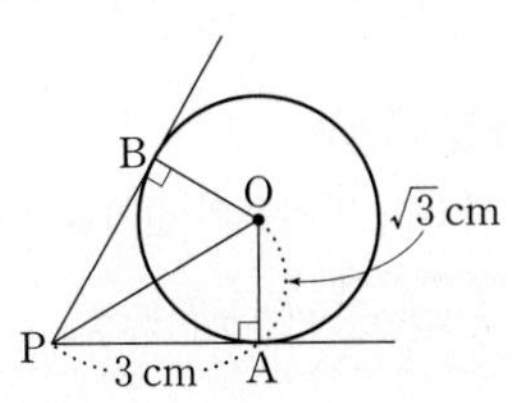

$\triangle$OPA에서

$\tan(\angle\text{OPA})=\frac{\sqrt{3}}{3}$이므로

$\angle\text{OPA}=30^\circ\ (\because 0^\circ<\angle\text{OPA}<90^\circ)$

$\triangle\text{OPA}\equiv\triangle\text{OPB}$ (RHS 합동)이므로

$\angle\text{BPA}=2\angle\text{OPA}=2\times 30^\circ=60^\circ$

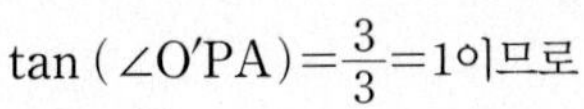

또 오른쪽 그림과 같이 반지름의 길이가 3 cm인 원의 중심을 O′이라고 하고 $\overline{O'C}$, $\overline{O'P}$를 그으면 $\triangle$O′PA에서

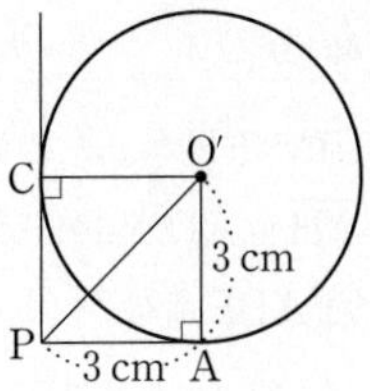

$\tan(\angle\text{O'PA})=\frac{3}{3}=1$이므로

$\angle\text{O'PA}=45^\circ\ (\because 0^\circ<\angle\text{O'PA}<90^\circ)$

$\triangle\text{O'PA}\equiv\triangle\text{O'PC}$ (RHS 합동)이므로

$\angle\text{CPA}=2\angle\text{O'PA}=2\times 45^\circ=90^\circ$

$\therefore \angle\text{CPB}=90^\circ-60^\circ=30^\circ$

따라서 구하는 호의 길이는 반지름의 길이가 3 cm, 중심각의 크기가 30°인 부채꼴의 호의 길이이므로

$2\pi\times 3\times\frac{30}{360}=\frac{\pi}{2}$ (cm)

전략

원의 접선의 성질과 삼각비를 이용하여 $\angle$BPA와 $\angle$CPA의 크기를 각각 구한다.

3 답 $\frac{8\sqrt{5}}{5}$

$\overline{DP}=\overline{DA}=8$, $\overline{CP}=\overline{CB}=2$이므로

$\overline{DC}=\overline{DP}+\overline{CP}=8+2=10$

오른쪽 그림과 같이 점 C에서 $\overline{DA}$에 내린 수선의 발을 H라고 하면

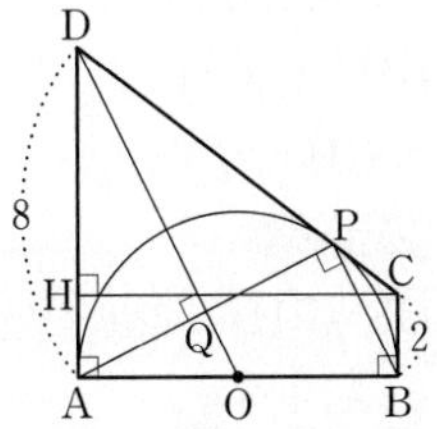

$\overline{HA}=\overline{CB}=2$이므로

$\overline{DH}=8-2=6$

$\triangle$DHC에서

$\overline{HC}=\sqrt{10^2-6^2}=8$이므로

$\overline{AB}=\overline{HC}=8 \quad \therefore \overline{AO}=\frac{1}{2}\overline{AB}=\frac{1}{2}\times 8=4$

또 $\triangle$DAP는 $\overline{DA}=\overline{DP}$인 이등변삼각형이므로 점 D에서 $\overline{AP}$에 내린 수선의 발을 Q라고 하면 $\overline{AQ}=\overline{PQ}$이고 $\overline{DQ}$의 연장선은 반원의 중심 O를 지난다.

$\triangle$DAO에서 $\angle\text{DAO}=90^\circ$이므로

$\overline{DO}=\sqrt{8^2+4^2}=4\sqrt{5}$

이때 $\triangle$DAO의 넓이에서

$\frac{1}{2}\times\overline{AO}\times\overline{DA}=\frac{1}{2}\times\overline{DO}\times\overline{AQ}$

$\frac{1}{2}\times 4\times 8=\frac{1}{2}\times 4\sqrt{5}\times\overline{AQ}$

$2\sqrt{5}\,\overline{AQ}=16 \quad \therefore \overline{AQ}=\frac{8\sqrt{5}}{5}$

따라서 $\triangle$PAB에서

$\overline{AP}=2\overline{AQ}=2\times\frac{8\sqrt{5}}{5}=\frac{16\sqrt{5}}{5}$이므로

$\overline{PB}=\sqrt{8^2-\left(\frac{16\sqrt{5}}{5}\right)^2}=\sqrt{\frac{320}{25}}=\frac{8\sqrt{5}}{5}$

전략

점 D에서 $\overline{AP}$에 내린 수선의 발을 Q라고 하면 $\overline{DQ}$의 연장선이 반원의 중심 O를 지남을 이용한다.

4 답 $2\sqrt{3}$

$\overline{CF}=\overline{FH}=x$라고 하면 $\overline{BF}=6-x$

$\overline{AH}=\overline{AD}=6$이므로 $\overline{AF}=6+x$

$\triangle ABF$에서

$(4\sqrt{3})^2+(6-x)^2=(6+x)^2$

$24x=48 \quad \therefore x=2$

$\therefore \overline{CF}=\overline{FH}=2,\ \overline{BF}=6-2=4$

같은 방법으로

$\overline{DE}=\overline{EG}=2,\ \overline{AE}=6-2=4$

오른쪽 그림과 같이 $\overline{EF}$를 그으면 □ABFE는 직사각형이고 두 대각선 AF와 BE의 교점을 I라고 하면 직사각형의 두 대각선은 서로 다른 것을 이등분하므로

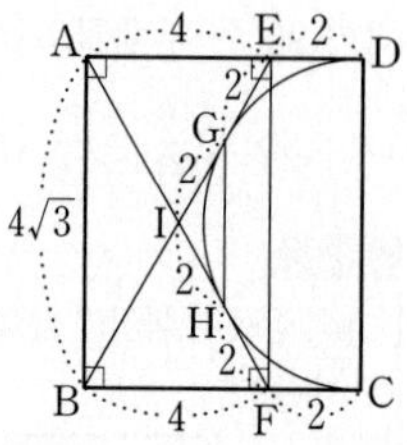

$\overline{AF}=\overline{BE}=6+2=8$에서

$\overline{IE}=\overline{IF}=\frac{1}{2}\times 8=4$

$\overline{EG}=\overline{HF}=2$이므로 $\overline{IG}=\overline{IH}=4-2=2$

$\triangle IHG$와 $\triangle IFE$에서

$\angle I$는 공통, $\overline{IG}:\overline{IE}=\overline{IH}:\overline{IF}=2:4=1:2$이므로

$\triangle IHG \backsim \triangle IFE$ (SAS 닮음)

따라서 $\overline{GH}:\overline{EF}=1:2$에서

$\overline{GH}:4\sqrt{3}=1:2$

$\therefore \overline{GH}=2\sqrt{3}$

다른 풀이

$\overline{CF}=\overline{FH}=x$라고 하면 $\overline{AH}=\overline{AD}=6$이므로

$\triangle ABF$에서

$(4\sqrt{3})^2+(6-x)^2=(6+x)^2 \quad \therefore x=2$

$\therefore \overline{CF}=\overline{FH}=2$

오른쪽 그림과 같이 $\overline{CD}$를 지름으로 하는 반원의 중심을 O라고 하고 $\overline{OF}$, $\overline{OH}$를 그으면

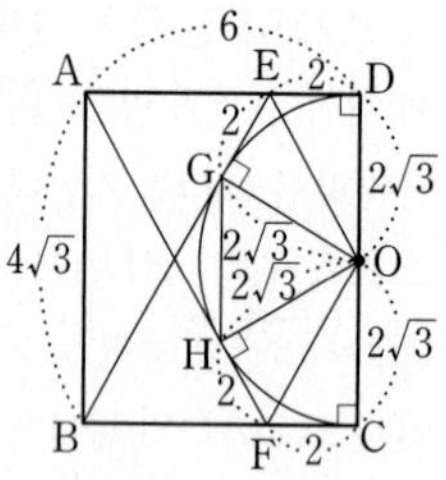

$\overline{OH}=\overline{OC}=\frac{1}{2}\overline{CD}$

$=\frac{1}{2}\times 4\sqrt{3}=2\sqrt{3}$

이고, $\angle OCF=\angle OHF=90^\circ$이므로

$\tan(\angle FOC)=\tan(\angle FOH)=\frac{2}{2\sqrt{3}}=\frac{\sqrt{3}}{3}$

$\therefore \angle FOC=\angle FOH=30^\circ$

같은 방법으로 $\angle EOD=\angle EOG=30^\circ$

$\therefore \angle GOH=180^\circ-4\times 30^\circ=60^\circ$

따라서 $\angle GOH=60^\circ$이고 $\overline{OG}=\overline{OH}=2\sqrt{3}$이므로 $\triangle OGH$는 정삼각형이다.

$\therefore \overline{GH}=2\sqrt{3}$

전략

직사각형의 성질과 $\triangle IHG$와 $\triangle IFE$의 닮음비를 이용하여 $\overline{GH}$의 길이를 구한다.

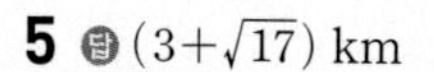

5 답 $(3+\sqrt{17})$ km

오른쪽 그림과 같이 호수의 중심을 O라고 하고 $\overline{OP}$, $\overline{OQ}$를 그으면 □PBQO는 정사각형이므로

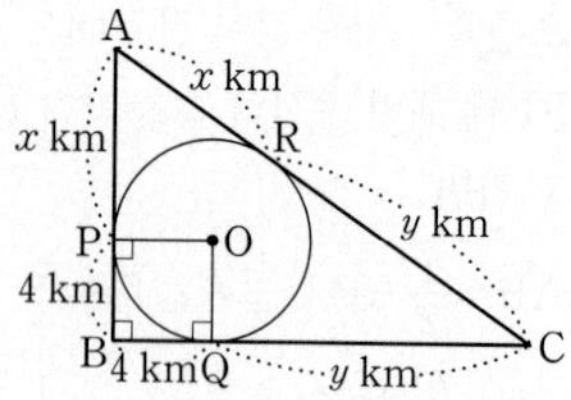

$\overline{BP}=\overline{BQ}=4$ km

$\overline{AP}=\overline{AR}=x$ km,

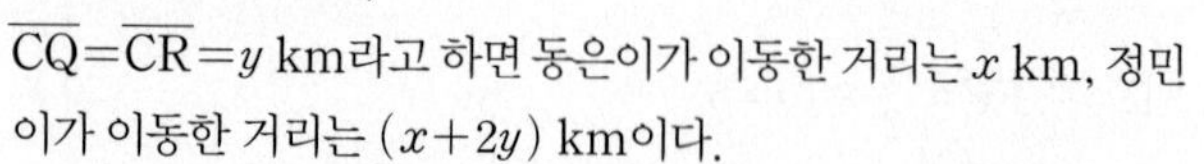

$\overline{CQ}=\overline{CR}=y$ km라고 하면 동은이가 이동한 거리는 x km, 정민이가 이동한 거리는 $(x+2y)$ km이다.

이때 자전거의 속력이 걷는 속력의 5배이고 두 사람이 이동한 시간은 같으므로 정민이가 이동한 거리는 동은이가 이동한 거리의 5배이다. 즉

$x+2y=5x \quad \therefore y=2x$

이때 $\overline{AB}=(x+4)$ km, $\overline{BC}=4+y=4+2x$ (km),

$\overline{AC}=x+y=x+2x=3x$ (km)이므로

$\triangle ABC$에서

$(x+4)^2+(4+2x)^2=(3x)^2$

$x^2-6x-8=0 \quad \therefore x=3+\sqrt{17}\ (\because x>0)$

따라서 동은이가 이동한 거리는 $(3+\sqrt{17})$ km이다.

전략

삼각형의 내접원의 성질을 이용하여 $\overline{AB}$, $\overline{BC}$, $\overline{AC}$의 길이를 각각 한 문자에 대한 식으로 나타낸다.

6 답 4

$\triangle ABC$에서 $a^2+b^2=c^2$이므로

$(a+b)^2-2ab=c^2,\ (a+b)^2-c^2=2ab$

$\therefore (a+b+c)(a+b-c)=2ab$

이때 $a+b+c=\frac{1}{2}ab$이므로

$\frac{1}{2}ab(a+b-c)=2ab \quad \therefore a+b-c=4$

$\therefore$ ($\triangle HIC$의 둘레의 길이)$=\overline{HG}+\overline{GI}+\overline{IC}+\overline{HC}$

$=\overline{FH}+\overline{EI}+\overline{IC}+\overline{HC}$

$=(\overline{FH}+\overline{HC})+(\overline{EI}+\overline{IC})$

$=\overline{FC}+\overline{EC}$

$=(b-\overline{AF})+(a-\overline{BE})$

$=b-\overline{AD}+a-\overline{BD}$

$=a+b-(\overline{AD}+\overline{BD})$

$=a+b-c$

$=4$

다른 풀이

원 O의 반지름의 길이를 r라고 하면

$\frac{1}{2}ab=\frac{1}{2}r(a+b+c)$

이때 $a+b+c=\frac{1}{2}ab$이므로

$\frac{1}{2}ab=\frac{1}{2}r\times\frac{1}{2}ab \quad \therefore r=2$

오른쪽 그림과 같이 $\overline{OE}$, $\overline{OF}$를 그으면 □OECF는 정사각형이므로

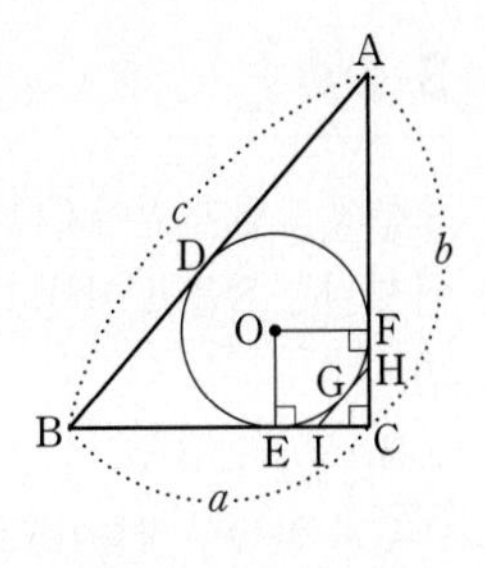

$\overline{CE}=\overline{CF}=2$

$\therefore$ (△HIC의 둘레의 길이)

$=\overline{HG}+\overline{GI}+\overline{IC}+\overline{HC}$

$=\overline{FH}+\overline{EI}+\overline{IC}+\overline{HC}$

$=(\overline{FH}+\overline{HC})+(\overline{EI}+\overline{IC})$

$=\overline{FC}+\overline{EC}$

$=2+2=4$

전략

△HIC의 둘레의 길이를 a, b, c를 이용하여 나타낸다.

02 원주각

확인 ❶ 답 $\angle x=70^\circ$, $\angle y=110^\circ$

$\angle x=\frac{1}{2}\angle BOD=\frac{1}{2}\times 140^\circ=70^\circ$

$\angle y=\frac{1}{2}\times(360^\circ-\angle BOD)$

$=\frac{1}{2}\times(360^\circ-140^\circ)$

$=\frac{1}{2}\times 220^\circ=110^\circ$

확인 ❷ 답 55°

오른쪽 그림과 같이 $\overline{QB}$를 그으면

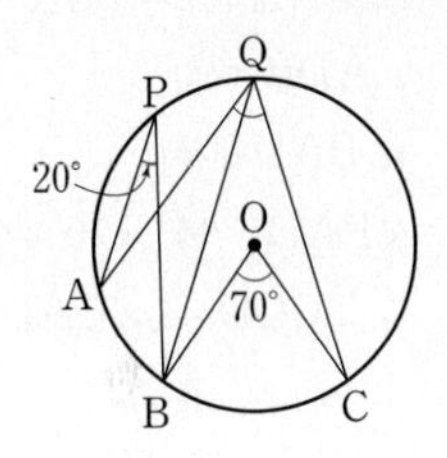

$\angle AQB=\angle APB=20^\circ$

$\angle BQC=\frac{1}{2}\angle BOC$

$=\frac{1}{2}\times 70^\circ=35^\circ$

$\therefore \angle AQC=\angle AQB+\angle BQC$

$=20^\circ+35^\circ=55^\circ$

확인 ❸ 답 130°

오른쪽 그림과 같이 $\overline{AD}$를 그으면

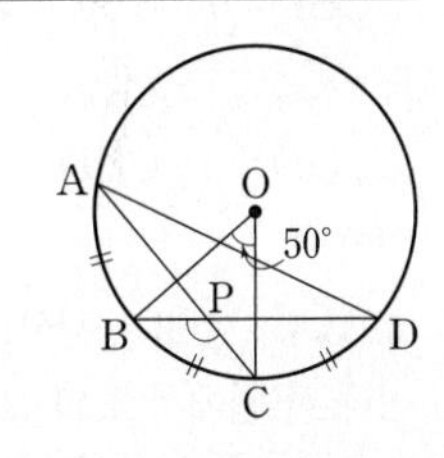

$\widehat{AB}=\widehat{BC}=\widehat{CD}$이므로

$\angle ADB=\angle CAD=\frac{1}{2}\angle BOC$

$=\frac{1}{2}\times 50^\circ=25^\circ$

△APD에서

$\angle APD=180^\circ-(25^\circ+25^\circ)=130^\circ$

$\therefore \angle BPC=\angle APD=130^\circ$ (맞꼭지각)

STEP 1 억울하게 울리는 문제 p. 45~47

1-1 76°	**1-2** 40°	**2-1** $3:2$	**2-2** 70°
3-1 $\frac{7}{5}$	**3-2** $\frac{4}{3}$	**4-1** $\frac{8}{3}$ cm	**4-2** $2\sqrt{3}$ cm
5-1 64°	**5-2** 96°	**6-1** 9	**6-2** 15

1-1 답 76°

오른쪽 그림과 같이 $\overline{AD}$를 그으면

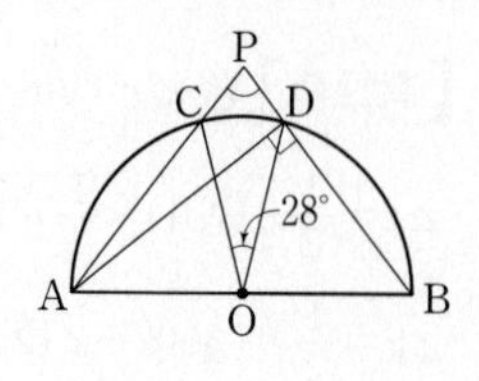

$\overline{AB}$가 반원 O의 지름이므로

$\angle ADB=90^\circ$

$\angle CAD=\frac{1}{2}\angle COD$

$=\frac{1}{2}\times 28^\circ=14^\circ$

따라서 $\triangle PAD$에서

$\angle P=90^\circ-14^\circ=76^\circ$

1-2 답 40°

오른쪽 그림과 같이 $\overline{AD}$를 그으면

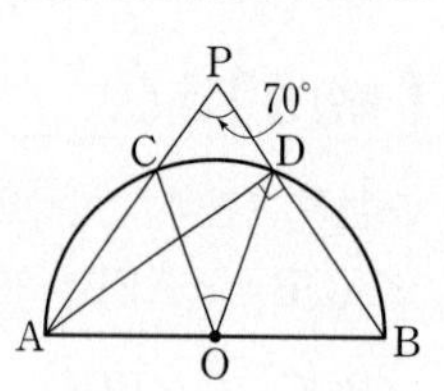

$\overline{AB}$가 반원 O의 지름이므로

$\angle ADB=90^\circ$

$\triangle PAD$에서

$\angle PAD=90^\circ-70^\circ=20^\circ$

$\therefore \angle COD=2\angle CAD=2\times 20^\circ=40^\circ$

2-1 답 3 : 2

오른쪽 그림과 같이 $\overline{CB}$를 그으면

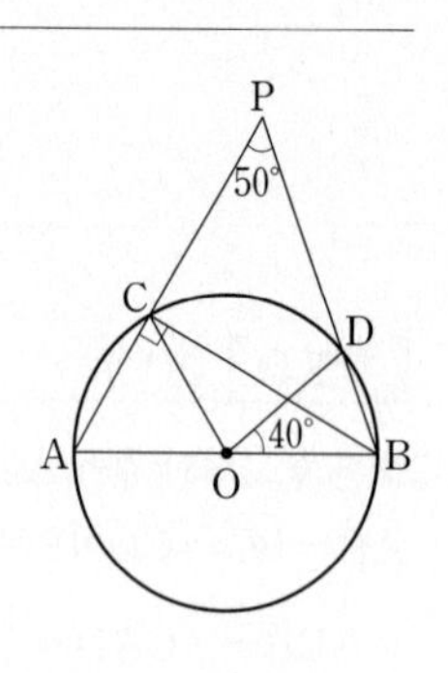

$\overline{AB}$가 원 O의 지름이므로

$\angle ACB=90^\circ$

$\triangle PCB$에서

$\angle CBP=90^\circ-50^\circ=40^\circ$

또 $\overline{OC}$를 그으면

$\angle COD=2\angle CBD=2\times 40^\circ=80^\circ$

이므로

$\angle AOC=180^\circ-(80^\circ+40^\circ)=60^\circ$

이때 한 원에서 호의 길이는 중심각의 크기에 정비례하므로

$\widehat{AC}:\widehat{BD}=60^\circ:40^\circ=3:2$

2-2 답 70°

오른쪽 그림과 같이 $\overline{OD}$를 그으면

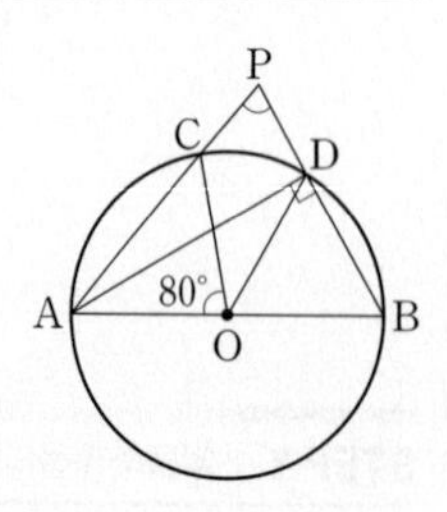

$\widehat{ACD}:\widehat{BD}=2:1$이므로

$\angle AOD=180^\circ\times\frac{2}{2+1}=120^\circ$

$\therefore \angle COD=120^\circ-80^\circ=40^\circ$

또 $\overline{AD}$를 그으면 $\overline{AB}$가 원 O의 지름이므로 $\angle ADB=90^\circ$

$\angle CAD=\frac{1}{2}\angle COD=\frac{1}{2}\times 40^\circ=20^\circ$

따라서 $\triangle PAD$에서

$\angle P=90^\circ-20^\circ=70^\circ$

3-1 답 $\frac{7}{5}$

오른쪽 그림과 같이 $\overline{CO}$의 연장선이 원 O와 만나는 점을 A′이라고 하고 $\overline{A'B}$를 그으면

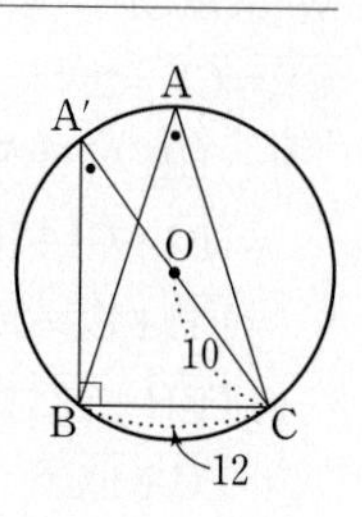

$\angle BA'C=\angle BAC$

$\overline{A'C}$가 원 O의 지름이므로

$\overline{A'C}=2\times 10=20$, $\angle A'BC=90^\circ$

$\triangle A'BC$에서 $\overline{A'B}=\sqrt{20^2-12^2}=16$

$\therefore \sin A+\cos A=\sin A'+\cos A'$

$=\frac{12}{20}+\frac{16}{20}=\frac{7}{5}$

3-2 답 $\frac{4}{3}$

오른쪽 그림과 같이 $\overline{BO}$의 연장선이 원 O와 만나는 점을 A′이라고 하고 $\overline{A'C}$를 그으면

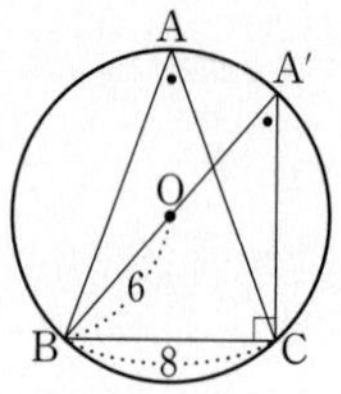

$\angle BA'C=\angle BAC$

$\overline{A'B}$가 원 O의 지름이므로

$\overline{A'B}=2\times 6=12$, $\angle A'CB=90^\circ$

$\triangle A'BC$에서 $\overline{A'C}=\sqrt{12^2-8^2}=4\sqrt{5}$

$\therefore \sin A+\cos A\times\tan A=\sin A'+\cos A'\times\tan A'$

$=\frac{8}{12}+\frac{4\sqrt{5}}{12}\times\frac{8}{4\sqrt{5}}=\frac{4}{3}$

4-1 답 $\frac{8}{3}$ cm

오른쪽 그림과 같이 원의 중심 O를 지나는 $\overline{A'C}$를 긋고 $\overline{A'B}$를 그으면

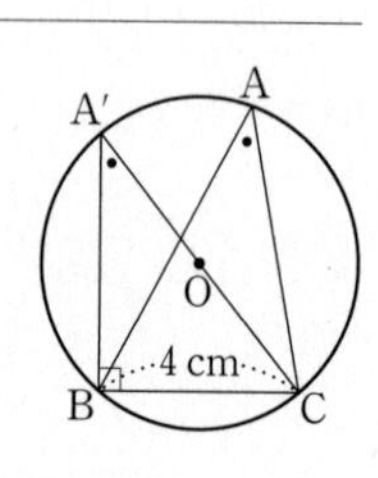

$\angle BA'C=\angle BAC$

$\overline{A'C}$가 원 O의 지름이므로 $\angle A'BC=90^\circ$

이때 $\sin A'=\sin A=\frac{3}{4}$이므로

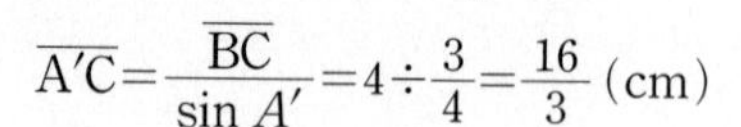

$\overline{A'C}=\frac{\overline{BC}}{\sin A'}=4\div\frac{3}{4}=\frac{16}{3}$ (cm)

따라서 원 O의 반지름의 길이는

$\frac{1}{2}\overline{A'C}=\frac{1}{2}\times\frac{16}{3}=\frac{8}{3}$ (cm)

4-2 답 $2\sqrt{3}$ cm

오른쪽 그림과 같이 원의 중심 O를 지나는 $\overline{A'B}$를 긋고 $\overline{A'C}$를 그으면

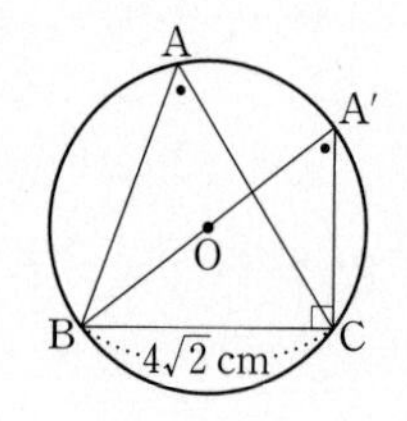

$\angle BA'C=\angle BAC$

$\overline{A'B}$가 원 O의 지름이므로

$\angle A'CB=90^\circ$

이때 $\tan A'=\tan A=\sqrt{2}$이므로

$\overline{A'C}=\frac{\overline{BC}}{\tan A'}=\frac{4\sqrt{2}}{\sqrt{2}}=4\,(\text{cm})$

따라서 $\triangle A'BC$에서

$\overline{A'B}=\sqrt{(4\sqrt{2})^2+4^2}=4\sqrt{3}\,(\text{cm})$이므로

원 O의 반지름의 길이는

$\frac{1}{2}\overline{A'B}=\frac{1}{2}\times4\sqrt{3}=2\sqrt{3}\,(\text{cm})$

5-1 답 64°

$\widehat{AC}$의 길이는 원주의 $\frac{2}{15}$이므로

$\angle ADC=180^\circ\times\frac{2}{15}=24^\circ$

$\widehat{BD}$의 길이는 원주의 $\frac{2}{9}$이므로

$\angle DAB=180^\circ\times\frac{2}{9}=40^\circ$

따라서 $\triangle DAP$에서

$\angle DPB=24^\circ+40^\circ=64^\circ$

5-2 답 96°

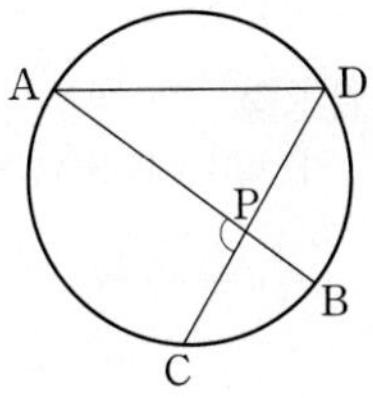

오른쪽 그림과 같이 $\overline{AD}$를 그으면

$\widehat{BD}$의 길이는 원주의 $\frac{1}{5}$이므로

$\angle DAB=180^\circ\times\frac{1}{5}=36^\circ$

이때 $\angle ADC:\angle DAB=\widehat{AC}:\widehat{BD}$

$=5:3$

이므로 $\angle ADC:36^\circ=5:3$ $\therefore \angle ADC=60^\circ$

따라서 $\triangle APD$에서

$\angle APC=36^\circ+60^\circ=96^\circ$

6-1 답 9

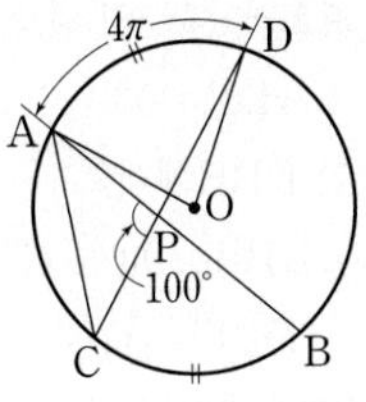

오른쪽 그림과 같이 $\overline{AC}$를 그으면

$\widehat{AD}=\widehat{BC}$이므로 $\angle ACD=\angle CAB$

즉 $\triangle ACP$에서

$\angle ACP=\angle CAP$

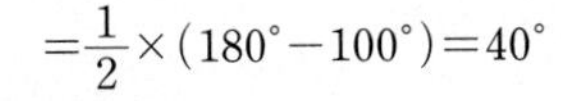

$=\frac{1}{2}\times(180^\circ-100^\circ)=40^\circ$

이때 $\overline{OA}$, $\overline{OD}$를 그으면

$\angle AOD=2\angle ACD=2\times40^\circ=80^\circ$이므로

원 O의 반지름의 길이를 r라고 하면

$2\pi r\times\frac{80}{360}=4\pi$ $\therefore r=9$

따라서 원 O의 반지름의 길이는 9이다.

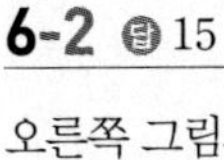

6-2 답 15

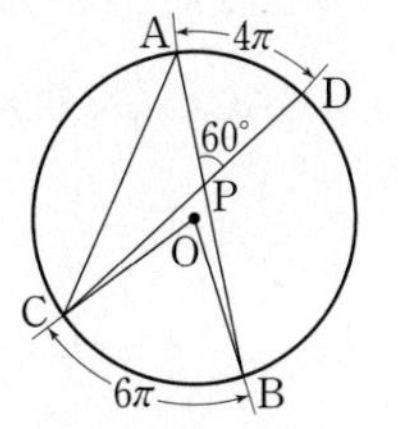

오른쪽 그림과 같이 $\overline{AC}$를 그으면

$\angle ACD:\angle CAB=\widehat{AD}:\widehat{BC}$

$=4\pi:6\pi=2:3$

즉 $\triangle ACP$에서

$\angle ACP+\angle CAP=60^\circ$이므로

$\angle CAB=60^\circ\times\frac{3}{2+3}=36^\circ$

이때 $\overline{OB}$, $\overline{OC}$를 그으면

$\angle COB=2\angle CAB=2\times36^\circ=72^\circ$이므로

원 O의 반지름의 길이를 r라고 하면

$2\pi r\times\frac{72}{360}=6\pi$ $\therefore r=15$

따라서 원 O의 반지름의 길이는 15이다.

STEP 2 | 반드시 등수 올리는 문제 p. 48~51

01 30°	02 $90\sqrt{3}\,\text{cm}^2$	03 2 m	
04 분속 $\frac{6}{5}\pi$ m		05 32	06 $3\sqrt{2}$ cm
07 $4\sqrt{5}$ cm	08 $\frac{32}{3}$ cm	09 $\frac{4}{3}\pi-\sqrt{3}$	10 30°
11 96°	12 216°	13 65°	14 60°
15 $(1+\sqrt{3})\,\text{cm}^2$		16 87°	

01 답 30°

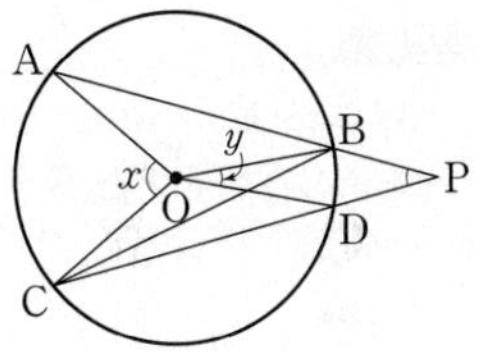

오른쪽 그림과 같이 $\overline{BC}$를 그으면

$\angle ABC=\frac{1}{2}\angle AOC=\frac{1}{2}\angle x$

$\angle BCD=\frac{1}{2}\angle BOD=\frac{1}{2}\angle y$

따라서 $\triangle BCP$에서

$\angle P=\frac{1}{2}\angle x-\frac{1}{2}\angle y=\frac{1}{2}(\angle x-\angle y)$

$=\frac{1}{2}\times60^\circ=30^\circ$

전략

$\overline{BC}$를 긋고 $\angle ABC$의 크기를 $\angle x$, $\angle BCD$의 크기를 $\angle y$에 대한 식으로 나타낸다.

02 답 $90\sqrt{3}\,\text{cm}^2$

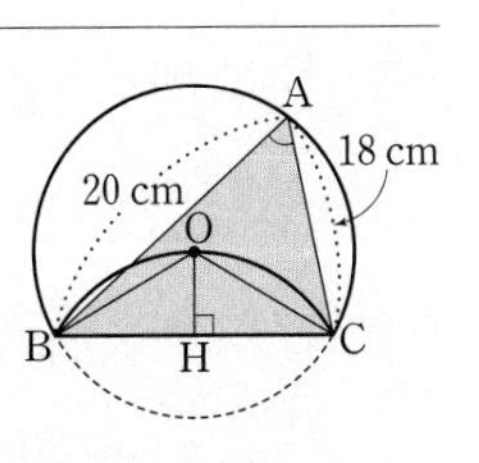

오른쪽 그림과 같이 점 O에서 $\overline{BC}$에 내린 수선의 발을 H, 원 O의 반지름의 길이를 r라고 하면

$\overline{OB}=r$, $\overline{OH}=\frac{1}{2}r$이므로 $\triangle OBH$에서

$\cos(\angle BOH)=\frac{\overline{OH}}{\overline{OB}}=\frac{1}{2}r\div r=\frac{1}{2}$

$\therefore \angle BOH=60^\circ$ ($\because 0^\circ<\angle BOH<90^\circ$)

마찬가지 방법으로 $\angle COH=60^{\circ}$

즉 $\angle BOC=60^{\circ}+60^{\circ}=120^{\circ}$이므로

$\angle BAC=\frac{1}{2}\angle BOC=\frac{1}{2}\times120^{\circ}=60^{\circ}$

$\therefore \triangle ABC=\frac{1}{2}\times20\times18\times\sin60^{\circ}$

$=\frac{1}{2}\times20\times18\times\frac{\sqrt{3}}{2}$

$=90\sqrt{3}\ (cm^2)$

전략

$\angle BAC$는 $\overset{\frown}{BC}$에 대한 원주각이므로 $\overset{\frown}{BC}$에 대한 중심각의 크기를 구한다.

03 답 2 m

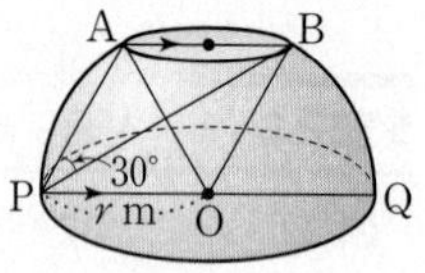

오른쪽 그림과 같이 바닥의 반지름의 길이를 r m라고 하면

넓이가 $16\pi\ m^2$이므로

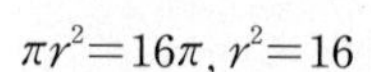

$\pi r^2=16\pi,\ r^2=16$

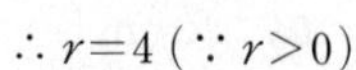

$\therefore r=4\ (\because r>0)$

이때 $\overline{OA}$, $\overline{OB}$를 그으면

$\angle AOB=2\angle APB=2\times30^{\circ}=60^{\circ}$이고

$\overline{OA}=\overline{OB}=4$ m이므로 $\triangle AOB$는 정삼각형이다.

따라서 $\overline{AB}=\overline{OA}=4$ m이므로 천장의 반지름의 길이는

$\frac{1}{2}\overline{AB}=\frac{1}{2}\times4=2\ (m)$

전략

바닥의 반지름의 길이를 구한 후 원주각과 중심각의 관계를 이용하여 $\triangle AOB$가 정삼각형임을 안다.

04 답 분속 $\frac{6}{5}\pi$ m

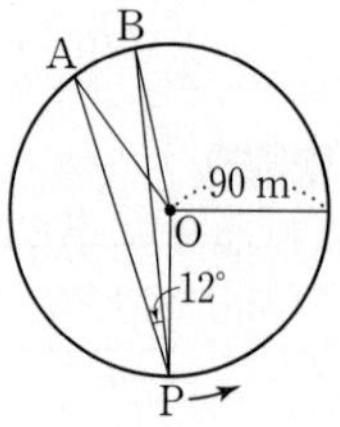

오른쪽 그림과 같이 $\overline{OA}$, $\overline{OB}$를 그으면

$\angle AOB=2\angle APB=2\times12^{\circ}=24^{\circ}$

이때 $\overline{OP}$를 긋고

$\angle POB=\angle a\ (\angle a>180^{\circ})$라고 하면

$\angle POA=\angle a+24^{\circ}$이므로

서현이와 승민이의 속력을 각각 구하면 다음과 같다.

서현 : $\left(2\pi\times90\times\frac{a+24}{360}\right)\div10=\left(2\pi\times90\times\frac{a+24}{360}\right)\times\frac{1}{10}$

$=\frac{a+24}{20}\pi$ (m/분)

승민 : $\left(2\pi\times90\times\frac{a}{360}\right)\div10=\left(2\pi\times90\times\frac{a}{360}\right)\times\frac{1}{10}$

$=\frac{a}{20}\pi$ (m/분)

따라서 서현이와 승민이의 속력 차는

$\frac{a+24}{20}\pi-\frac{a}{20}\pi=\frac{24}{20}\pi=\frac{6}{5}\pi$ (m/분), 즉 분속 $\frac{6}{5}\pi$ m이다.

다른 풀이

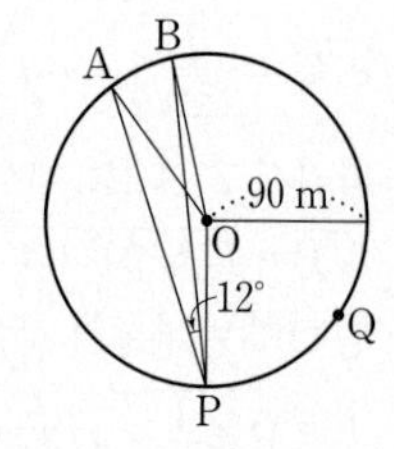

서현이가 10분 동안 움직인 거리는 $\overset{\frown}{PBA}$이고, 승민이가 10분 동안 움직인 거리는 $\overset{\frown}{PQB}$이다. 즉 서현이가 10분 동안 $\overset{\frown}{AB}$만큼 더 움직였으므로

$\overset{\frown}{AB}=2\pi\times90\times\frac{24}{360}=12\pi\ (m)$

따라서 구하는 속력의 차는

$\frac{12}{10}\pi=\frac{6}{5}\pi$ (m/분), 즉 분속 $\frac{6}{5}\pi$ m이다.

전략

$\overline{OA}$, $\overline{OB}$를 그어 $\angle AOB$의 크기를 구한 후 이를 이용하여 서현이와 승민이의 속력을 각각 구한다.

05 답 32

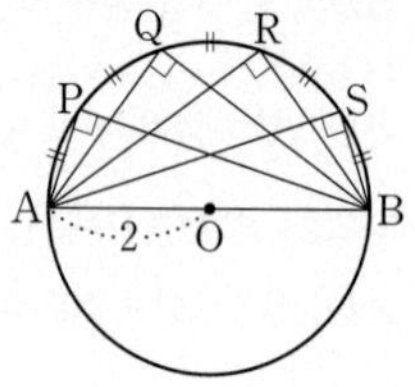

오른쪽 그림과 같이 $\overline{PB}$, $\overline{QB}$, $\overline{RB}$, $\overline{SB}$를 그으면 $\overline{AB}$가 원 O의 지름이므로

$\angle APB=\angle AQB=\angle ARB$

$=\angle ASB=90^{\circ}$

이때 $\overline{AS}=\overline{PB}$이므로

$\overline{AP}^2+\overline{AS}^2=\overline{AP}^2+\overline{PB}^2=4^2$

또 $\overline{AR}=\overline{QB}$이므로

$\overline{AQ}^2+\overline{AR}^2=\overline{AQ}^2+\overline{QB}^2=4^2$

$\therefore \overline{AP}^2+\overline{AQ}^2+\overline{AR}^2+\overline{AS}^2=4^2+4^2=32$

전략

$\overline{PB}$, $\overline{QB}$, $\overline{RB}$, $\overline{SB}$를 긋고 반원에 대한 원주각의 크기는 90°임을 이용한다.

06 답 $3\sqrt{2}$ cm

$\overline{AB}$가 원 O의 지름이므로 $\angle ACB=90^{\circ}$

$\overline{AC}=\overline{BC}$이므로

$\angle BAC=\angle ABC=\frac{1}{2}\times(180^{\circ}-90^{\circ})=45^{\circ}$

이때 $\angle ADC=\angle ABC=45^{\circ}$이므로

$\angle DEB=\angle ADC=45^{\circ}$ (동위각)

오른쪽 그림과 같이 $\overline{DB}$를 그으면

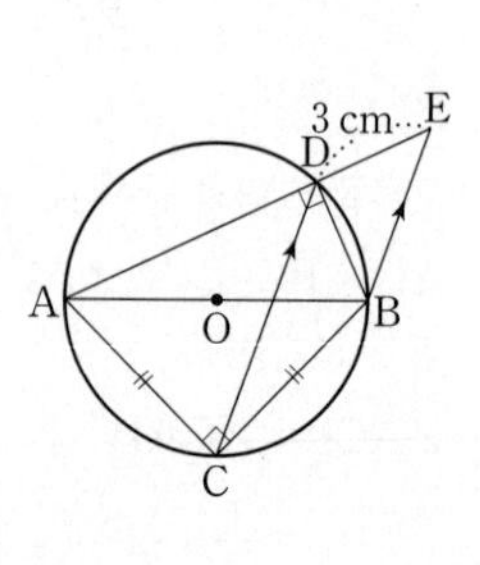

$\overline{AB}$가 원 O의 지름이므로

$\angle ADB=90^{\circ}$

$\triangle DBE$에서

$\angle DBE=90^{\circ}-45^{\circ}=45^{\circ}$이므로

$\triangle DBE$는 $\overline{DB}=\overline{DE}$인 직각이등변 삼각형이다.

따라서 $\overline{DB}=\overline{DE}=3$ cm이므로

$\overline{BE}=\sqrt{3^2+3^2}=3\sqrt{2}\ (cm)$

전략

$\overline{DB}$를 긋고 반원에 대한 원주각의 크기를 이용한다. 또 $\overline{CD}\,/\!/\,\overline{BE}$임을 이용하여 동위각을 찾는다.

07 답 $4\sqrt{5}$ cm

$\triangle$CAE와 $\triangle$DBE에서

$\overline{AB}$가 원 O의 지름이므로 $\angle ACB=\angle ADB=90^\circ$

또 $\angle CBD=\angle CAD$이므로 $\triangle CAE \backsim \triangle DBE$ (AA 닮음)

이때 $\triangle$CAE에서 $\overline{AC}=\sqrt{(6\sqrt{5})^2-6^2}=12$ (cm)

$\overline{DE}:\overline{DB}=\overline{CE}:\overline{CA}=6:12=1:2$이므로

$\overline{DE}=x$ cm라고 하면 $\overline{DB}=2x$ cm

한편 $\triangle$CAE와 $\triangle$DAB에서

$\angle CAE=\angle DAB$, $\angle ACE=\angle ADB=90^\circ$이므로

$\triangle CAE \backsim \triangle DAB$ (AA 닮음)

즉 $\overline{AC}:\overline{AD}=\overline{CE}:\overline{DB}$에서

$12:(6\sqrt{5}+x)=6:2x$, $24x=36\sqrt{5}+6x$

$18x=36\sqrt{5}$ $\quad\therefore x=2\sqrt{5}$

$\therefore \overline{DB}=2x=2\times 2\sqrt{5}=4\sqrt{5}$ (cm)

전략
한 원에서 한 호에 대한 원주각의 크기는 모두 같음을 이용하고 반원에 대한 원주각의 크기는 90°임을 이용한다.

08 답 $\frac{32}{3}$ cm

$\triangle$ABC에서 $\overline{AB}=\overline{AC}$이므로 $\angle ABC=\angle ACB$

오른쪽 그림과 같이 $\overline{BD}$를 그으면

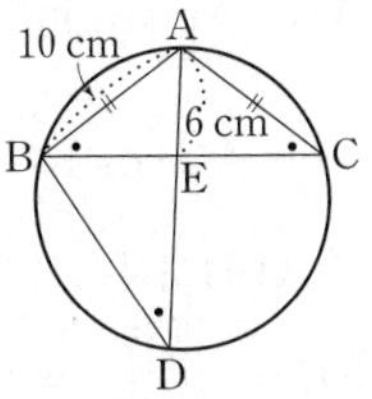

$\angle ACB=\angle ADB$이므로

$\angle ABC=\angle ADB$

$\triangle$ABE와 $\triangle$ADB에서

$\angle BAE=\angle DAB$, $\angle ABE=\angle ADB$

이므로 $\triangle ABE \backsim \triangle ADB$ (AA 닮음)

이때 $\overline{DE}=x$ cm라고 하면

$\overline{AB}:\overline{AD}=\overline{AE}:\overline{AB}$에서

$10:(6+x)=6:10$, $36+6x=100$

$6x=64$ $\quad\therefore x=\frac{32}{3}$

따라서 $\overline{DE}$의 길이는 $\frac{32}{3}$ cm이다.

전략
한 원에서 한 호에 대한 원주각의 크기는 모두 같음을 이용하여 닮음인 삼각형을 찾는다.

09 답 $\frac{4}{3}\pi-\sqrt{3}$

오른쪽 그림과 같이 $\overline{BA}$를 그으면

$\angle BOA=90^\circ$이므로 $\overline{BA}$는 원의 지름이다. 즉 원의 중심을 C라고 하면 점 C는 $\overline{BA}$의 중점이다.

이때 $\overline{CO}$를 그으면

$\angle OCA=2\angle OPA=2\times 30^\circ=60^\circ$

이므로 $\angle BCO=180^\circ-60^\circ=120^\circ$

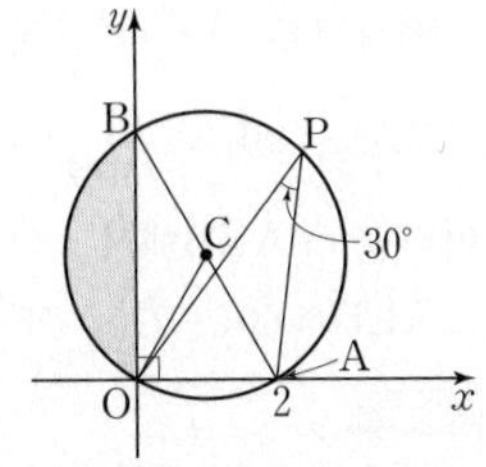

또 $\triangle$COA에서 $\overline{CO}=\overline{CA}$이므로 $\triangle$COA는 정삼각형이다.

$\therefore \overline{BC}=\overline{CO}=\overline{OA}=2$

$\therefore$ (색칠한 부분의 넓이)

$=$(부채꼴 CBO의 넓이)$-\triangle$CBO

$=\pi\times 2^2\times\frac{120}{360}-\frac{1}{2}\times 2\times 2\times\sin(180^\circ-120^\circ)$

$=\pi\times 4\times\frac{1}{3}-\frac{1}{2}\times 2\times 2\times\frac{\sqrt{3}}{2}$

$=\frac{4}{3}\pi-\sqrt{3}$

전략
$\angle BOA=90^\circ$이므로 $\overline{BA}$가 원의 지름이다. 또 원의 중심을 C라고 하고 $\angle OCA$의 크기를 구하여 $\overline{BC}$, $\overline{CO}$의 길이를 구한다.

10 답 30°

$\angle DAC=\angle x$라고 하면 $\angle DBC=\angle DAC=\angle x$

$\widehat{AB}:\widehat{CD}=5:1$이므로 $\angle ADB=5\angle x$

$\triangle$DBP에서 $5\angle x=\angle x+20^\circ$

$4\angle x=20^\circ$ $\quad\therefore \angle x=5^\circ$

따라서 $\triangle$AQD에서

$\angle AQB=\angle x+5\angle x=6\angle x=6\times 5^\circ=30^\circ$

전략
$\angle DAC=\angle x$라고 하면 $\widehat{AB}:\widehat{CD}=5:1$이므로 $\angle ADB=5\angle x$이다.

11 답 96°

$\overline{AB}$가 원 O의 지름이므로 $\angle ACB=90^\circ$

$\widehat{AD}=\widehat{DE}=\widehat{EB}$이므로

$\angle ACD=\angle DCE=\angle ECB=\frac{1}{3}\angle ACB=\frac{1}{3}\times 90^\circ=30^\circ$

또 $\angle ABC:\angle CAB=\widehat{AC}:\widehat{CB}=3:2$이고

$\angle ABC+\angle CAB=90^\circ$이므로

$\angle ABC=90^\circ\times\frac{3}{3+2}=54^\circ$

따라서 $\triangle$CPB에서

$\angle CPB=180^\circ-(30^\circ+54^\circ)=96^\circ$

$\therefore \angle APE=\angle CPB=96^\circ$ (맞꼭지각)

전략
$\widehat{AC}:\widehat{CB}=3:2$이므로 $\angle ABC:\angle CAB=3:2$이다.

12 답 216°

오른쪽 그림과 같이 $\overline{BD}$를 그으면

$\widehat{CB}$의 길이는 원주의 $\frac{1}{5}$이므로

$\angle CDB=180^\circ\times\frac{1}{5}=36^\circ$

$\angle COB=2\angle CDB=2\times 36^\circ=72^\circ$

이므로 $\angle x=180^\circ-72^\circ=108^\circ$

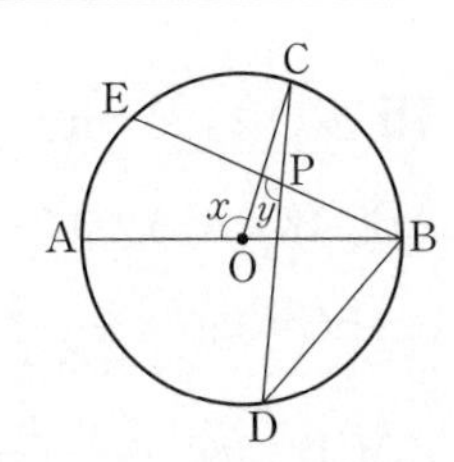

또 $\angle \mathrm{EBD} : \angle \mathrm{CDB} = \overparen{\mathrm{EAD}} : \overparen{\mathrm{CB}} = 2:1$이므로

$\angle \mathrm{EBD} : 36° = 2:1 \qquad \therefore \angle \mathrm{EBD} = 72°$

따라서 $\triangle \mathrm{PDB}$에서 $\angle y = 36° + 72° = 108°$

$\therefore \angle x + \angle y = 108° + 108° = 216°$

전략

$\overline{\mathrm{BD}}$를 그어 $\angle \mathrm{CDB}$의 크기를 구한다. 또 $\overparen{\mathrm{EAD}} : \overparen{\mathrm{CB}} = 2:1$이므로 $\angle \mathrm{EBD} : \angle \mathrm{CDB} = 2:1$이다.

13 답 65°

오른쪽 그림과 같이 $\overline{\mathrm{AD}}$, $\overline{\mathrm{AE}}$를 그으면

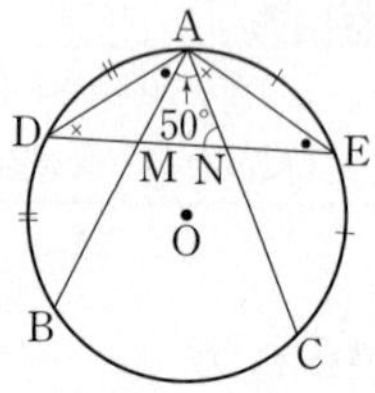

$\overparen{\mathrm{AD}} = \overparen{\mathrm{DB}}$이므로 $\angle \mathrm{AED} = \angle \mathrm{DAB}$

$\overparen{\mathrm{AE}} = \overparen{\mathrm{EC}}$이므로 $\angle \mathrm{ADE} = \angle \mathrm{EAC}$

$\triangle \mathrm{ADM}$과 $\triangle \mathrm{ANE}$에서

$\angle \mathrm{AMN} = \angle \mathrm{DAM} + \angle \mathrm{ADM}$

$= \angle \mathrm{AEN} + \angle \mathrm{EAN}$

$= \angle \mathrm{ANM}$

따라서 $\triangle \mathrm{AMN}$은 $\overline{\mathrm{AM}} = \overline{\mathrm{AN}}$인 이등변삼각형이므로

$\angle \mathrm{ANM} = \frac{1}{2} \times (180° - 50°) = 65°$

전략

$\overline{\mathrm{AD}}$, $\overline{\mathrm{AE}}$를 그으면 $\overparen{\mathrm{AD}} = \overparen{\mathrm{DB}}$, $\overparen{\mathrm{AE}} = \overparen{\mathrm{EC}}$이므로 $\angle \mathrm{AED} = \angle \mathrm{DAB}$, $\angle \mathrm{ADE} = \angle \mathrm{EAC}$이다.

14 답 60°

$\overline{\mathrm{AB}} = \overline{\mathrm{CD}}$이므로 $\overparen{\mathrm{AB}} = \overparen{\mathrm{CD}}$에서

$\overparen{\mathrm{AC}} + \overparen{\mathrm{BC}} = \overparen{\mathrm{BC}} + \overparen{\mathrm{BD}} \qquad \therefore \overparen{\mathrm{AC}} = \overparen{\mathrm{BD}} = 5\pi$

오른쪽 그림과 같이 $\overline{\mathrm{OA}}$, $\overline{\mathrm{OD}}$를 그으면

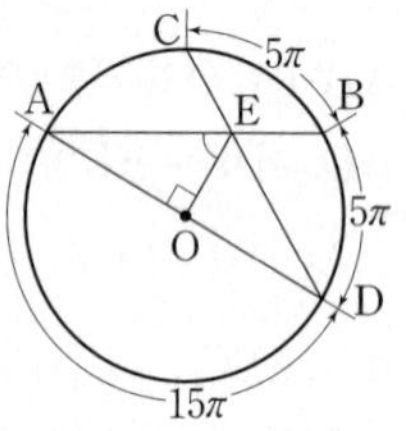

$\overparen{\mathrm{ABD}} = \overparen{\mathrm{AD}} = 15\pi$이므로 $\overline{\mathrm{AD}}$는 원 O의 지름이다. 또

$\overparen{\mathrm{AC}} : \overparen{\mathrm{BC}} : \overparen{\mathrm{BD}} : \overparen{\mathrm{AD}}$

$= 5\pi : 5\pi : 5\pi : 15\pi$

$= 1:1:1:3$

이므로

$\angle \mathrm{ADC} = \angle \mathrm{BAD} = 180° \times \frac{1}{1+1+1+3} = 30°$

즉 $\triangle \mathrm{EAD}$는 $\overline{\mathrm{EA}} = \overline{\mathrm{ED}}$인 이등변삼각형이고

$\overline{\mathrm{AO}} = \overline{\mathrm{DO}}$이므로 $\overline{\mathrm{EO}} \perp \overline{\mathrm{AD}}$이다.

따라서 $\triangle \mathrm{EAO}$에서

$\angle \mathrm{AEO} = 180° - (30° + 90°) = 60°$

전략

$\overline{\mathrm{AB}} = \overline{\mathrm{CD}}$이므로 $\overparen{\mathrm{AB}} = \overparen{\mathrm{CD}}$이다. 즉 $\overparen{\mathrm{AC}} = \overparen{\mathrm{BD}}$이므로 $\overparen{\mathrm{AC}} : \overparen{\mathrm{BC}} : \overparen{\mathrm{BD}} : \overparen{\mathrm{AD}} = 5\pi : 5\pi : 5\pi : 15\pi = 1:1:1:3$이다.

15 답 $(1+\sqrt{3})\ \mathrm{cm}^2$

$\overparen{\mathrm{AB}} : \overparen{\mathrm{BC}} : \overparen{\mathrm{CA}} = 3:7:2$이므로

$\angle \mathrm{ABC} = 180° \times \frac{2}{3+7+2} = 30°$,

$\angle \mathrm{ACB} = 180° \times \frac{3}{3+7+2} = 45°$

오른쪽 그림과 같이 $\overline{\mathrm{OA}}$, $\overline{\mathrm{OB}}$를 그으면

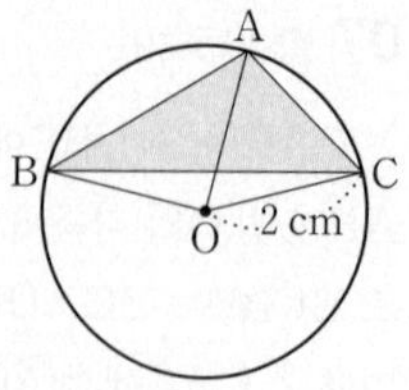

$\angle \mathrm{AOC} = 2\angle \mathrm{ABC} = 2 \times 30° = 60°$

$\angle \mathrm{AOB} = 2\angle \mathrm{ACB} = 2 \times 45° = 90°$

$\therefore \triangle \mathrm{ABC}$

$= \triangle \mathrm{AOB} + \triangle \mathrm{AOC} - \triangle \mathrm{BOC}$

$= \frac{1}{2} \times 2 \times 2 \times \sin 90° + \frac{1}{2} \times 2 \times 2 \times \sin 60°$

$\quad - \frac{1}{2} \times 2 \times 2 \times \sin(90° + 60°)$

$= 2 + \sqrt{3} - 1 = 1 + \sqrt{3}\ (\mathrm{cm}^2)$

다른 풀이

오른쪽 그림과 같이 $\overline{\mathrm{OA}}$를 그으면

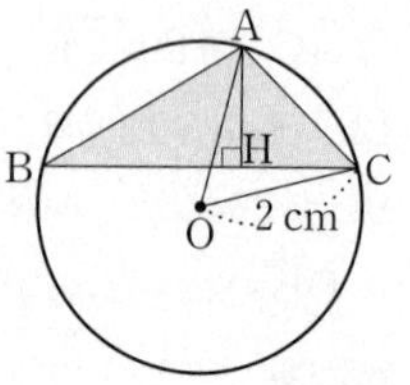

$\overparen{\mathrm{AB}} : \overparen{\mathrm{BC}} : \overparen{\mathrm{CA}} = 3:7:2$이므로

$\angle \mathrm{ABC} = 180° \times \frac{2}{3+7+2} = 30°$

$\angle \mathrm{AOC} = 2\angle \mathrm{ABC} = 2 \times 30° = 60°$

이고 $\overline{\mathrm{OA}} = \overline{\mathrm{OC}}$이므로 $\triangle \mathrm{OCA}$는 정삼각형이다.

$\therefore \overline{\mathrm{AC}} = \overline{\mathrm{OC}} = 2\ \mathrm{cm}$

점 A에서 $\overline{\mathrm{BC}}$에 내린 수선의 발을 H라고 하면

$\angle \mathrm{ACB} = 180° \times \frac{3}{3+7+2} = 45°$이므로

$\triangle \mathrm{AHC}$에서

$\overline{\mathrm{AH}} = \overline{\mathrm{AC}} \sin 45° = 2 \times \frac{\sqrt{2}}{2} = \sqrt{2}\ (\mathrm{cm})$

$\overline{\mathrm{CH}} = \overline{\mathrm{AC}} \cos 45° = 2 \times \frac{\sqrt{2}}{2} = \sqrt{2}\ (\mathrm{cm})$

$\triangle \mathrm{ABH}$에서

$\overline{\mathrm{BH}} = \frac{\overline{\mathrm{AH}}}{\tan 30°} = \sqrt{2} \div \frac{\sqrt{3}}{3} = \sqrt{6}\ (\mathrm{cm})$

$\therefore \triangle \mathrm{ABC} = \frac{1}{2} \times (\sqrt{6} + \sqrt{2}) \times \sqrt{2} = 1 + \sqrt{3}\ (\mathrm{cm}^2)$

전략

$\overline{\mathrm{OA}}$를 그어 $\angle \mathrm{ABC}$, $\angle \mathrm{AOC}$, $\angle \mathrm{ACB}$의 크기를 각각 구한다.

16 답 87°

㉠에서 $\angle \mathrm{ABD} = 180° \times \frac{1}{3} = 60°$

㉡에서 $\angle \mathrm{CBD} = \angle x$라고 하면 $\angle \mathrm{ABC} = 3\angle x$

이때 $\angle \mathrm{ABC} = \angle \mathrm{ABD} + \angle \mathrm{CBD}$이므로

$3\angle x = 60° + \angle x$, $2\angle x = 60° \qquad \therefore \angle x = 30°$

즉 $\angle \mathrm{ABC} = 3\angle x = 3 \times 30° = 90°$

㉢에서 $\overparen{\mathrm{AB}} : \overparen{\mathrm{BC}} = 7:3$이고 $\angle \mathrm{ACB} + \angle \mathrm{BAC} = 90°$이므로

$\angle \mathrm{BAC} = 90° \times \frac{3}{7+3} = 27°$

따라서 $\triangle \mathrm{AEB}$에서

$\angle \mathrm{AED} = 60° + 27° = 87°$

전략

원주각의 크기와 호의 길이는 정비례함을 이용한다.

STEP 3 전교 1등 확실하게 굳히는 문제 p. 52~53

01 2π **02** 7 **03** 2 **04** 1

1 답 2π

$\angle BAF=120^{\circ}$이므로 $\angle BPF=\frac{1}{2}\angle BAF$

따라서 점 P는 오른쪽 그림과 같이 중심이 A이고 반지름의 길이가 $\overline{AB}$인 원을 따라 움직인다.

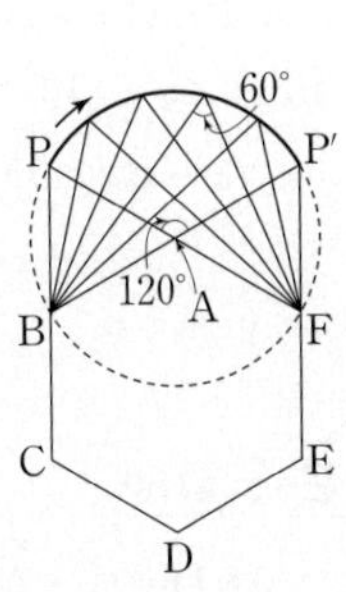

이때 $\overrightarrow{PB}$는 원의 내부를 지나지 않으므로 점 P는 점 P′까지 움직인다.

$\angle PAP'=\angle BAF=120^{\circ}$이므로 점 P가 움직인 거리는

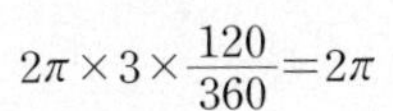

$2\pi\times3\times\frac{120}{360}=2\pi$

전략
$\angle BPF=60^{\circ}$로 일정하므로 $\angle BPF$가 $\widehat{BF}$에 대한 원주각임을 파악한다.

2 답 7

오른쪽 그림과 같이 $\overline{AC}$, $\overline{BO}$, $\overline{BD}$를 그으면 $\overline{CD}$가 반원 O의 지름이므로

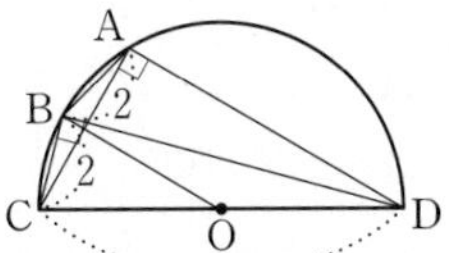

$\angle CAD=\angle CBD=90^{\circ}$

$\triangle BCD$에서

$\overline{BD}=\sqrt{8^2-2^2}=2\sqrt{15}$

이때 $\overline{AB}=\overline{BC}$이므로 $\widehat{AB}=\widehat{BC}$

$\therefore \angle ACB=\angle ADB=\angle BDC=\angle BAC$

또 $\triangle BOD$에서 $\overline{BO}=\overline{DO}$이므로

$\angle OBD=\angle BDO$

즉 $\triangle ABC \backsim \triangle BOD$ (AA 닮음)이므로

$\overline{AB}:\overline{BO}=\overline{AC}:\overline{BD}$에서

$2:4=\overline{AC}:2\sqrt{15}$ $\therefore \overline{AC}=\sqrt{15}$

따라서 $\triangle ACD$에서

$\overline{AD}=\sqrt{8^2-(\sqrt{15})^2}=7$

전략
$\overline{AC}$, $\overline{BO}$, $\overline{BD}$를 긋고 닮음인 삼각형을 찾는다.

3 답 2

오른쪽 그림과 같이 $\overline{CD}$를 그으면

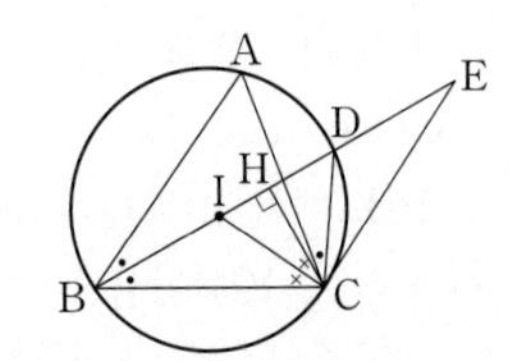

$\angle ABD=\angle ACD$ ...... ㉠

점 I가 $\triangle ABC$의 내심이므로

$\angle ABI=\angle CBI$ ...... ㉡

$\angle ACI=\angle BCI$ ...... ㉢

㉠, ㉡에서

$\angle ACD=\angle CBI$ ...... ㉣

㉢, ㉣에서 $\angle ACI+\angle ACD=\angle BCI+\angle CBI$이므로

$\angle DCI=\angle DIC$

따라서 $\triangle ICE$에서 $\overline{DC}=\overline{DI}=\overline{DE}$이므로 점 D는 $\triangle ICE$의 외심이고 외심 D가 $\overline{IE}$ 위에 있으므로 $\angle ICE=90^{\circ}$이다.

이때 $\triangle CHE \backsim \triangle ICE$ (AA 닮음)이므로 $\frac{\overline{CE}}{\overline{CH}}=\frac{\overline{IE}}{\overline{IC}}$

$\therefore \frac{\overline{CE}}{\overline{CH}}\times\frac{\overline{CI}}{\overline{DI}}=\frac{\overline{IE}}{\overline{IC}}\times\frac{\overline{CI}}{\overline{DI}}=\frac{\overline{IE}}{\overline{DI}}=\frac{2\overline{DI}}{\overline{DI}}=2$

전략
원주각의 성질과 삼각형의 내심, 외심의 성질을 이용한다.

4 답 1

오른쪽 그림과 같이 $\overline{OA}$, $\overline{OB}$를 그으면

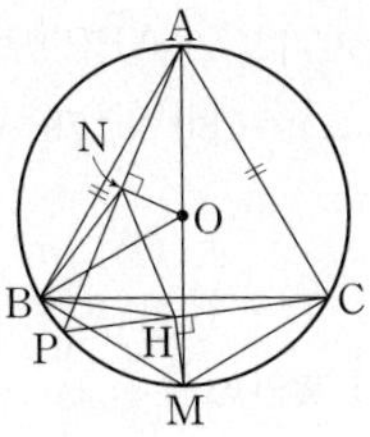

$\triangle OAB$에서 $\overline{OA}=\overline{OB}$이므로

$\angle OAB=\angle OBA$

$\overline{BM}$, $\overline{CM}$을 그으면

$\triangle BMC$에서

$\widehat{BM}=\widehat{CM}$이므로 $\angle BCM=\angle CBM$

이때 $\overline{OM}$을 그으면 $\overline{AB}=\overline{AC}$이므로 $\widehat{AB}=\widehat{AC}$이고

$\widehat{ABM}=\widehat{AB}+\widehat{BM}=\widehat{AC}+\widehat{CM}=\widehat{ACM}$이므로 세 점 A, O, M은 한 직선 위에 있다.

$\therefore \angle BAM=\angle BCM$

즉 $\triangle OAB \backsim \triangle MCB$ (AA 닮음)이므로

$\overline{OA}:\overline{MC}=\overline{AB}:\overline{CB}$ ...... ㉠

$\overline{ON}$을 그으면 $\overline{AN}=\overline{PN}$이므로 $\overline{ON}\perp\overline{AP}$

$\triangle ONA$와 $\triangle MHC$에서

$\angle ONA=\angle MHC=90^{\circ}$,

$\angle NAO=\angle HCM$ ($\widehat{PM}$에 대한 원주각)이므로

$\triangle ONA \backsim \triangle MHC$ (AA 닮음)

$\therefore \overline{OA}:\overline{MC}=\overline{NA}:\overline{HC}$ ...... ㉡

$\overline{BH}$를 그으면

$\triangle NAB$와 $\triangle HCB$에서

$\overline{NA}:\overline{HC}=\overline{AB}:\overline{CB}$ ($\because$ ㉠, ㉡),

$\angle BAN=\angle BCH$ ($\widehat{BP}$에 대한 원주각)이므로

$\triangle NAB \backsim \triangle HCB$ (SAS 닮음)

또 $\triangle ABC$와 $\triangle NBH$에서

$\overline{AB}:\overline{NB}=\overline{CB}:\overline{HB}$,

$\angle ABC=\angle NBH$ ($\because \angle ABN=\angle CBH$)이므로

$\triangle ABC \backsim \triangle NBH$ (SAS 닮음)

$\therefore \frac{\overline{NB}}{\overline{NH}}=\frac{\overline{AB}}{\overline{AC}}=\frac{\overline{AC}}{\overline{AC}}=1$

전략
원주각의 성질을 이용하여
$\triangle OAB \backsim \triangle MCB$ (AA 닮음),
$\triangle ONA \backsim \triangle MHC$ (AA 닮음),
$\triangle NAB \backsim \triangle HCB$ (SAS 닮음),
$\triangle ABC \backsim \triangle NBH$ (SAS 닮음)를 찾는다.

03 원주각의 활용

[확인 ❶] 답 25°

네 점 A, B, C, D가 한 원 위에 있으므로

$\angle BDC = \angle BAC = 80°$

따라서 $\triangle DBC$에서

$\angle x = 180° - (80° + 35° + 40°) = 25°$

[확인 ❷] 답 69°

□ABCD가 원 O에 내접하므로

$\angle DAB = \angle DCP = \angle x$

따라서 $\triangle ABP$에서

$\angle x = 180° - (79° + 32°) = 69°$

[확인 ❸] 답 25°

$\angle BAD = \angle DCE$이므로 □ABCD는 원에 내접한다.

이때 $\overline{AD} = \overline{CD}$이므로

$\angle DCA = \frac{1}{2} \times (180° - 130°) = 25°$

$\therefore \angle ABD = \angle DCA = 25°$

[확인 ❹] 답 90°

$\angle x = \angle BAT = 50°$

$\triangle OAB$에서 $\overline{OA} = \overline{OB}$이고,

$\angle AOB = 2\angle x = 2 \times 50° = 100°$이므로

$\angle y = \frac{1}{2} \times (180° - 100°) = 40°$

$\therefore \angle x + \angle y = 50° + 40° = 90°$

STEP 1 억울하게 울리는 문제 p. 56~58

1-1 155°	**1-2** 35°	**2-1** 80°	**2-2** 60°
3-1 32°	**3-2** 130°	**4-1** 220°	**4-2** 60°
5-1 6 cm	**5-2** 60°	**6-1** 110°	**6-2** 59°

1-1 답 155°

$\angle ADB = \angle ACB = 32°$

이때 $\angle BDC = 87° - 32° = 55°$이므로

$\angle x = \angle BDC = 55°$

□ABCD가 원에 내접하므로

$\angle y = \angle BAD = 55° + 45° = 100°$

$\therefore \angle x + \angle y = 55° + 100° = 155°$

1-2 답 35°

$\angle BDC = \angle BAC = 46°$

□ABCD가 원에 내접하므로

$\angle ADC = \angle ABE = 105°$에서

$\angle x + 46° = 105° \quad \therefore \angle x = 59°$

또 $\angle BAD + \angle BCD = 180°$이므로

$46° + \angle y + 110° = 180° \quad \therefore \angle y = 24°$

$\therefore \angle x - \angle y = 59° - 24° = 35°$

2-1 답 80°

$\triangle AFD$에서 $\angle ADF = 120° - 20 = 100°$

□ABCD가 원에 내접하므로

$\angle ADC + \angle x = 180°$에서

$100° + \angle x = 180° \quad \therefore \angle x = 80°$

2-2 답 60°

$\angle BAE + \angle BCE = 180°$이므로

$(88° + \angle x) + 62° = 180° \quad \therefore \angle x = 30°$

$\angle y = \angle x = 30°$

$\therefore \angle x + \angle y = 30° + 30° = 60°$

3-1 답 32°

$\angle PBA = 180° - 120° = 60°$

□ABCD가 원에 내접하므로

$\angle ADC = \angle PBA = 60°$

$\triangle AQD$에서 $\angle PAQ = 28° + 60° = 88°$

따라서 $\triangle PBA$에서

$\angle P = 180° - (60° + 88°) = 32°$

3-2 답 130°

$\angle ABC = \angle a$라고 하면

□ABCD가 원에 내접하므로

$\angle CDQ = \angle ABC = \angle a$

$\triangle PBC$에서 $\angle PCQ = \angle a + 45°$

따라서 $\triangle DCQ$에서

$\angle a + (\angle a + 45°) + 35° = 180°$

$2\angle a = 100° \quad \therefore \angle a = 50°$

$\therefore \angle x = 180° - 50° = 130°$

4-1 답 220°

오른쪽 그림과 같이 $\overline{CE}$를 그으면

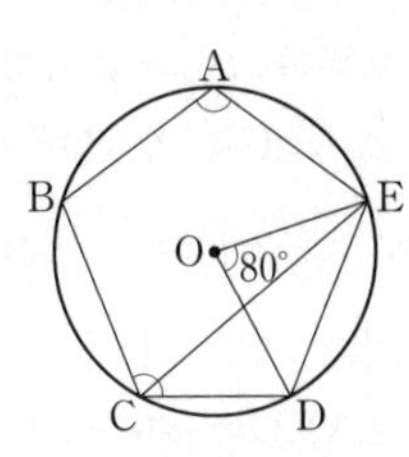

$\angle ECD=\frac{1}{2}\angle EOD=\frac{1}{2}\times 80^\circ=40^\circ$

□ABCE가 원 O에 내접하므로

$\angle BAE+\angle BCE=180^\circ$

$\therefore \angle BAE+\angle BCD$

$=(\angle BAE+\angle BCE)+\angle ECD$

$=180^\circ+40^\circ=220^\circ$

4-2 답 60°

오른쪽 그림과 같이 $\overline{BD}$를 그으면

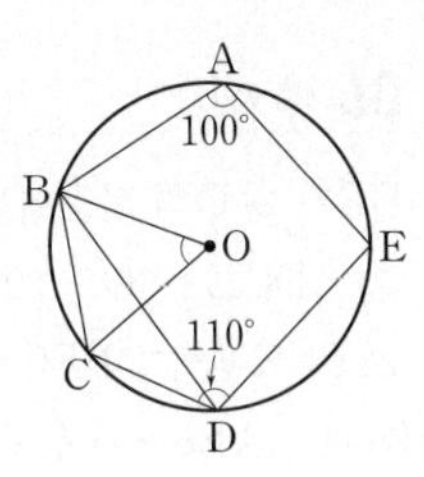

□ABDE가 원 O에 내접하므로

$\angle BDE=180^\circ-100^\circ=80^\circ$

이때 $\angle BDC=110^\circ-80^\circ=30^\circ$이므로

$\angle BOC=2\angle BDC=2\times 30^\circ=60^\circ$

5-1 답 6 cm

$\angle BCA=\angle BAT=60^\circ$

$\overline{BC}$가 원 O의 지름이므로 $\angle CAB=90^\circ$

$\therefore \overline{BC}=\frac{3}{\cos 60^\circ}=3\div\frac{1}{2}=6\ (\text{cm})$

5-2 답 60°

$\angle BCA=\angle BAT=\angle x$

$\overline{BC}$가 원 O의 지름이므로 $\angle CAB=90^\circ$

△BCA에서

$\angle CBA=180^\circ-(\angle x+90^\circ)=90^\circ-\angle x$

$\overline{AB}=\overline{AP}$이므로 $\angle CPA=\angle CBA=90^\circ-\angle x$

따라서 △BPA에서

$(90^\circ-\angle x)+(90^\circ-\angle x)=\angle x$

$3\angle x=180^\circ \qquad \therefore \angle x=60^\circ$

6-1 답 110°

$\angle x=\angle ACB=70^\circ$

△PAB에서 $\overline{PA}=\overline{PB}$이므로

$\angle y=180^\circ-2\times 70^\circ=40^\circ$

$\therefore \angle x+\angle y=70^\circ+40^\circ=110^\circ$

6-2 답 59°

△ABC에서

$\angle C=180^\circ-(60^\circ+58^\circ)=62^\circ$

△CFE에서 $\overline{CF}=\overline{CE}$이므로

$\angle CEF=\frac{1}{2}\times(180^\circ-62^\circ)=59^\circ$

$\therefore \angle FDE=\angle CEF=59^\circ$

STEP 2 | 반드시 등수 올리는 문제 p. 59~63

01 50°	**02** 25°	**03** 138°	**04** $\frac{2}{3}\pi$
05 126°	**06** 120°	**07** 60°	**08** ㉡, ㉢
09 $\frac{21\sqrt{2}}{4}$	**10** 24°	**11** ④, ⑤	**12** 6개
13 10°	**14** 121°	**15** 265°	**16** 63°
17 30°	**18** 19°	**19** (1) 55° (2) 80°	
20 94°			

01 답 50°

오른쪽 그림에서

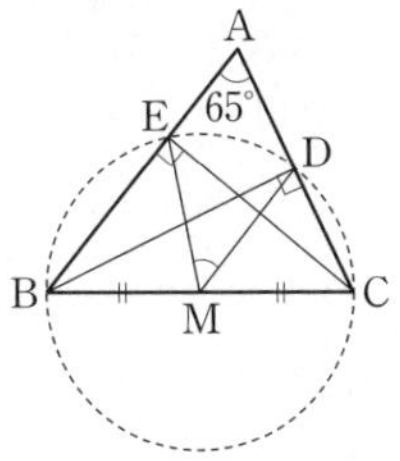

$\angle BEC=\angle BDC=90^\circ$이므로 네 점 B, C, D, E는 한 원 위에 있다.

이때 $\overline{BC}$는 이 원의 지름이고

$\overline{BM}=\overline{CM}$이므로 점 M은 이 원의 중심이다.

△ABD에서

$\angle ABD=180^\circ-(65^\circ+90^\circ)=25^\circ$

$\therefore \angle EMD=2\angle EBD$

$=2\times 25^\circ=50^\circ$

전략

$\angle BEC=\angle BDC=90^\circ$이므로 네 점 B, C, D, E는 한 원 위에 있다.

02 답 25°

네 점 A, B, C, D가 원 O 위에 있으므로

$\angle ACB=\angle ADB=60^\circ$

$\therefore \angle ACE=\frac{1}{2}\angle ACB=\frac{1}{2}\times 60^\circ=30^\circ$

오른쪽 그림과 같이 $\overline{OB}$를 그으면

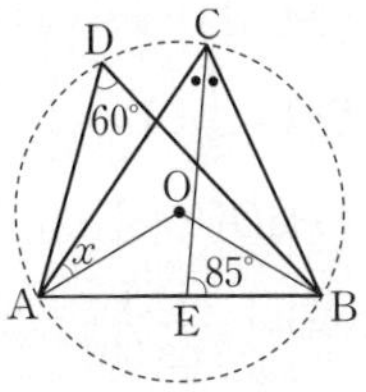

$\angle AOB=2\angle ADB=2\times 60^\circ=120^\circ$

△OAB에서 $\overline{OA}=\overline{OB}$이므로

$\angle OAB=\frac{1}{2}\times(180^\circ-120^\circ)=30^\circ$

따라서 △CAE에서

$30^\circ+(\angle x+30^\circ)=85^\circ \qquad \therefore \angle x=25^\circ$

네 점 A, B, C, D가 한 원 위에 있으므로 $\angle ACB=\angle ADB$이다.

03 답 $138°$

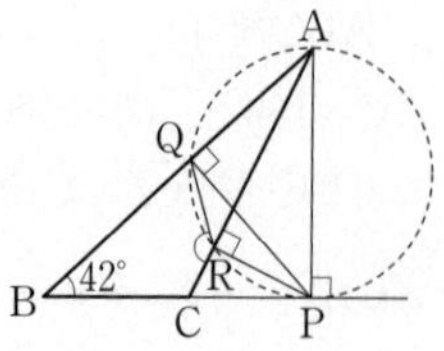

오른쪽 그림에서

$\angle AQP=\angle ARP=90°$이므로

네 점 A, Q, R, P는 한 원 위에 있다.

$\triangle QBP$에서

$\angle QPB=90°-42°=48°$이므로

$\angle APQ=90°-48°=42°$

$\therefore \angle ARQ=\angle APQ=42°$

$\therefore \angle QRC=180°-42°=138°$

다른 풀이

$\angle AQP=\angle ARP=90°$이므로 네 점 A, Q, R, P는 한 원 위에 있다.

$\triangle AQP$와 $\triangle APB$에서

$\angle BAP$는 공통, $\angle AQP=\angle APB=90°$이므로

$\triangle AQP \backsim \triangle APB$ (AA 닮음)

따라서 $\angle APQ=\angle ABP=42°$이므로

$\angle ARQ=\angle APQ=42°$

$\therefore \angle QRC=180°-42°=138°$

전략

$\angle AQP=\angle ARP=90°$이므로 네 점 A, Q, R, P는 한 원 위에 있고 $\angle ARQ=\angle APQ$이다.

04 답 $\frac{2}{3}\pi$

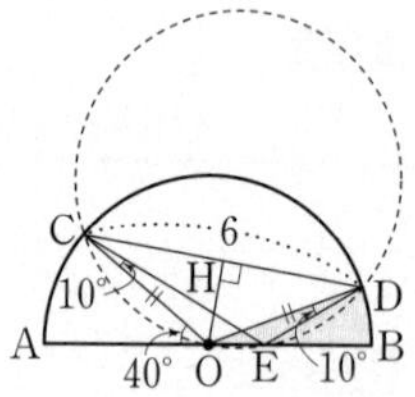

오른쪽 그림에서

$\angle OCE=\angle ODE=10°$이므로 네 점 C, O, E, D는 한 원 위에 있다.

$\triangle COE$에서

$\angle CEO=40°-10°=30°$이므로

$\angle CDO=\angle CEO=30°$

이때 $\triangle COD$에서 $\overline{OC}=\overline{OD}$이므로

$\angle COD=180°-2\times30°=120°$

$\therefore \angle DOB=180°-(40°+120°)=20°$

한편 점 O에서 $\overline{CD}$에 내린 수선의 발을 H라고 하면

$\overline{DH}=\frac{1}{2}\overline{CD}=\frac{1}{2}\times6=3$

$\triangle HOD$에서

$\overline{OD}=\frac{\overline{DH}}{\cos 30°}=3\div\frac{\sqrt{3}}{2}=2\sqrt{3}$

$\therefore$ (부채꼴 OBD의 넓이)$=\pi\times(2\sqrt{3})^2\times\frac{20}{360}=\frac{2}{3}\pi$

전략

$\angle OCE=\angle ODE=10°$이므로 네 점 C, O, E, D는 한 원 위에 있다.

05 답 $126°$

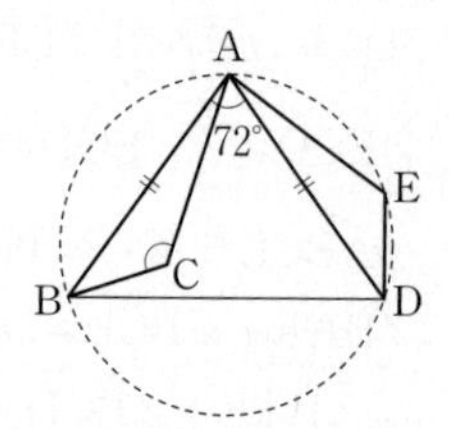

오른쪽 그림과 같이 $\overline{BD}$를 그으면

$\triangle ABC\equiv\triangle ADE$이므로 $\overline{AB}=\overline{AD}$

$\therefore \angle ABD=\frac{1}{2}\times(180°-72°)=54°$

이때 □ABDE가 원에 내접하므로

$\angle AED=180°-54°=126°$

$\therefore \angle ACB=\angle AED=126°$

전략

□ABDE가 원에 내접하므로 한 쌍의 대각의 크기의 합이 $180°$임을 이용한다.

06 답 $120°$

$\overline{BE}$가 원 O의 지름이므로 $\angle BCE=90°$

$\therefore \angle DCE=90°-70°=20°$

$\triangle PCE$에서 $\angle PEC=80°-20°=60°$

이때 □ABCE가 원 O에 내접하므로

$\angle ABC=180°-60°=120°$

전략

□ABCE가 원 O에 내접하므로 $\angle ABC+\angle AEC=180°$이다.

07 답 $60°$

□BCDE가 원 O에 내접하므로

$\angle BED=180°-105°=75°$

$\overline{BE}$가 원 O의 지름이므로 $\angle BDE=90°$

$\triangle EBD$에서 $\angle EBD=180°-(75°+90°)=15°$이므로

$\angle ABD=2\angle EBD=2\times15°=30°$

따라서 $\triangle FBD$에서

$\angle x=180°-(30°+90°)=60°$

전략

□BCDE가 원 O에 내접하므로 $\angle BED$의 크기를 구할 수 있다.

08 답 ㉡, ㉢

㉠ □ABCD가 원에 내접하므로 $\angle ADC=90°$이면 $\angle ABC=180°-90°=90°$이어야 한다.
따라서 $\triangle ABC$에서 $\overline{BE}^2=\overline{AE}\times\overline{CE}$가 성립해야 하는데 $5^2\neq3\times7$이므로 성립하지 않는다.
$\therefore \angle ADC\neq90°$

㉡ $\angle DAC=\angle DBC$ ($\overset{\frown}{DC}$에 대한 원주각)

㉢ $\angle DAB=90°$이므로 $\overline{BD}$는 네 점 A, B, C, D를 지나는 원의 지름이다.

㉣ ㉠에서 $\angle ADC \neq 90°$이므로 $\overline{AC}$는 원의 지름이 아니다.
따라서 네 점 A, B, C, D를 지나는 원의 중심은 $\overline{AC}$ 위에 있지 않다.

따라서 옳은 것은 ㉡, ㉢이다.

전략
원에 내접하는 사각형에서 한 쌍의 대각의 크기의 합은 180°이다.

09 답 $\frac{21\sqrt{2}}{4}$

오른쪽 그림과 같이 $\overset{\frown}{ACB}$를 제외한 원 O 위에 임의의 한 점 D를 잡으면

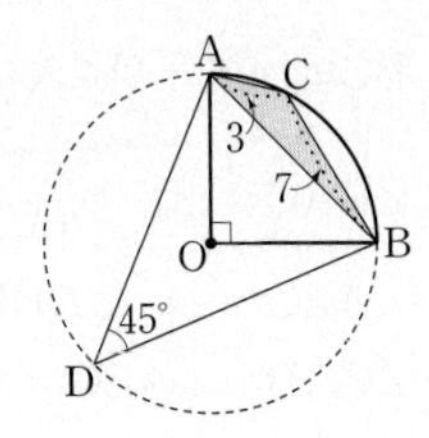

$\angle ADB = \frac{1}{2}\angle AOB$

$= \frac{1}{2} \times 90° = 45°$

이때 □ADBC는 원 O에 내접하므로

$\angle ACB = 180° - 45° = 135°$

$\therefore \triangle ABC = \frac{1}{2} \times 3 \times 7 \times \sin(180° - 135°)$

$= \frac{1}{2} \times 3 \times 7 \times \frac{\sqrt{2}}{2}$

$= \frac{21\sqrt{2}}{4}$

다른 풀이

오른쪽 그림과 같이 $\overline{OC}$를 긋고 $\angle AOC = \angle a$, $\angle BOC = \angle b$라고 하면

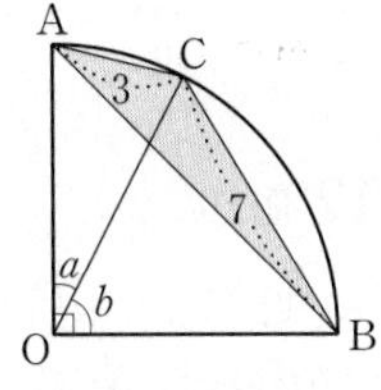

△OAC에서 $\overline{OA} = \overline{OC}$이므로

$\angle OCA = \frac{1}{2} \times (180° - \angle a)$

$= 90° - \frac{1}{2}\angle a$

△OBC에서 $\overline{OB} = \overline{OC}$이므로

$\angle OCB = \frac{1}{2} \times (180° - \angle b) = 90° - \frac{1}{2}\angle b$

$\angle ACB = \angle OCA + \angle OCB$

$= \left(90° - \frac{1}{2}\angle a\right) + \left(90° - \frac{1}{2}\angle b\right)$

$= 180° - \frac{1}{2}(\angle a + \angle b)$

$= 180° - \frac{1}{2} \times 90° = 135°$

$\therefore \triangle ABC = \frac{1}{2} \times 3 \times 7 \times \sin(180° - 135°)$

$= \frac{1}{2} \times 3 \times 7 \times \frac{\sqrt{2}}{2}$

$= \frac{21\sqrt{2}}{4}$

전략
$\overset{\frown}{AB}$에 대한 원주각의 크기를 구한다.

10 답 24°

△ACP에서

$\angle BAC = \angle x + 28°$

오른쪽 그림과 같이 $\overline{AD}$, $\overline{BC}$를 그으면 $\overset{\frown}{AB} = \overset{\frown}{BC} = \overset{\frown}{CD}$이므로

$\angle ACB = \angle BAC = \angle CAD$

$= \angle x + 28°$

이때 □ABCD가 원에 내접하므로

$(\angle x + 28°) + \angle x + (\angle x + 28°) + (\angle x + 28°) = 180°$

$4\angle x = 96° \quad \therefore \angle x = 24°$

전략
$\overline{AD}$, $\overline{BC}$를 그으면 $\angle ACB = \angle BAC = \angle CAD$이다.

11 답 ④, ⑤

다음 그림과 같이 $\overline{BQ}$, $\overline{CP}$를 긋고 $\angle BAD = \angle CAD = \angle a$라고 하자.

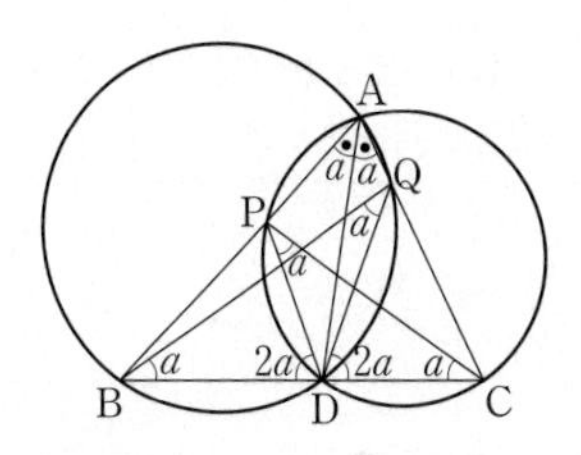

④ △PBD와 △CQD에서

(i) $\angle BQD = \angle BAD = \angle a$ ($\overset{\frown}{BD}$에 대한 원주각)

$\angle DBQ = \angle DAQ = \angle a$ ($\overset{\frown}{DQ}$에 대한 원주각)

즉 △BDQ는 이등변삼각형이므로 $\overline{BD} = \overline{QD}$

(ii) $\angle PCD = \angle PAD = \angle a$ ($\overset{\frown}{PD}$에 대한 원주각)

$\angle DPC = \angle DAC = \angle a$ ($\overset{\frown}{DC}$에 대한 원주각)

즉 △PDC는 이등변삼각형이므로 $\overline{PD} = \overline{CD}$

(iii) □APDC가 원에 내접하므로

$\angle PDB = \angle PAC = 2\angle a$

□ABDQ가 원에 내접하므로

$\angle CDQ = \angle BAQ = 2\angle a$

$\therefore \angle PDB = \angle CDQ$

(i)~(iii)에서 △PBD≡△CQD (SAS 합동)이므로

△PBD=△CQD

⑤ △ABC와 △DBP에서

$\angle ABC$는 공통, $\angle BAC = \angle BDP = 2\angle a$

$\therefore$ △ABC∽△DBP (AA 닮음)

따라서 옳은 것은 ④, ⑤이다.

전략
길이가 같은 선분과 크기가 같은 각을 찾아
△PBD≡△CQD (SAS 합동)임을 이용한다.

12 답 6개

$\overline{BC}$에 대하여 $\angle BEF=\angle BEC=90°$이므로 □FBCE는 원에 내접한다.
마찬가지 방법으로 □ABDE, □AFDC도 원에 내접한다.
또 $\angle AFG+\angle AEG=180°$이므로 □AFGE는 원에 내접한다.
마찬가지 방법으로 □FBDG, □GDCE도 원에 내접한다.
따라서 원에 내접하는 사각형은 모두 6개이다.

전략
크기가 같은 각을 이용하여 원에 내접하는 사각형을 찾는다.

13 답 10°

△CED에서
$\angle CDP=20°+30°=50°$
△PCD에서 $\overline{PC}=\overline{PD}$이므로
$\angle PCD=\angle PDC=50°$
$\therefore \angle x=180°-(50°+50°)=80°$
$\angle y=\angle BCP=20°+50°=70°$
$\therefore \angle x-\angle y=80°-70°=10°$

전략
△PCD에서 $\overline{PC}=\overline{PD}$이므로 ∠PCD의 크기를 구하고 원의 접선과 현이 이루는 각의 성질을 이용한다.

14 답 121°

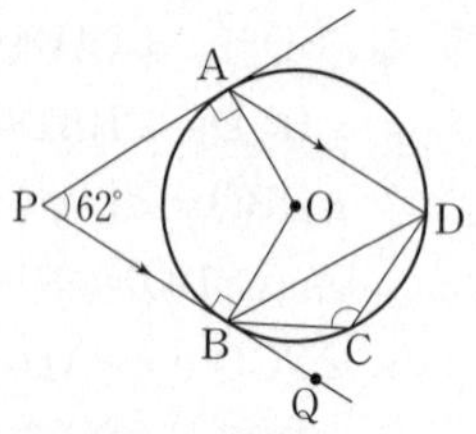

오른쪽 그림과 같이 $\overline{OA}$, $\overline{OB}$를 그으면
$\angle PAO=\angle PBO=90°$이므로
□APBO에서
$\angle AOB=180°-62°=118°$
이때 $\overline{BD}$를 그으면
$\angle ADB=\frac{1}{2}\angle AOB=\frac{1}{2}\times 118°=59°$
$\overrightarrow{PB}$ 위에 한 점 Q를 잡으면
$\angle DBQ=\angle ADB=59°$ (엇각)이므로
$\angle PBD=180°-59°=121°$
$\therefore \angle BCD=\angle PBD=121°$

전략
$\overline{OA}$, $\overline{OB}$를 긋고 ∠AOB의 크기를 구한다. 또 $\overline{BD}$를 그어 ∠BCD와 크기가 같은 각을 찾는다.

15 답 265°

△PAB에서 $\overline{PA}=\overline{PB}$이므로
$\angle PBA=\frac{1}{2}\times(180°-50°)=65°$
$\therefore \angle x=\angle PBA=65°$
$\angle EAD=\angle ECD=29°$이므로
△EAF에서
$\angle y=90°+29°=119°$
□ABCD가 원에 내접하므로
$70°+(\angle z+29°)=180°$ $\quad\therefore \angle z=81°$
$\therefore \angle x+\angle y+\angle z=65°+119°+81°=265°$

전략
원의 접선과 현이 이루는 각, 원에 내접하는 사각형의 성질을 이용한다.

16 답 63°

$\widehat{BC}$의 길이가 원주의 $\frac{3}{10}$이므로
$\angle BAC=180°\times\frac{3}{10}=54°$
$\angle ABC=\angle a$, $\angle ADE=\angle EDB=\angle b$라고 하면
$\angle CAD=\angle ABC=\angle a$
△ABD에서
$(54°+\angle a)+\angle a+2\angle b=180°$
$2\angle a+2\angle b=126°$ $\quad\therefore \angle a+\angle b=63°$
따라서 △EBD에서
$\angle AED=\angle a+\angle b=63°$

전략
∠CAD=∠ABC이고 ∠AED=∠EBD+∠EDB이다.

17 답 30°

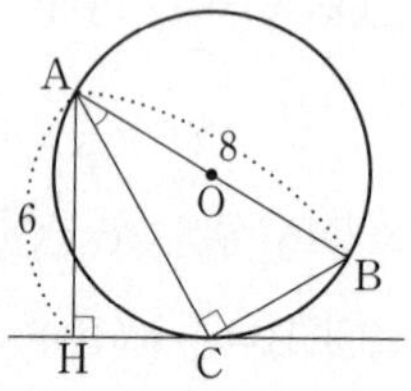

오른쪽 그림과 같이 $\overline{BC}$를 그으면
$\angle ACH=\angle ABC$
$\overline{AB}$가 원 O의 지름이므로
$\angle ACB=90°$
△AHC와 △ACB에서
$\angle ACH=\angle ABC$,
$\angle AHC=\angle ACB=90°$이므로
△AHC∽△ACB (AA 닮음)
이때 $\overline{AH}:\overline{AC}=\overline{AC}:\overline{AB}$이므로
$6:\overline{AC}=\overline{AC}:8$
$\overline{AC}^2=48$ $\quad\therefore \overline{AC}=4\sqrt{3}$ ($\because \overline{AC}>0$)
따라서 △ACB에서
$\cos(\angle BAC)=\frac{\overline{AC}}{\overline{AB}}=\frac{4\sqrt{3}}{8}=\frac{\sqrt{3}}{2}$이므로
$\angle BAC=30°$ ($\because 0°<\angle BAC<90°$)

전략
$\overline{BC}$를 긋고 △AHC∽△ACB (AA 닮음)임을 이용하여 $\overline{AC}$의 길이를 구한다.

18 답 19°

오른쪽 그림과 같이 $\overline{AE}$를 긋고

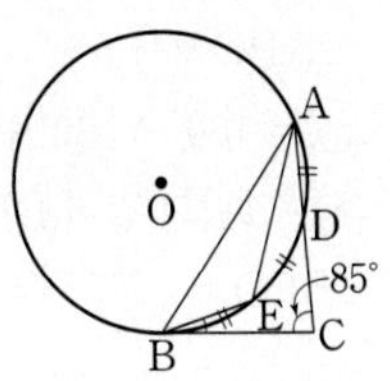

$\angle EBC=\angle x$라고 하면

$\angle BAE=\angle EBC=\angle x$

이때 $\widehat{AD}=\widehat{DE}=\widehat{EB}$이므로

$\angle DAE=\angle BAE=\angle x$,

$\angle ABE=2\angle BAE=2\angle x$

따라서 $\triangle ABC$에서

$2\angle x+3\angle x+85°=180°$, $5\angle x=95°$ $\quad\therefore \angle x=19°$

$\therefore \angle EBC=\angle x=19°$

> **전략**
> $\overline{AE}$를 긋고 원주각의 성질과 원의 접선과 현이 이루는 각의 성질을 이용한다.

19 답 (1) 55° (2) 80°

(1) $\overline{BC}$가 반원의 지름이므로 $\angle BAC=90°$

$\triangle ABC$에서

$\angle ACB=180°-(90°+35°)=55°$이므로

$\angle TAB=\angle ACB=55°$

$\therefore \angle ADE=\angle TAE=55°$

(2) 오른쪽 그림과 같이 $\overline{AC}$와 원의 교점을 F라고 하고 $\overline{DF}$를 그으면

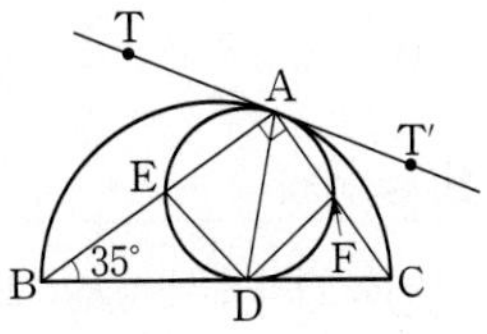

$\angle T'AC=\angle ABC=35°$이므로

$\angle ADF=\angle T'AC=35°$

$\angle FDC=\angle x$라고 하면

$\angle DAF=\angle FDC=\angle x$이므로

$\triangle ADC$에서

$\angle x+(35°+\angle x)+55°=180°$

$2\angle x=90°$ $\quad\therefore \angle x=45°$

$\therefore \angle ADC=35°+\angle x=35°+45°=80°$

> **전략**
> $\overline{AC}$와 원의 교점을 F라고 하고 $\overline{DF}$를 그어 원의 접선과 현이 이루는 각의 성질을 이용한다.

20 답 94°

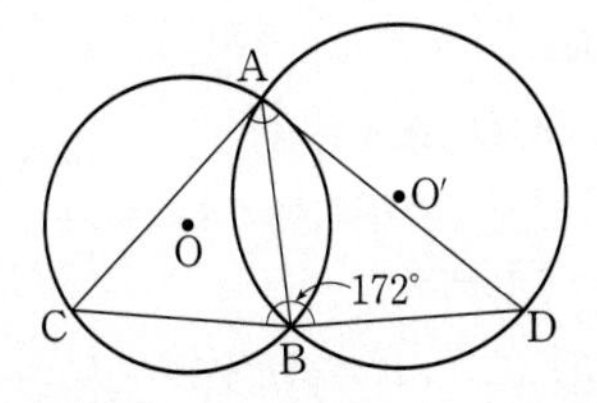

위 그림과 같이 $\overline{AB}$를 긋고 $\angle CAB=\angle a$, $\angle DAB=\angle b$라고 하면

$\angle ADB=\angle CAB=\angle a$, $\angle ACB=\angle DAB=\angle b$

따라서 □ACBD에서

$(\angle a+\angle b)+\angle b+172°+\angle a=360°$

$2\angle a+2\angle b=188°$ $\quad\therefore \angle a+\angle b=94°$

$\therefore \angle CAD=\angle a+\angle b=94°$

> **전략**
> $\overline{AB}$를 긋고 $\angle CAB$, $\angle DAB$와 크기가 같은 각을 각각 찾는다.

STEP 3 | 전교 1등 확실하게 굳히는 문제 p. 64~66

1 $\sqrt{6}+3\sqrt{2}$	**2** 56°	**3** $(2\sqrt{3}-3)$ cm
4 80°	**5** 24π	**6** $\frac{3}{4}$

1 답 $\sqrt{6}+3\sqrt{2}$

$\angle BAD=90°$이므로 $\overline{BD}$는 원의 지름이고

□ABCD가 원에 내접하므로 $\angle BCD=180°-90°=90°$

$\triangle BCD$에서 $\overline{BD}=4+4=8$이므로

$\overline{BC}=\overline{BD}\cos 60°=8\times\frac{1}{2}=4$

$\triangle BCP$에서

$\overline{BP}=\overline{BC}\cos 60°=4\times\frac{1}{2}=2$

$\overline{PC}=\overline{BC}\sin 60°=4\times\frac{\sqrt{3}}{2}=2\sqrt{3}$

한편 오른쪽 그림과 같이 $\overline{BD}$와 $\overline{CQ}$의 교점을 E라고 하면

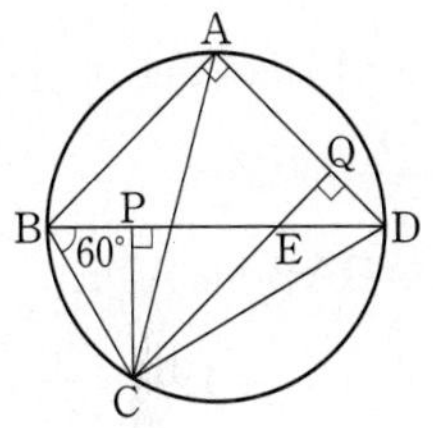

$\angle PEC=\angle QED$ (맞꼭지각)

$=180°-(90°+45°)$

$=45°$

즉 $\triangle PCE$는 직각이등변삼각형이므로

$\overline{PE}=\overline{PC}=2\sqrt{3}$

$\therefore \overline{ED}=8-(2+2\sqrt{3})=6-2\sqrt{3}$

$\triangle PCE$에서

$\overline{CE}=\frac{\overline{PC}}{\sin 45°}=2\sqrt{3}\div\frac{\sqrt{2}}{2}=2\sqrt{6}$

$\triangle QED$에서

$\overline{QE}=\overline{ED}\sin 45°=(6-2\sqrt{3})\times\frac{\sqrt{2}}{2}=3\sqrt{2}-\sqrt{6}$

$\therefore \overline{CQ}=\overline{CE}+\overline{QE}=2\sqrt{6}+(3\sqrt{2}-\sqrt{6})=\sqrt{6}+3\sqrt{2}$

> **전략**
> $\angle BAD=90°$이므로 $\overline{BD}$는 원의 지름이고 □ABCD가 원에 내접하므로 $\angle BAD+\angle BCD=180°$임을 이용한다.

> **참고**
> $\angle CPD=\angle CQD=90°$이므로 네 점 P, C, D, Q는 한 원 위에 있다.
> 따라서 $\angle PCQ=\angle PDQ=45°$이므로
> $\triangle PCE$는 직각이등변삼각형이다.

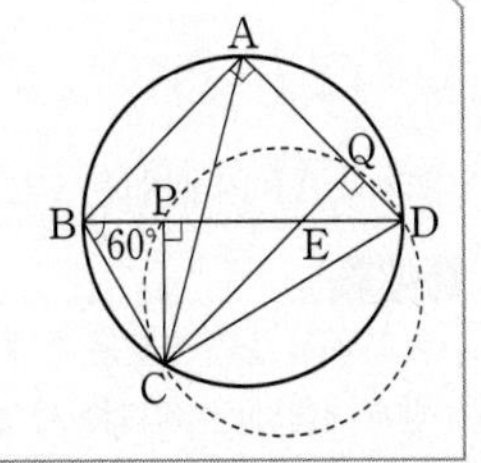

2 답 56°

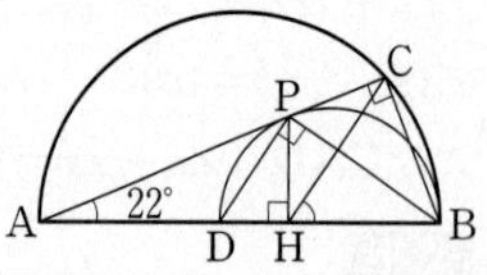

오른쪽 그림과 같이 $\overline{PD}$, $\overline{PB}$, $\overline{BC}$를 그으면 $\overline{BD}$가 작은 반원의 지름이므로 $\angle DPB=90^\circ$

$\angle APD=\angle x$라고 하면

$\angle PBD=\angle APD=\angle x$이므로

$\triangle PAB$에서

$(\angle x+90^\circ)+22^\circ+\angle x=180^\circ$

$2\angle x=68^\circ \qquad \therefore \angle x=34^\circ$

$\therefore \angle CPB=180^\circ-(34^\circ+90^\circ)=56^\circ$

또 $\overline{AB}$가 큰 반원의 지름이므로 $\angle ACB=90^\circ$

이때 $\angle PHB+\angle PCB=90^\circ+90^\circ=180^\circ$이므로

$\square PHBC$는 원에 내접한다.

$\therefore \angle CHB=\angle CPB=56^\circ$

전략

$\overline{PD}$, $\overline{PB}$, $\overline{BC}$를 긋고, 한 쌍의 대각의 크기의 합이 180°인 사각형은 원에 내접함을 이용한다.

3 답 $(2\sqrt{3}-3)$ cm

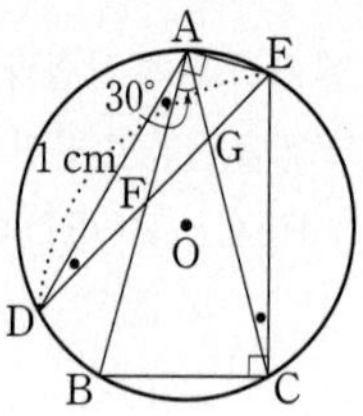

오른쪽 그림과 같이 $\overline{AD}$, $\overline{AE}$, $\overline{CE}$를 그으면 $\widehat{DB}$와 $\widehat{AE}$의 길이가 각각 원주의 $\frac{1}{12}$이므로

$\angle DAB=\angle ADE$

$=180^\circ\times\frac{1}{12}=15^\circ$

즉 $\triangle ADF$에서

$\overline{AF}=\overline{DF}$, $\angle AFE=15^\circ+15^\circ=30^\circ$

한편 $\triangle ABC$에서

$\angle ACB=\angle ABC=\frac{1}{2}\times(180^\circ-30^\circ)=75^\circ$이고,

$\angle ACE=\angle ADE=15^\circ$이므로

$\angle BCE=75^\circ+15^\circ=90^\circ$

이때 $\square ABCE$가 원 O에 내접하므로

$\angle BAE=180^\circ-90^\circ=90^\circ$

$\overline{AF}=x$ cm라고 하면 $\overline{DF}=\overline{AF}=x$ cm이므로

$\overline{EF}=(1-x)$ cm

$\triangle AFE$에서 $\overline{AF}=\overline{EF}\cos 30^\circ$이므로

$x=\frac{\sqrt{3}}{2}(1-x)$, $2x=\sqrt{3}-\sqrt{3}x$

$(2+\sqrt{3})x=\sqrt{3} \qquad \therefore x=\frac{\sqrt{3}}{2+\sqrt{3}}=2\sqrt{3}-3$

따라서 $\overline{AF}$의 길이는 $(2\sqrt{3}-3)$ cm이다.

전략

한 원에서 길이가 같은 호에 대한 원주각의 크기는 같음을 이용한다. 또 원에 내접하는 사각형에서 대각의 크기의 합은 180°임을 이용한다.

4 답 80°

$\triangle ABC$에서

$\angle C=180^\circ-(80^\circ+60^\circ)=40^\circ$

다음 그림과 같이 $\overline{DF}$를 그으면 $\square EFDC$가 원에 내접하므로

$\angle BFD=\angle ECD=40^\circ$

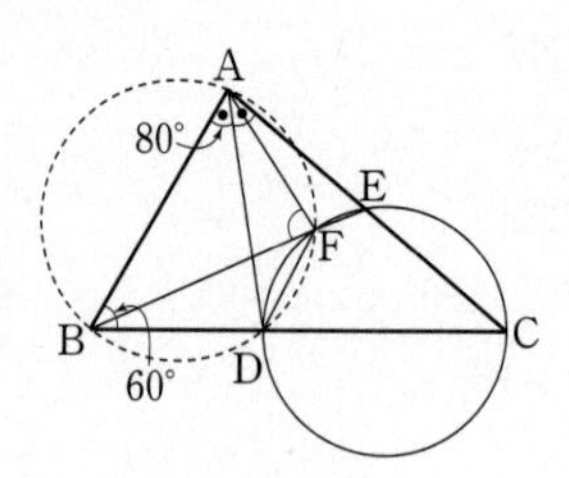

또 $\overline{AD}$는 $\angle BAC$의 이등분선이므로

$\angle BAD=\frac{1}{2}\angle BAC=\frac{1}{2}\times 80^\circ=40^\circ$

즉 $\angle BAD=\angle BFD=40^\circ$이므로 네 점 A, B, D, F는 한 원 위에 있다.

따라서 $\angle ABD+\angle AFD=180^\circ$이므로

$60^\circ+(\angle AFB+40^\circ)=180^\circ \qquad \therefore \angle AFB=80^\circ$

전략

원에 내접하는 사각형의 성질과 사각형이 원에 내접하기 위한 조건을 생각한다.

5 답 24π

$\square ABCD$가 원에 내접하므로

$\angle ABC+\angle ADC=180^\circ$

오른쪽 그림과 같이 $\square ABCD$와 내접원 O의 접점을 각각 E, F, G, H라 하고

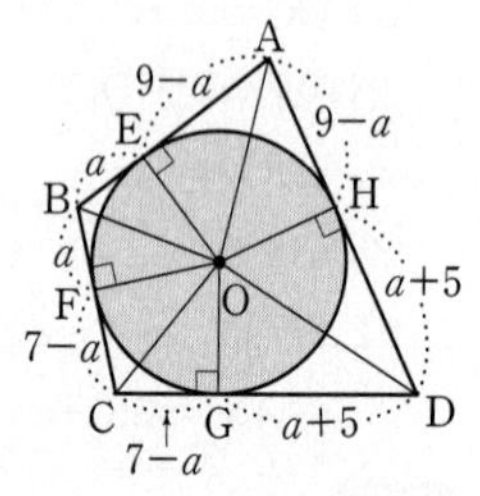

$\overline{BE}=\overline{BF}=a$라고 하면

$\overline{AH}=\overline{AE}=9-a$,

$\overline{CG}=\overline{CF}=7-a$,

$\overline{DH}=\overline{DG}=12-(7-a)=a+5$

$\triangle BFO$와 $\triangle OGD$에서

$\angle BFO=\angle OGD=90^\circ$,

$\angle FBO=\frac{1}{2}\angle ABC=\frac{1}{2}\times(180^\circ-\angle ADC)$

$=90^\circ-\frac{1}{2}\angle ADC=90^\circ-\angle ODG$

$=\angle GOD$

$\therefore \triangle BFO \backsim \triangle OGD$ (AA 닮음)

이때 내접원 O의 반지름의 길이를 r라고 하면

$\overline{BF}:\overline{OG}=\overline{FO}:\overline{GD}$에서

$a:r=r:(a+5) \qquad \therefore r^2=a(a+5)$ …… ㉠

마찬가지 방법으로 $\triangle CGO \backsim \triangle OHA$ (AA 닮음)이므로

$\overline{CG}:\overline{OH}=\overline{GO}:\overline{HA}$에서

$(7-a):r=r:(9-a) \qquad \therefore r^2=(7-a)(9-a)$ …… ㉡

㉠, ㉡에서

$a(a+5)=(7-a)(9-a)$

$21a=63 \qquad \therefore a=3$

$a=3$을 ㉠에 대입하면 $r^2=24$

$\therefore$ (내접원 O의 넓이)$=\pi r^2=24\pi$

다른 풀이

오른쪽 그림과 같이 점 C에서 $\overline{AB}$의 연장선에 내린 수선의 발을 E, 점 A에서 $\overline{CD}$에 내린 수선의 발을 F라고 하면 □ABCD가 원에 내접하므로

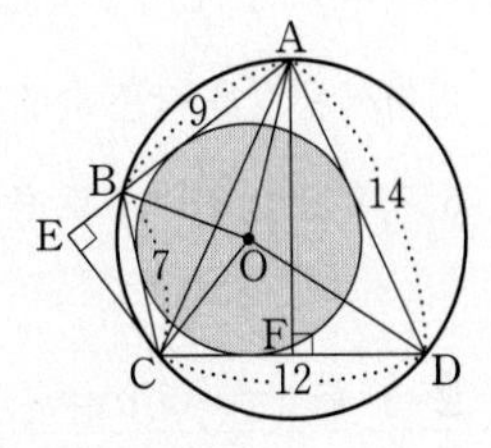

$\angle EBC=\angle ADC$

$\triangle CBE$와 $\triangle ADF$에서

$\angle CEB=\angle AFD=90^\circ$, $\angle CBE=\angle ADF$이므로

$\triangle CBE \backsim \triangle ADF$ (AA 닮음)

이때 $\overline{CB}:\overline{AD}=7:14=1:2$이므로

$\overline{BE}=x$라고 하면 $\overline{DF}=2x$이고

$\triangle CBE$에서 $\overline{CE}=\sqrt{7^2-x^2}=\sqrt{49-x^2}$이므로

$\overline{AF}=2\sqrt{49-x^2}=\sqrt{196-4x^2}$

$\overline{AC}$를 그으면 $\triangle AEC$에서

$$\begin{aligned}\overline{AC}^2&=\overline{AE}^2+\overline{CE}^2\\&=(9+x)^2+(\sqrt{49-x^2})^2\\&=81+18x+x^2+49-x^2\\&=18x+130 \qquad \cdots\cdots ㉠\end{aligned}$$

$\triangle ACF$에서

$$\begin{aligned}\overline{AC}^2&=\overline{AF}^2+\overline{CF}^2\\&=(\sqrt{196-4x^2})^2+(12-2x)^2\\&=196-4x^2+144-48x+4x^2\\&=-48x+340 \qquad \cdots\cdots ㉡\end{aligned}$$

㉠, ㉡에서

$18x+130=-48x+340,\ 66x=210 \qquad \therefore x=\frac{35}{11}$

즉 $\overline{CE}=\sqrt{49-x^2}=\sqrt{49-\left(\frac{35}{11}\right)^2}=\sqrt{\frac{4704}{121}}=\frac{28\sqrt{6}}{11}$,

$\overline{AF}=\sqrt{196-4x^2}=\sqrt{196-4\times\left(\frac{35}{11}\right)^2}=\sqrt{\frac{18816}{121}}=\frac{56\sqrt{6}}{11}$

이므로

$$\begin{aligned}\square ABCD&=\triangle ABC+\triangle ACD\\&=\frac{1}{2}\times\overline{AB}\times\overline{CE}+\frac{1}{2}\times\overline{CD}\times\overline{AF}\\&=\frac{1}{2}\times9\times\frac{28\sqrt{6}}{11}+\frac{1}{2}\times12\times\frac{56\sqrt{6}}{11}\\&=42\sqrt{6} \qquad \cdots\cdots ㉢\end{aligned}$$

또 내접원 O의 반지름의 길이를 r라고 하면

$$\begin{aligned}\square ABCD&=\triangle OAB+\triangle OBC+\triangle OCD+\triangle ODA\\&=\frac{1}{2}\times9\times r+\frac{1}{2}\times7\times r+\frac{1}{2}\times12\times r+\frac{1}{2}\times14\times r\\&=\frac{1}{2}\times r\times(9+7+12+14)\\&=21r \qquad \cdots\cdots ㉣\end{aligned}$$

㉢, ㉣에서

$21r=42\sqrt{6} \qquad \therefore r=2\sqrt{6}$

$\therefore$ (내접원 O의 넓이)$=\pi\times(2\sqrt{6})^2=24\pi$

전략

원 밖의 한 점에서 그 원에 그은 접선의 길이는 같음을 이용하여 □ABCD의 각 꼭짓점에서 내접원 O의 접점까지의 거리를 각각 한 문자로 나타낸다.

6 답 $\frac{3}{4}$

오른쪽 그림과 같이 원의 중심 O를 지나는 $\overline{AG}$, $\overline{CH}$를 긋고 $\overline{BG}$, $\overline{DH}$를 그으면 $\overline{AG}$, $\overline{CH}$가 원 O의 지름이므로

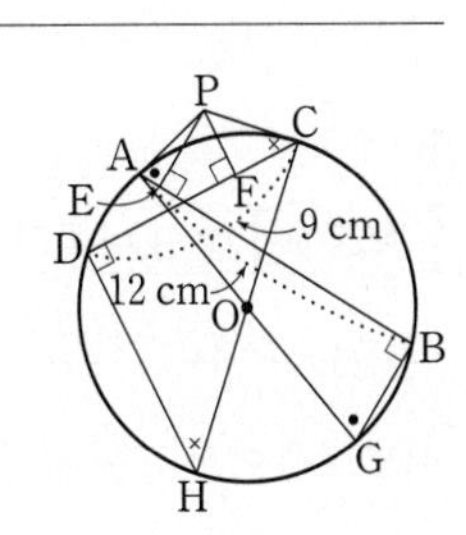

$\angle ABG=90^\circ$, $\angle CDH=90^\circ$

$\triangle PAE$와 $\triangle AGB$에서

$\angle PEA=\angle ABG=90^\circ$,

$\angle PAE=\angle AGB$이므로

$\triangle PAE \backsim \triangle AGB$ (AA 닮음)

$\therefore \overline{PE}:\overline{AB}=\overline{PA}:\overline{AG}$

$\triangle PFC$와 $\triangle CDH$에서

$\angle PFC=\angle CDH=90^\circ$, $\angle PCF=\angle CHD$이므로

$\triangle PFC \backsim \triangle CDH$ (AA 닮음)

$\therefore \overline{PF}:\overline{CD}=\overline{PC}:\overline{CH}$

이때 $\overline{PA}=\overline{PC}$, $\overline{AG}=\overline{CH}$이므로

$\overline{PE}:\overline{AB}=\overline{PA}:\overline{AG}=\overline{PC}:\overline{CH}=\overline{PF}:\overline{CD}$

$\therefore \frac{\overline{PF}}{\overline{PE}}=\frac{\overline{CD}}{\overline{AB}}=\frac{9}{12}=\frac{3}{4}$

전략

원의 중심 O를 지나는 $\overline{AG}$, $\overline{CH}$를 긋고 $\triangle PAE \backsim \triangle AGB$ (AA 닮음), $\triangle PFC \backsim \triangle CDH$ (AA 닮음)임을 이용한다.

III 통계

01 대푯값과 산포도

확인 ❶ 답 35

$(\text{평균})=\frac{3+8+8+8+13+15+15+18+20+22}{10}$

$=\frac{130}{10}=13(\text{회})$

$\therefore a=13$

중앙값은 변량을 작은 값부터 크기순으로 나열할 때, 5번째와 6번째 변량의 평균이므로

$(\text{중앙값})=\frac{13+15}{2}=14(\text{회}) \qquad \therefore b=14$

8회가 세 번으로 가장 많이 나타나므로 최빈값은 8회이다.

$\therefore c=8$

$\therefore a+b+c=13+14+8=35$

확인 ❷ 답 표는 풀이 참조, 분산 : 4, 표준편차 : 2시간

$(\text{평균})=\frac{6+9+10+8+12}{5}=\frac{45}{5}=9(\text{시간})$

이므로 주어진 표를 완성하면 다음과 같다.

(단위 : 시간)

학생	A	B	C	D	E
수면 시간	6	9	10	8	12
편차	−3	0	1	−1	3

$\therefore (\text{분산})=\frac{(-3)^2+0^2+1^2+(-1)^2+3^2}{5}=\frac{20}{5}=4$

$\therefore (\text{표준편차})=\sqrt{4}=2(\text{시간})$

STEP 1 억울하게 울리는 문제 p. 69 ~ 70

1-1 11 **1-2** 8.5 **2-1** $a=-3, b=0$
2-2 2 **3-1** 15 **3-2** $a=7, b=12$
4-1 88 **4-2** $x=5, y=4$ **5-1** 409
5-2 평균 : 11, 분산 : 6

1-1 답 11

$(\text{평균})=\frac{8+6+4+8+x+9+10+8}{8}=\frac{53+x}{8}$

자료에서 가장 많이 나타나는 값이 8이므로 최빈값은 8이다.

이때 평균과 최빈값이 같으므로

$\frac{53+x}{8}=8, 53+x=64 \qquad \therefore x=11$

1-2 답 8.5

$(\text{평균})=\frac{7+9+x+15+8+6}{6}=\frac{45+x}{6}$

자료에서 x를 제외한 나머지 변량들이 모두 다르므로 x가 이 자료의 최빈값이다. 이때 평균과 최빈값이 같으므로

$\frac{45+x}{6}=x, 45+x=6x \qquad \therefore x=9$

따라서 변량을 작은 값부터 크기순으로 나열하면

6, 7, 8, 9, 9, 15이므로 중앙값은 $\frac{8+9}{2}=8.5$

2-1 답 $a=-3, b=0$

평균이 0이므로

$\frac{(-1)+a+1+4+b+(-6)+5}{7}=0$

$a+b+3=0 \qquad \therefore a+b=-3$

자료의 중앙값이 0이므로 7개의 변량을 작은 값부터 크기순으로 나열할 때 4번째 변량이 0이어야 한다.

그런데 $a<b$이므로 $a=-3, b=0$

2-2 답 2

평균이 1이므로

$\frac{(-4)+(-3)+a+2+b+3+5+0}{8}=1$

$a+b+3=8 \qquad \therefore a+b=5$

$a+b=5, a-b=-1$을 연립하여 풀면 $a=2, b=3$

따라서 변량을 작은 값부터 크기순으로 나열하면

$-4, -3, 0, 2, 2, 3, 3, 5$이므로 중앙값은 $\frac{2+2}{2}=2$

3-1 답 15

변량 3, 5, a, b, 8의 중앙값이 6이므로 5개의 변량을 작은 값부터 크기순으로 나열할 때 3번째 변량이 6이어야 한다.

이때 $a<b$이므로 $a=6$

또 변량 2, 6, 7, b, 10, 12의 중앙값은 작은 값부터 크기순으로 나열할 때 3번째와 4번째 변량의 평균이고 그 값이 8이므로

$7<b<10$이어야 한다. 즉

$\frac{7+b}{2}=8, 7+b=16 \qquad \therefore b=9$

$\therefore a+b=6+9=15$

3-2 답 $a=7, b=12$

조건 ㈎에서 변량 6, 8, 15, 17, a의 중앙값은 8이므로 5개의 변량을 작은 값부터 크기순으로 나열할 때 3번째 변량이 8이어야 한다.

$\therefore a\le 8$

조건 ㈏에서 변량 2, 14, a, b, 15의 평균이 10이므로

$\frac{2+14+a+b+15}{5}=10, 31+a+b=50 \qquad \therefore a+b=19$

변량 2, 14, a, b, 15의 중앙값이 12이므로 5개의 변량을 작은 값부터 크기순으로 나열할 때 3번째 변량이 12이어야 한다.
이때 $a \le 8$이므로 $b=12$, $a=19-12=7$

4-1 답 88

평균이 9이므로 $\frac{11+8+x+y+12}{5}=9$

$x+y+31=45 \quad \therefore x+y=14$ ······ ㉠

분산이 $\frac{12}{5}$이므로

$\frac{(11-9)^2+(8-9)^2+(x-9)^2+(y-9)^2+(12-9)^2}{5}=\frac{12}{5}$

$\therefore x^2+y^2-18(x+y)+176=12$ ······ ㉡

㉠을 ㉡에 대입하면

$x^2+y^2-18\times14+176=12 \quad \therefore x^2+y^2=88$

4-2 답 $x=5$, $y=4$

평균이 6이므로 $\frac{5+x+7+y+9}{5}=6$

$x+y+21=30 \quad \therefore x+y=9$ ······ ㉠

또 표준편차가 $\sqrt{3.2}$, 즉 분산이 3.2이므로

$\frac{(5-6)^2+(x-6)^2+(7-6)^2+(y-6)^2+(9-6)^2}{5}=3.2$

$\therefore x^2+y^2-12(x+y)+83=16$ ······ ㉡

㉠을 ㉡에 대입하면

$x^2+y^2-12\times9+83=16 \quad \therefore x^2+y^2=41$ ······ ㉢

이때 ㉠에서 $y=9-x$이므로 $y=9-x$를 ㉢에 대입하면

$x^2+(9-x)^2=41$, $x^2-9x+20=0$

$(x-4)(x-5)=0 \quad \therefore x=4$ 또는 $x=5$

(i) $x=4$일 때, $y=9-4=5$

(ii) $x=5$일 때, $y=9-5=4$

(i)~(ii)에서 $x=5$, $y=4$ ($\because x>y$)

5-1 답 409

변량 x_1, x_2, x_3, x_4, x_5의 평균이 20이므로

$\frac{x_1+x_2+x_3+x_4+x_5}{5}=20$

$\therefore x_1+x_2+x_3+x_4+x_5=100$ ······ ㉠

또 표준편차가 3, 즉 분산이 $3^2=9$이므로

$\frac{(x_1-20)^2+(x_2-20)^2+(x_3-20)^2+(x_4-20)^2+(x_5-20)^2}{5}=9$

$x_1^2+x_2^2+x_3^2+x_4^2+x_5^2-40(x_1+x_2+x_3+x_4+x_5)+2000$
$=45$ ······ ㉡

㉠을 ㉡에 대입하면

$x_1^2+x_2^2+x_3^2+x_4^2+x_5^2-40\times100+2000=45$

$\therefore x_1^2+x_2^2+x_3^2+x_4^2+x_5^2=2045$

따라서 변량 x_1^2, x_2^2, x_3^2, x_4^2, x_5^2의 평균은

$\frac{x_1^2+x_2^2+x_3^2+x_4^2+x_5^2}{5}=\frac{2045}{5}=409$

5-2 답 평균 : 11, 분산 : 6

변량 a, b, c, d의 평균이 5이므로

$\frac{a+b+c+d}{4}=5 \quad \therefore a+b+c+d=20$

또 분산이 1.5이므로

$\frac{(a-5)^2+(b-5)^2+(c-5)^2+(d-5)^2}{4}=1.5$

$\therefore (a-5)^2+(b-5)^2+(c-5)^2+(d-5)^2=6$

변량 $2a+1$, $2b+1$, $2c+1$, $2d+1$에서

(평균)$=\frac{(2a+1)+(2b+1)+(2c+1)+(2d+1)}{4}$

$=\frac{2(a+b+c+d)+4}{4}$

$=\frac{2\times20+4}{4}=\frac{44}{4}=11$

(분산)

$=\frac{\{(2a+1)-11\}^2+\{(2b+1)-11\}^2+\{(2c+1)-11\}^2+\{(2d+1)-11\}^2}{4}$

$=\frac{(2a-10)^2+(2b-10)^2+(2c-10)^2+(2d-10)^2}{4}$

$=\frac{4\{(a-5)^2+(b-5)^2+(c-5)^2+(d-5)^2\}}{4}$

$=\frac{4\times6}{4}=6$

STEP 2 반드시 등수 올리는 문제 p. 71 ~ 74

01 82점	**02** 74점	**03** 4회	**04** 19
05 ③, ④	**06** 25	**07** 111	**08** 65
09 ④	**10** 15	**11** 5	**12** $\frac{5\sqrt{15}}{2}$
13 52	**14** 10	**15** 28	**16** ㉠, ㉡

01 답 82점

여학생 수를 x명이라고 하면 남학생 수는 $1.5x$명이므로 3학년 전체 학생의 평균 점수는

$\frac{1.5x\times80+x\times85}{1.5x+x}=\frac{205x}{2.5x}=82$(점)

전략

(3학년 전체 학생의 평균 점수)

$=\frac{(\text{남학생 수})\times(\text{남학생의 평균 점수})+(\text{여학생 수})\times(\text{여학생의 평균 점수})}{(\text{남학생 수})+(\text{여학생 수})}$

02 답 74점

8명의 영어 점수를 작은 값부터 크기순으로 나열할 때 4번째와 5번째 학생의 점수의 평균이 중앙값이므로 4번째 학생의 점수를 x점이라고 하면

$\frac{x+78}{2}=75$, $x+78=150 \quad \therefore x=72$

이때 영어 점수가 74점인 학생 한 명이 새로 들어왔을 때, 학생 9명의 영어 점수를 작은 값부터 크기순으로 나열하면 5번째 학생의 영어 점수가 74점이므로 중앙값은 74점이다.

전략

n개의 변량을 작은 값부터 크기순으로 나열할 때 n이 홀수이면 중앙값은 $\frac{n+1}{2}$번째 변량, n이 짝수이면 중앙값은 $\frac{n}{2}$번째와 $\left(\frac{n}{2}+1\right)$번째 변량의 평균이다.

03 답 4회

영화 관람 횟수가 4회인 학생 수를 x명이라고 하면 영화 관람 횟수가 6회인 학생 수는

$70-(9+7+8+x+10+6+5)=25-x$(명)

이때 평균이 4.3회이므로

$$\frac{9\times1+7\times2+8\times3+x\times4+10\times5+(25-x)\times6+6\times7+5\times8}{70}=4.3$$

$\frac{329-2x}{70}=4.3,\ 2x=28 \qquad \therefore x=14$

따라서 영화 관람 횟수가 4회인 학생 수는 14명, 6회인 학생 수는 $25-14=11$(명)이므로 최빈값은 4회이다.

전략

찢어져서 보이지 않는 부분의 학생 수를 미지수로 나타내고 평균이 4.3회임을 이용한다.

04 답 19

영지의 횟수가 a회이면 평균이 26회이므로

$$\frac{18+30+25+20+30+23+25+36+30+a}{10}=26$$

$237+a=260 \qquad \therefore a=23$

영지의 횟수를 제외한 9개의 자료에서 30회가 세 번으로 가장 많이 나타나고, 그 다음으로 25회가 두 번으로 많이 나타나므로 영지의 횟수가 25회이면 최빈값이 25회, 30회의 두 개이므로

$b=25$

9개의 변량을 작은 값부터 크기순으로 나열하면

18, 20, 23, 25, 25, 30, 30, 30, 36

이때 영지의 횟수 c회를 추가한 10개의 변량을 작은 값부터 크기순으로 나열할 때 중앙값은 5번째와 6번째 변량의 평균이고 그 값이 27이므로 $25<c<30$이다. 즉

$\frac{25+c}{2}=27,\ 25+c=54 \qquad \therefore c=29$

$\therefore a+b-c=23+25-29=19$

전략

각각의 조건을 만족할 때의 영지의 횟수를 구한다.

05 답 ③, ④

[선수 교체 전]

부상을 입은 선수의 키를 x cm라고 하면 선수 교체 전 5명의 키의 평균이 175 cm이고 교체 후 5명의 키의 평균이 176 cm가 되었으므로

$\frac{175\times5-x+173}{5}=176,\ 1048-x=880 \qquad \therefore x=168$

따라서 부상을 입은 선수의 키는 168 cm이다. (①)

또 선수 5명의 키의 최빈값이 173 cm이므로 적어도 2명의 키는 173 cm이나 3명의 키가 173 cm인지는 알 수 없다. (②)

[선수 교체 후]

키가 173 cm인 선수가 3명이므로 나머지 선수 2명의 키를 각각 a cm, b cm(단, $a\le b$)라고 하자.

선수 교체 후 5명의 키의 평균이 176 cm가 되었으므로

$\frac{173+173+173+a+b}{5}=176$

$519+a+b=880 \qquad \therefore a+b=361$

즉 선수 2명의 키의 합이 361 cm이다. 이때 선수 2명 모두 키가 173 cm보다 작다고 하면 $a<173$, $b<173$이므로 $a+b<346$이 되어 $a+b=361$이 성립하지 않는다. 따라서 적어도 선수 1명의 키는 173 cm보다 크다. (③)

또 선수 5명의 키를 작은 값부터 크기순으로 나열하면

173 cm, 173 cm, 173 cm, a cm, b cm

또는 a cm, 173 cm, 173 cm, 173 cm, b cm이므로 중앙값과 최빈값은 모두 173 cm이다. (④, ⑤)

따라서 항상 옳은 것은 ③, ④이다.

전략

평균의 변화를 이용하여 선수 교체 전과 후의 선수 5명의 키를 작은 값부터 크기순으로 나열하고 중앙값과 최빈값을 구한다.

06 답 25

$a\le b\le c$라고 하면 최빈값이 7이므로 a, b, c 중 적어도 두 개는 7이다.

(i) $a=b=c=7$일 때

변량을 작은 값부터 크기순으로 나열하면 2, 4, 5, 7, 7, 7이므로

(평균)$=\frac{2+4+5+7+7+7}{6}=\frac{32}{6}=\frac{16}{3}$

(중앙값)$=\frac{5+7}{2}=6$

즉 평균과 중앙값이 같지 않으므로 조건을 만족하는 a, b, c의 값은 없다.

(ii) $a=b=7$일 때

$c>7$이므로 변량을 작은 값부터 크기순으로 나열하면

2, 4, 5, 7, 7, c

이때 중앙값은 $\frac{5+7}{2}=6$이고, 평균과 중앙값이 같으므로

(평균)$=\frac{2+4+5+7+7+c}{6}=6$

$25+c=36 \qquad \therefore c=11$

(iii) $b=c=7$일 때

$a<7$이므로 변량을 작은 값부터 크기순으로 나열하면 다음 두 가지 경우가 있다.

㉠ 2, 4, 5, a, 7, 7 (또는 2, 4, a, 5, 7, 7)일 때

즉 $4<a<7$일 때 중앙값은 $\frac{a+5}{2}$이고, 평균과 중앙값이 같으므로

$(\text{평균})=\frac{2+4+5+a+7+7}{6}=\frac{a+5}{2}$

$25+a=3(a+5)$, $2a=10$ $\quad\therefore a=5$

즉 변량을 작은 값부터 크기순으로 나열하면 2, 4, 5, 5, 7, 7 이므로 최빈값이 5, 7이다.

따라서 조건을 만족하지 않는다.

㉡ 2, a, 4, 5, 7, 7 (또는 a, 2, 4, 5, 7, 7)일 때

즉 $a<4$일 때 중앙값은 $\frac{4+5}{2}=\frac{9}{2}$이고, 평균과 중앙값이 같으므로

$(\text{평균})=\frac{2+a+4+5+7+7}{6}=\frac{9}{2}$

$25+a=27$ $\quad\therefore a=2$

즉 변량을 작은 값부터 크기순으로 나열하면 2, 2, 4, 5, 7, 7 이므로 최빈값이 2, 7이다. 따라서 조건을 만족하지 않는다.

㉠, ㉡에서 조건을 만족하는 a, b, c의 값은 없다.

(i)~(iii)에서 $a+b+c=7+7+11=25$

전략
최빈값이 7이므로 a, b, c의 값이 모두 7일 때와 a, b, c 중 두 개의 값이 7일 때로 나누어 생각한다.

07 답 111

7개의 변량을 x_1, x_2, x_3, x_4, x_5, x_6, x_7 $(x_1\le x_2\le x_3\le x_4\le x_5\le x_6\le x_7)$이라고 하자.

(가)에서 평균이 50이므로

$\frac{x_1+x_2+x_3+x_4+x_5+x_6+x_7}{7}=50$

$\therefore x_1+x_2+x_3+x_4+x_5+x_6+x_7=350$

(나)에서 $x_1=21$

(다)에서 $x_4=45$

(라)에서 최빈값이 64이므로 x_5, x_6, x_7 중 적어도 2개는 64이다.

(i) $x_5=x_6=x_7=64$일 때

7개의 변량은 21, x_2, x_3, 45, 64, 64, 64이므로

$21+x_2+x_3+45+64+64+64=350$ $\quad\therefore x_2+x_3=92$

이때 $21\le x_2\le 45$를 만족하는 x_3의 값의 범위는 $47\le x_3\le 71$ 이므로 $x_3\le x_4$가 성립하지 않는다.

(ii) $x_5=x_6=64$, $x_7>64$일 때

7개의 변량은 21, x_2, x_3, 45, 64, 64, x_7이므로

$21+x_2+x_3+45+64+64+x_7=350$

$\therefore x_2+x_3+x_7=156$

이때 최빈값이 64이므로 $21<x_2<x_3<45$

x_7의 값이 최대이려면 x_2, x_3의 값이 최소이어야 하므로 $x_2=22$, $x_3=23$일 때 x_7은 최댓값을 가진다. 즉

$22+23+x_7=156$ $\quad\therefore x_7=111$

(i), (ii)에서 7개의 변량 중 가장 큰 변량의 최댓값은 111이다.

전략
7개의 변량을 작은 값부터 크기순으로 나열하면 x_1, x_2, x_3, x_4, x_5, x_6, x_7 $(x_1\le x_2\le x_3\le x_4\le x_5\le x_6\le x_7)$이라고 할 때, 최빈값이 64이므로 x_5, x_6, x_7 중 적어도 2개는 64이다.

08 답 65

편차의 총합은 0이므로

$(-x^2+x+3)+(2x^2-x+2)+(x-2)+(2x-1)=0$

$x^2+3x+2=0$, $(x+2)(x+1)=0$

$\therefore x=-2$ 또는 $x=-1$

(i) $x=-2$일 때, 변량 B의 편차는

$2x^2-x+2=2\times(-2)^2-(-2)+2=12$

이때 변량 B는 $12+24=36$

(ii) $x=-1$일 때, 변량 B의 편차는

$2x^2-x+2=2\times(-1)^2-(-1)+2=5$

이때 변량 B는 $5+24=29$

따라서 변량 B가 될 수 있는 모든 값의 합은

$36+29=65$

전략
편차의 총합은 0임을 이용하여 x의 값을 모두 구한다.

09 답 ④

학생 A의 편차를 x kg, 학생 C의 편차를 y kg이라고 하면 평균과 중앙값이 같으므로 $x=0$ 또는 $y=0$이다.

(i) $x=0$일 때

$0+3+y+2+(-4)=0$ $\quad\therefore y=-1$

(ii) $y=0$일 때

$x+3+0+2+(-4)=0$ $\quad\therefore x=-1$

(i), (ii)에서 $x=0$, $y=-1$ 또는 $x=-1$, $y=0$이다.

① A 학생의 편차가 0 kg 또는 -1 kg이므로 A 학생의 몸무게는 평균과 같거나 평균보다 1 kg 적다.

② C 학생의 편차가 0 kg 또는 -1 kg이므로 B 학생의 몸무게는 C 학생의 몸무게보다 3 kg 또는 4 kg 많다.

③ 5개의 변량의 편차를 작은 값부터 크기순으로 나열하면 -4 kg, -1 kg, 0 kg, 2 kg, 3 kg이므로 D 학생의 몸무게가 두 번째로 많다.

④ C 학생의 편차가 -1 kg이면 중앙값은 편차가 0 kg인 A 학생의 몸무게이다.

⑤ E 학생의 몸무게는 평균보다 4 kg 적으므로 중앙값보다 4 kg 적다.

따라서 옳지 않은 것은 ④이다.

전략
평균과 중앙값이 같다는 조건과 편차의 총합은 0임을 이용하여 두 학생 A와 C의 편차를 각각 구해 본다.

10 답 15

평균이 m권이므로

$(\text{평균})=\frac{3+5+1+6+a}{5}=m \quad \therefore a=5m-15$ ······ ㉠

분산이 9.2이므로

$\frac{(3-m)^2+(5-m)^2+(1-m)^2+(6-m)^2+(a-m)^2}{5}=9.2$ ······ ㉡

㉠을 ㉡에 대입하면

$(3-m)^2+(5-m)^2+(1-m)^2+(6-m)^2+(4m-15)^2=46$

$2m^2-15m+25=0$

$(m-5)(2m-5)=0 \quad \therefore m=5$ ($\because a$는 자연수)

따라서 ㉠에 $m=5$를 대입하면 $a=5\times5-15=10$

$\therefore a+m=10+5=15$

전략

평균과 분산을 이용하여 m에 대한 이차방정식을 세운다.

11 답 5

이차방정식 $x^2-ax+b=0$의 두 근을 α, β라고 하면

$\alpha+\beta=-(-a)=a$, $\alpha\beta=b$

$(\text{두 근의 평균})=\frac{\alpha+\beta}{2}$

$(\text{두 근의 분산})=\frac{\{\text{두 근의 (편차)}^2\text{의 총합}\}}{2}$

$=\left\{\left(\alpha-\frac{\alpha+\beta}{2}\right)^2+\left(\beta-\frac{\alpha+\beta}{2}\right)^2\right\}\div2$

$=\left\{\left(\frac{\alpha-\beta}{2}\right)^2+\left(\frac{\beta-\alpha}{2}\right)^2\right\}\times\frac{1}{2}$

$=\frac{2(\alpha^2+\beta^2)-4\alpha\beta}{4}\times\frac{1}{2}$

$=\frac{\alpha^2+\beta^2-2\alpha\beta}{4}$

$=\frac{(\alpha+\beta)^2-4\alpha\beta}{4}$

$=\frac{a^2-4b}{4}=\frac{a^2}{4}-b$

따라서 $p=4$, $q=1$이므로

$p+q=4+1=5$

전략

$x^2+ax+b=0$의 두 근을 α, β라고 할 때

$\alpha+\beta=\frac{-a+\sqrt{a^2-4b}}{2}+\frac{-a-\sqrt{a^2-4b}}{2}=-a$

$\alpha\beta=\frac{-a+\sqrt{a^2-4b}}{2}\times\frac{-a-\sqrt{a^2-4b}}{2}=b$

12 답 $\frac{5\sqrt{15}}{2}$

A 자료의

$(\text{평균})=\frac{1\times2a+3\times3a+1\times4a}{1+3+1}=\frac{15a}{5}=3a$

$(\text{분산})=\frac{1\times(2a-3a)^2+3\times(3a-3a)^2+1\times(4a-3a)^2}{5}$

$=\frac{2a^2}{5}=(\sqrt{5})^2$

$2a^2=25$, $a^2=\frac{25}{2} \quad \therefore a=\frac{5\sqrt{2}}{2}$ ($\because a>0$)

B 자료의

$(\text{평균})=\frac{4\times b+2\times2b+4\times3b}{4+2+4}=\frac{20b}{10}=2b$

$(\text{분산})=\frac{4\times(b-2b)^2+2\times(2b-2b)^2+4\times(3b-2b)^2}{10}$

$=\frac{8b^2}{10}=(\sqrt{6})^2$

$8b^2=60$, $b^2=\frac{15}{2} \quad \therefore b=\frac{\sqrt{30}}{2}$ ($\because b>0$)

$\therefore ab=\frac{5\sqrt{2}}{2}\times\frac{\sqrt{30}}{2}=\frac{5\sqrt{15}}{2}$

전략

A 자료의 평균과 분산에서 a의 값을 구하고, B 자료의 평균과 분산에서 b의 값을 구한다.

13 답 52

직육면체의 12개의 모서리의 길이의 평균이 3이므로

$\frac{4(a+3+b)}{12}=3$

$a+3+b=9 \quad \therefore a+b=6$ ······ ㉠

또 표준편차가 $\frac{\sqrt{6}}{3}$, 즉 분산이 $\left(\frac{\sqrt{6}}{3}\right)^2=\frac{2}{3}$이므로

$\frac{4\times(a-3)^2+4\times(b-3)^2+4\times(3-3)^2}{12}=\frac{2}{3}$

$(a-3)^2+(b-3)^2=2$

$\therefore a^2+b^2-6(a+b)+16=0$ ······ ㉡

㉠을 ㉡에 대입하면

$a^2+b^2-6\times6+16=0 \quad \therefore a^2+b^2=20$

이때 $a^2+b^2=(a+b)^2-2ab$이므로

$20=6^2-2ab$, $2ab=16 \quad \therefore ab=8$

따라서 직육면체의 겉넓이는

$2(3a+3b+ab)=6(a+b)+2ab$

$=6\times6+2\times8=52$

전략

12개의 모서리의 길이의 평균과 분산을 a, b를 사용한 식으로 각각 나타낸다.

14 답 10

평균이 $\sqrt{7}$이므로 $\frac{x_1+x_2+\cdots+x_{10}}{10}=\sqrt{7}$

$\therefore x_1+x_2+\cdots+x_{10}=10\sqrt{7}$ ······ ㉠

또 표준편차가 $\sqrt{3}$, 즉 분산이 $(\sqrt{3})^2=3$이므로

$\frac{(x_1-\sqrt{7})^2+(x_2-\sqrt{7})^2+\cdots+(x_{10}-\sqrt{7})^2}{10}=3$

$\therefore x_1^2+x_2^2+\cdots+x_{10}^2-2\sqrt{7}(x_1+x_2+\cdots+x_{10})+70=30$ ······ ㉡

㉠을 ㉡에 대입하면

$x_1^2+x_2^2+\cdots+x_{10}^2-2\sqrt{7}\times10\sqrt{7}+70=30$

$\therefore x_1^2+x_2^2+\cdots+x_{10}^2=100$

따라서 큰 정사각형의 넓이가 100이므로 큰 정사각형의 한 변의 길이는 10이다.

> **전략**
> 각 정사각형의 넓이가 각각 $x_1^2, x_2^2, \cdots, x_{10}^2$이므로 이 정사각형을 모두 붙여 만든 큰 정사각형의 넓이는 $x_1^2+x_2^2+\cdots+x_{10}^2$이다.

15 답 28

바르게 조사한 3명의 줄넘기 개수를 각각 a개, b개, c개라고 하면 처음 조사한 5명의 줄넘기 개수의 평균이 20개이므로

$\frac{a+b+c+21+18}{5}=20$

$a+b+c+39=100 \qquad \therefore a+b+c=61$

분산이 12이므로

$\frac{(a-20)^2+(b-20)^2+(c-20)^2+(21-20)^2+(18-20)^2}{5}=12$

$(a-20)^2+(b-20)^2+(c-20)^2+5=60$

$\therefore (a-20)^2+(b-20)^2+(c-20)^2=55$

따라서 5명의 실제 줄넘기 개수의 평균은

$\frac{a+b+c+26+13}{5}=\frac{61+39}{5}=\frac{100}{5}=20$(개)

$\therefore$ (분산)

$=\frac{(a-20)^2+(b-20)^2+(c-20)^2+(26-20)^2+(13-20)^2}{5}$

$=\frac{55+36+49}{5}=\frac{140}{5}=28$

> **전략**
> 바르게 조사한 3명의 줄넘기 개수를 각각 a개, b개, c개로 놓고, 처음 조사한 5명의 줄넘기 개수의 평균과 분산을 이용하여 a, b, c에 대한 식을 세운다.

16 답 ㉠, ㉡

㉠ (A 제품의 평점의 평균)

$=\frac{1\times6+2\times7+4\times8+2\times9+1\times10}{10}=\frac{80}{10}=8$(점)

(B 제품의 평점의 평균)

$=\frac{2\times6+4\times7+2\times8+1\times9+1\times10}{10}=\frac{75}{10}=7.5$(점)

따라서 A 제품의 평점의 평균이 B 제품의 평점의 평균보다 높다.

㉡ (A 제품의 평점의 분산)

$=\frac{1\times(6-8)^2+2\times(7-8)^2+4\times(8-8)^2+2\times(9-8)^2+1\times(10-8)^2}{10}$

$=\frac{12}{10}=1.2$

(B 제품의 평점의 분산)

$=\frac{2\times(6-7.5)^2+4\times(7-7.5)^2+2\times(8-7.5)^2+1\times(9-7.5)^2+1\times(10-7.5)^2}{10}$

$=\frac{14.5}{10}=1.45$

따라서 A 제품의 평점의 분산이 B 제품의 평점의 분산보다 낮으므로 A 제품의 평점이 B 제품의 평점보다 더 고르다.

㉢ A 제품의 평점을 작은 값부터 크기순으로 나열하면 6점, 7점, 7점, 8점, 8점, 8점, 8점, 9점, 9점, 10점이므로 중앙값은

$\frac{8+8}{2}=8$(점)

B 제품의 평점을 작은 값부터 크기순으로 나열하면 6점, 6점, 7점, 7점, 7점, 7점, 8점, 8점, 9점, 10점이므로 중앙값은

$\frac{7+7}{2}=7$(점)

따라서 A 제품의 평점의 중앙값이 B 제품의 평점의 중앙값보다 높다.

따라서 옳은 것은 ㉠, ㉡이다.

> **전략**
> 꺾은선그래프를 보고 두 제품 A, B의 평점의 평균, 분산을 각각 구한다.

STEP 3 | 전교 1등 **확실하게** 굳히는 문제 p. 75 ~ 77

1 9.44점, 8명 **2** 64 **3** ② **4** (2, 80)
5 B 선수, 이유는 풀이 참조

1 답 9.44점, 8명

심사 위원의 수를 x명이라고 하면 세희가 받은 총점은 $9.72x$점이다.

세희가 받은 최저 점수를 a점, 최고 점수를 b점이라고 하면

$9.72x=9.76(x-1)+a$ ······ ㉠

$9.72x=9.68(x-1)+b$ ······ ㉡

㉠+㉡을 하면

$19.44x=19.44x-19.44+a+b \qquad \therefore a+b=19.44$

즉 최저 점수와 최고 점수의 합이 19.44점이므로 최저 점수의 최솟값은 $19.44-10=9.44$(점)

$a=9.44$를 ㉠에 대입하면

$9.72x=9.76(x-1)+9.44 \qquad \therefore x=8$

따라서 심사 위원은 8명이다.

> **전략**
> 심사 위원의 수를 x명이라고 하면
> $9.76(x-1)+$(최저 점수)$=9.68(x-1)+$(최고 점수)

2 답 64

A 학교의 남학생, 여학생 수를 각각 a명, b명이라고 하고, B 학교의 남학생, 여학생 수를 각각 c명, d명이라고 하면

$(\text{A 학교 학생의 평균})=\frac{70a+90b}{a+b}=82$

$70a+90b=82(a+b)$, $8b=12a$ $\quad\therefore 2b=3a$ ...... ㉠

$(\text{B 학교 학생의 평균})=\frac{60c+72d}{c+d}=68$

$60c+72d=68(c+d)$, $4d=8c$ $\quad\therefore d=2c$ ...... ㉡

$(\text{두 학교에서 여학생의 평균})=\frac{90b+72d}{b+d}=78$

$90b+72d=78(b+d)$, $12b=6d$ $\quad\therefore d=2b$ ...... ㉢

㉠, ㉡, ㉢에서 $b=c=\frac{3}{2}a$

이때 $(\text{두 학교에서 남학생의 평균})=\frac{70a+60c}{a+c}=x$에서

$$\frac{70a+60c}{a+c}=\frac{70\times\frac{2}{3}b+60b}{\frac{2}{3}b+b}=\frac{\frac{320}{3}b}{\frac{5}{3}b}=64$$

$\therefore x=64$

전략
두 학교에서 남학생과 여학생 수를 미지수로 놓고 평균을 이용하여 미지수를 정리한 후, x를 구하는 식에 대입한다.

3 답 ②

$3x^2$을 제외한 나머지 변량을 작은 값부터 크기순으로 나열하면 2, 6, 12, 26, 48, 91, 203이다. 변량의 개수가 8개이므로 중앙값은 4번째와 5번째 변량의 평균이고 x의 값에 따라 중앙값은 다음과 같다.

(i) $3x^2\le12$, 즉 $0\le x\le2$일 때,

중앙값은 $\frac{12+26}{2}=19$이므로 $y=19$

(ii) $12<3x^2<48$, 즉 $2<x<4$일 때,

중앙값은 $\frac{26+3x^2}{2}=\frac{3}{2}x^2+13$이므로 $y=\frac{3}{2}x^2+13$

(iii) $3x^2\ge48$, 즉 $x\ge4$일 때,

중앙값은 $\frac{26+48}{2}=37$이므로 $y=37$

한편 $\frac{3}{2}\times2^2+13=19$, $\frac{3}{2}\times4^2+13=37$이므로 x의 값에 따른 중앙값 y를 나타내는 함수의 그래프는 ②이다.

전략
변량을 작은 값부터 크기순으로 나열할 때 중앙값은 4번째와 5번째 변량의 평균이므로 $3x^2$의 값의 범위를 1~3번째 변량일 때, 4~5번째 변량일 때, 6~8번째 변량일 때로 나누어 중앙값 y를 구한다.

4 답 (2, 80)

평균이 2이므로

$\frac{a+b+c+d}{4}=2$ $\quad\therefore a+b+c+d=8$ ...... ㉠

분산이 $(2\sqrt{5})^2=20$이므로

$\frac{(a-2)^2+(b-2)^2+(c-2)^2+(d-2)^2}{4}=20$

$a^2+b^2+c^2+d^2-4(a+b+c+d)+16=80$ ...... ㉡

㉠을 ㉡에 대입하면

$a^2+b^2+c^2+d^2-4\times8+16=80$ $\quad\therefore a^2+b^2+c^2+d^2=96$

$$\begin{aligned}f(x)&=(a-x)^2+(b-x)^2+(c-x)^2+(d-x)^2\\&=4x^2-2(a+b+c+d)x+(a^2+b^2+c^2+d^2)\\&=4x^2-16x+96\\&=4(x^2-4x+4)-16+96\\&=4(x-2)^2+80\end{aligned}$$

따라서 이차함수 $f(x)$의 그래프의 꼭짓점의 좌표는 $(2, 80)$이다.

전략
주어진 이차함수의 꼭짓점의 좌표를 구하기 위해 이차함수의 식을 전개한 후 $y=a(x-p)^2+q$의 꼴로 바꾼다.

5 답 B 선수, 이유는 풀이 참조

$(\text{A 선수의 평균})=\frac{6\times2+7\times3+8\times1+9\times1+10\times3}{10}$

$=\frac{80}{10}=8(\text{점})$ ...... 20 %

B 선수가 화살을 쏜 횟수는 10회이고, 6점과 10점을 맞힌 횟수가 각각 1회 이상이므로 B 선수는 6점을 1회, 10점을 2회 맞혔거나 6점을 2회, 10점을 1회 맞혔다.

(i) 6점을 1회, 10점을 2회 맞힌 경우

$(\text{평균})=\frac{6\times1+7\times2+8\times1+9\times4+10\times2}{10}=\frac{84}{10}=8.4(\text{점})$

따라서 B 선수를 대표로 선발해야 한다. ...... 30 %

(ii) 6점을 2회, 10점을 1회 맞힌 경우

$(\text{평균})=\frac{6\times2+7\times2+8\times1+9\times4+10\times1}{10}=\frac{80}{10}=8(\text{점})$

으로 A 선수의 평균과 같다. 이때 A 선수와 B 선수의 표준편차를 각각 a점, b점이라고 하면

$a^2=\frac{(6-8)^2\times2+(7-8)^2\times3+(8-8)^2\times1+(9-8)^2\times1+(10-8)^2\times3}{10}$

$=\frac{24}{10}=\frac{12}{5}$

$\therefore a=\sqrt{\frac{12}{5}}=\frac{2\sqrt{15}}{5}$

$b^2=\frac{(6-8)^2\times2+(7-8)^2\times2+(8-8)^2\times1+(9-8)^2\times4+(10-8)^2\times1}{10}$

$=\frac{18}{10}=\frac{9}{5}$

$\therefore b=\sqrt{\frac{9}{5}}=\frac{3\sqrt{5}}{5}$

따라서 $a>b$, 즉 B 선수의 결과가 더 고르므로 B 선수를 대표로 선발해야 한다. ...... 40 %

(i), (ii)에서 B 선수를 대표로 선발해야 한다. ...... 10 %

전략
두 선수 A, B의 평균을 각각 구하고, 평균이 같을 경우에는 표준편차를 구하여 비교한다.

02 산점도와 상관관계

[확인 ❶] 답 6명

수학 성적이 과학 성적보다 낮은 학생 수는 오른쪽 산점도에서 직선 l을 제외하고 직선 l의 아래쪽에 있는 점의 개수와 같으므로 6명이다.

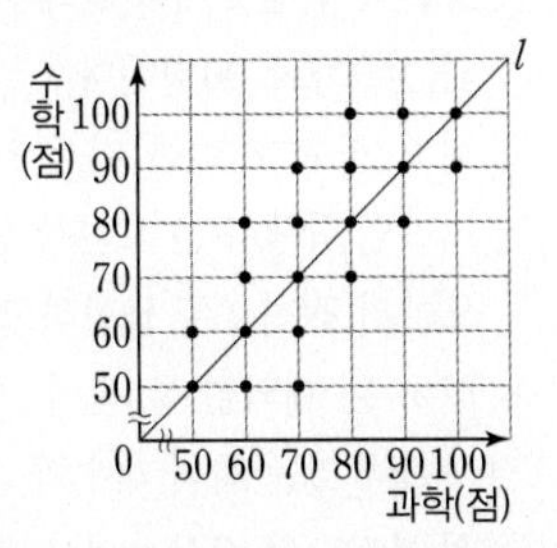

[확인 ❷] 답 ㉠, ㉣

주어진 산점도는 양의 상관관계를 나타내므로 양의 상관관계가 있는 것을 고르면 ㉠, ㉣이다.

㉡, ㉢ 음의 상관관계

㉤ 상관관계가 없다.

STEP 1 억울하게 울리는 문제 p. 79~80

1-1 4	**1-2** 45 %	**2-1** 35 %	**2-2** 12명
3-1 ①, ③	**3-2** 3개	**4-1** B	**4-2** ㉠, ㉢

1-1 답 4

음악 성적과 미술 성적이 같은 학생 수는 오른쪽 산점도에서 직선 l 위의 점의 개수와 같으므로 5명이다. $\therefore a=5$

또 음악 성적보다 미술 성적이 높은 학생 수는 오른쪽 산점도에서 직선 l을 제외하고 직선 l의 위쪽에 있는 점의 개수와 같으므로 9명이다. $\therefore b=9$

$\therefore b-a=9-5=4$

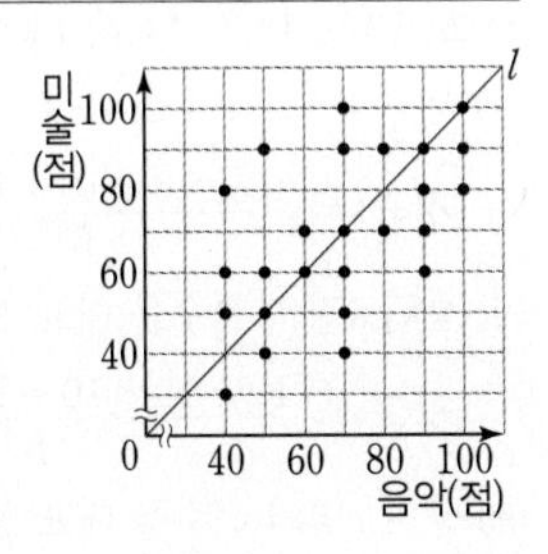

1-2 답 45 %

1차보다 2차에서 낮은 점수를 얻은 학생 수는 오른쪽 산점도에서 직선 l을 제외하고 직선 l의 아래쪽에 있는 점의 개수와 같으므로 9명이다.

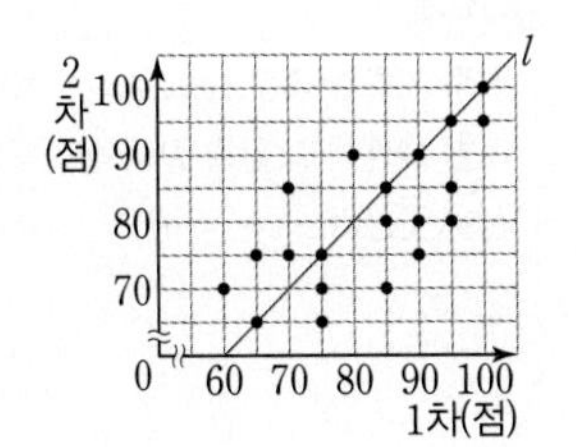

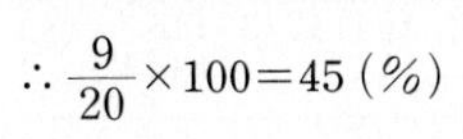

2-1 답 35 %

작년과 올해에 친 홈런 개수의 평균이 7.5개 이상, 즉 작년과 올해에 친 홈런 개수의 합이 15개 이상인 선수 수는 오른쪽 산점도에서 직선 l을 포함하고 직선 l의 위쪽에 있는 점의 개수와 같으므로 7명이다.

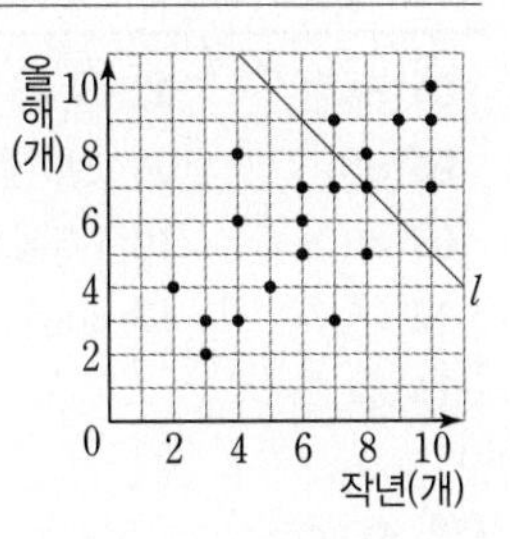

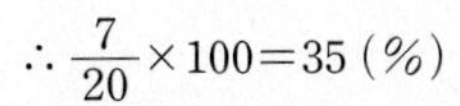

2-2 답 12명

1차 점수와 2차 점수 중 적어도 하나의 점수가 7점 이상인 선수 수는 오른쪽 산점도에서 색칠한 부분에 있는 점의 개수와 같으므로 12명이다.

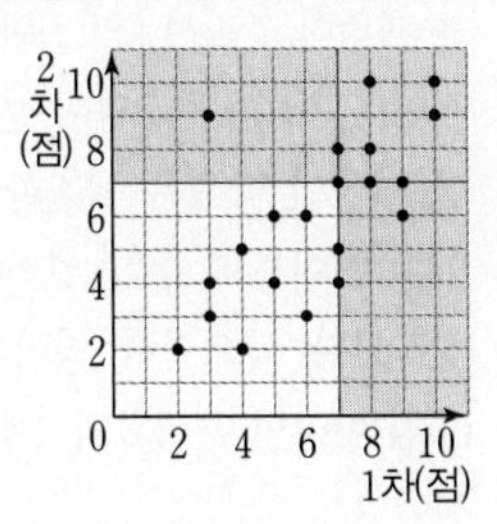

다른 풀이

(1차 점수와 2차 점수 중 적어도 하나의 점수가 7점 이상인 학생 수)

$=$(전체 학생 수)$-$(1차 점수와 2차 점수 모두 7점 미만인 학생 수)

$=21-9=12$(명)

3-1 답 ①, ③

주어진 산점도는 양의 상관관계를 나타내므로 양의 상관관계가 있는 것을 고르면 ①, ③이다.

②, ④ 음의 상관관계

⑤ 상관관계가 없다.

3-2 답 3개

두 변량 사이에 대체로 음의 상관관계가 있는 것은 ㉢, ㉣, ㉥의 3개이다.

㉠, ㉤ 양의 상관관계

㉡ 상관관계가 없다.

4-1 답 B

수입액에 비하여 저축액이 가장 많은 사원은 오른쪽 산점도에서 대각선의 위쪽에 있는 점 중 대각선에서 가장 멀리 떨어져 있는 점이므로 B이다.

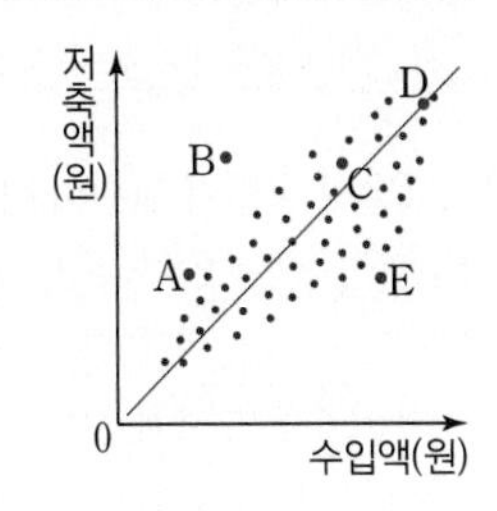

4-2 답 ㉠, ㉢

㉡ A, B, C, D 중 수면 시간이 가장 긴 학생은 B이다.

㉢ C는 B보다 오른쪽에 있으므로 C는 B에 비하여 TV 시청 시간이 길다.

따라서 옳은 것은 ㉠, ㉢이다.

STEP 2 | 반드시 등수 올리는 문제 p. 81~84

01 86점	**02** ㉠, ㉢	**03** ⑤	**04** 37.5 %
05 3명	**06** 195점	**07** 2명	**08** 4등
09 30건	**10** 7.5점 이상 8점 미만		**11** ②, ③
12 ㉠, ㉢	**13** 20분	**14** ㉢, ㉣	**15** ②, ⑤
16 ②, ③			

01 답 86점

수학 성적이 영어 성적보다 높은 학생은 오른쪽 산점도에서 직선 l을 제외하고 직선 l의 위쪽에 있는 점이다. 이 중에서 영어 성적이 60점 이상인 학생은 색칠한 부분에 있는 점이므로 수학 성적이 영어 성적보다 높으면서 영어 성적이 60점 이상인 학생들의 수학 성적은 70점, 80점, 90점, 90점, 100점이다.

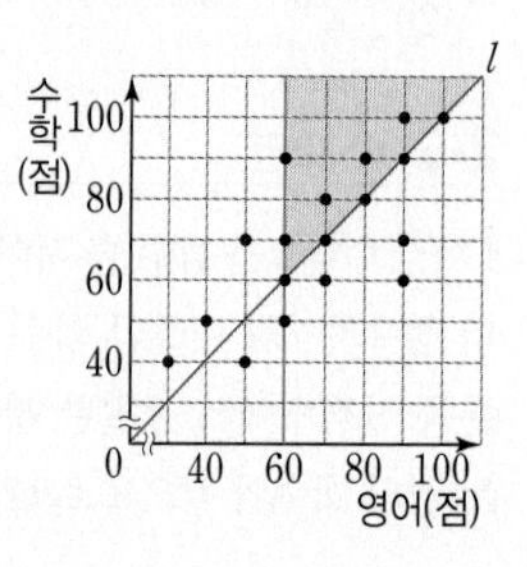

따라서 구하는 수학 성적의 평균은

$$\frac{70+80+90+90+100}{5}=\frac{430}{5}=86(\text{점})$$

전략

수학 성적이 영어 성적보다 높은 학생은 산점도에 대각선을 그은 후 생각한다.

02 답 ㉠, ㉢

㉠ 달리기 실기 점수를 작은 값부터 크기순으로 나열할 때 8번째와 9번째 값이 3점, 3점이므로 중앙값은 $\frac{3+3}{2}=\frac{6}{2}=3(\text{점})$

㉡ 던지기 실기 점수가 4점인 학생이 4명으로 가장 많으므로 던지기 실기 점수의 최빈값은 4점이다. 또 던지기 실기 점수를 작은 값부터 크기순으로 나열할 때 8번째와 9번째 값이 3점, 4점이므로 중앙값은 $\frac{3+4}{2}=\frac{7}{2}=3.5(\text{점})$

즉 던지기 실기 점수의 최빈값과 중앙값은 다르다.

㉢ (던지기 실기 점수의 평균)

$=\frac{1\times2+2\times3+3\times3+4\times4+5\times2+6\times2}{16}=\frac{55}{16}(\text{점})$

(달리기 실기 점수의 평균)

$=\frac{1\times2+2\times4+3\times3+4\times2+5\times3+6\times2}{16}$

$=\frac{54}{16}=\frac{27}{8}(\text{점})$

즉 던지기 실기 점수의 평균이 달리기 실기 점수의 평균보다 높다.

따라서 옳은 것은 ㉠, ㉢이다.

전략

변량의 개수가 16개이므로 중앙값은 작은 값부터 크기순으로 나열할 때 8번째와 9번째 값의 평균이다.

03 답 ⑤

① 지수네 반의 전체 학생 수는 오른쪽 산점도에서 점의 개수와 같으므로 30명이다.

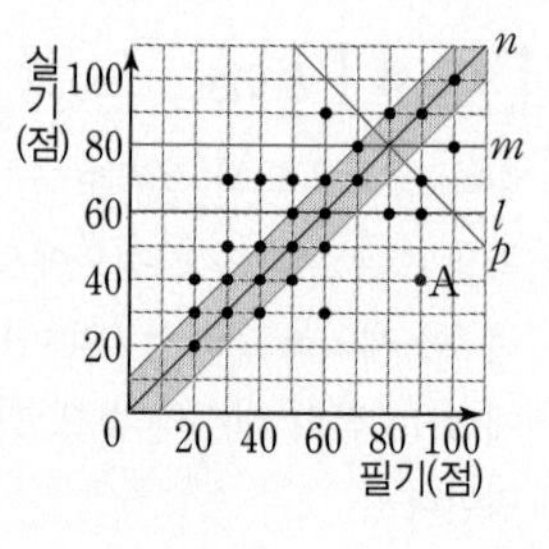

② 실기 점수가 60점 이상 80점 미만인 학생 수는 오른쪽 산점도에서 직선 l은 포함하고 직선 m은 제외한 두 직선 l, m 사이에 있는 점의 개수와 같으므로 10명이다.

③ 위 산점도의 직선 n에서 멀리 떨어질수록 필기 점수와 실기 점수의 차가 크므로 필기 점수와 실기 점수의 차가 가장 큰 학생은 A이다. 따라서 A의 필기 점수는 90점이다.

④ 필기 점수와 실기 점수의 평균이 80점 이상인 학생 수는 위 산점도에서 직선 p를 포함하고 직선 p의 위쪽에 있는 점의 개수와 같으므로 5명이다.

⑤ 필기 점수와 실기 점수의 차가 10점 이하인 학생 수는 위 산점도에서 색칠한 부분에 있는 점의 개수와 같으므로 18명이다.

$\therefore \frac{18}{30}\times100=60\ (\%)$

따라서 옳지 않은 것은 ⑤이다.

전략

④ 필기 점수와 실기 점수의 평균이 80점 이상인 학생 수를 구하려면 필기 점수와 실기 점수의 합이 160점 이상인 학생 수를 구한다.

04 답 37.5 %

16명의 선수의 최종 기록을 작은 값부터 크기순으로 나열하면 10초, 10초, 10초, 11초, 11초, 11초, 12초, 12초, 12초, 12초, 13초, 13초, 14초, 14초, 14초, 15초이다.

(i) 상위 5명의 선수를 대표 선수로 선발하는 경우

$(\text{평균})=\frac{10+10+10+11+11}{5}=\frac{52}{5}=10.4(\text{초})$

(ii) 상위 6명의 선수를 대표 선수로 선발하는 경우

$(\text{평균})=\frac{10+10+10+11+11+11}{6}=\frac{63}{6}=10.5(\text{초})$

(iii) 상위 7명의 선수를 대표 선수로 선발하는 경우

$(\text{평균})=\frac{10+10+10+11+11+11+12}{7}=\frac{75}{7}$

$=10.7\times\times\times(\text{초})$

(i)~(iii)에서 육상부 선수 16명 중 6명이 선발되었으므로 선발된 6명의 선수들은 상위 $\frac{6}{16}\times100=37.5\ (\%)$ 이내에 든다.

참고

최종 기록이 좋은 순으로 점을 찾으려면 오른쪽 그림과 같이 산점도에 선을 긋는다.

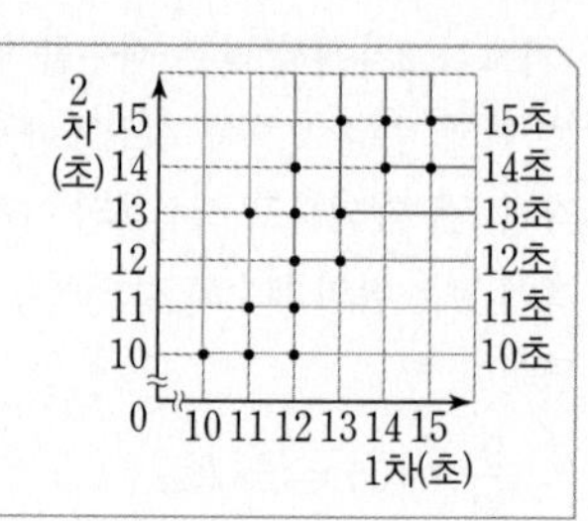

전략

100 m 달리기 기록은 짧을수록 좋은 기록이다. 따라서 각 선수들의 1차, 2차 기록을 보고 선수들마다의 최종 기록을 구하여 최종 기록의 평균이 10.5초가 되는 경우를 찾는다.

05 답 3명

1학기와 2학기의 봉사 활동 시간의 평균이 6시간 이상, 즉 1학기와 2학기의 봉사 활동 시간의 합이 12시간 이상인 학생은 오른쪽 산점도에서 직선 l을 포함하고 직선 l의 위쪽에 있는 점이다. 이 중에서 2학기 봉사 활동 시간이 1학기보다 1시간 이상 많은 학생 수는 색칠한 부분에 있는 점의 개수와 같으므로 3명이다.

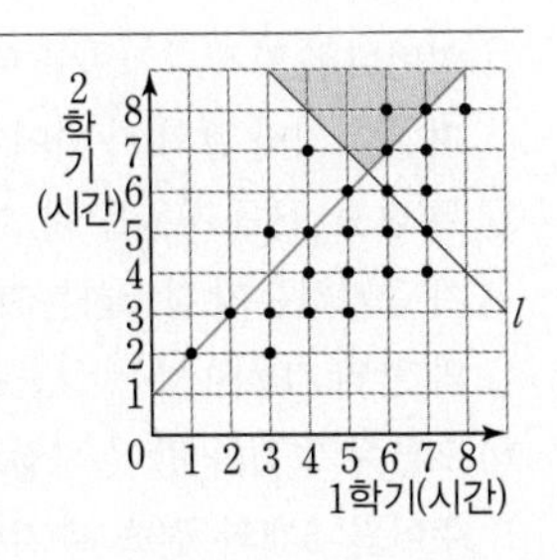

전략

1학기와 2학기의 봉사 활동 시간의 평균이 6시간 이상, 즉 1학기와 2학기의 봉사 활동 시간의 합이 12시간 이상인 학생들 중에서 2학기 봉사 활동 시간이 1학기보다 1시간 이상 많은 학생을 찾는다.

06 답 195점

반 전체의 상위 20 % 이내에 드는 학생 수는

$20\times\frac{20}{100}=4$(명)

중간고사 성적이 반 전체의 상위 20 % 이내에 드는 학생은 중간고사 성적이 95점 이상인 4명이고, 기말고사 성적이 반 전체의 상위 20 % 이내에 드는 학생은 기말고사 성적이 95점 이상인 4명이다.

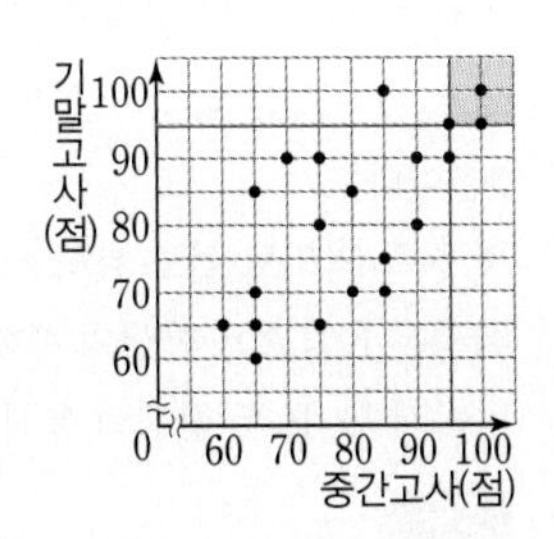

중간고사 성적이 95점 이상인 학생 중 기말고사 성적이 95점 이상인 학생은 위 산점도에서 색칠한 부분에 있는 점의 개수와 같으므로 3명이다.

이때 이 학생들의 성적을 순서쌍 (중간고사 성적, 기말고사 성적)으로 나타내면 (100, 100), (100, 95), (95, 95)이므로 이 학생들의 중간고사 성적과 기말고사 성적의 합은 200점, 195점, 190점이다.

$\therefore$ (평균)$=\frac{200+195+190}{3}=\frac{585}{3}=195$(점)

전략

반 전체의 상위 20 % 이내에 드는 학생 수를 구한 후 중간고사 성적과 기말고사 성적이 반 전체의 상위 20 % 이내에 드는 학생을 각각 찾는다.

07 답 2명

1차 점수가 13점 이상인 선수는 2명, 12.5점 이상인 선수는 4명, 12점 이상인 선수는 8명, 11.5점 이상인 선수는 12명이므로 서정이의 1차 점수는 11.5점이다. 그런데 서정이의 2차 점수는 1차 점수보다 1점 높으므로 서정이의 2차 점수는 12.5점이다.

즉 서정이의 점수를 나타내는 점은 오른쪽 산점도에서 점 A이고 서정이의 1차와 2차 점수의 평균은

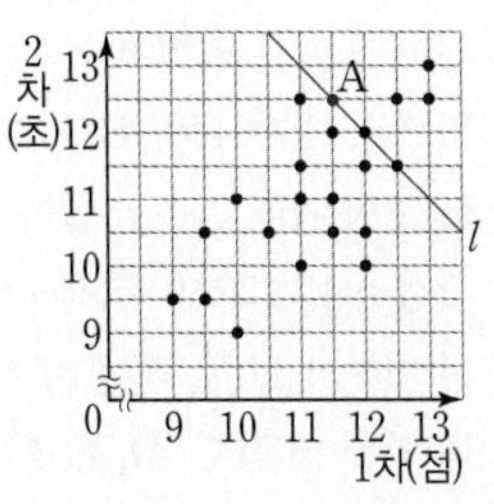

$\frac{11.5+12.5}{2}=\frac{24}{2}=12$(점)

따라서 1차와 2차 점수의 평균이 서정이의 1차와 2차 점수의 평균인 12점과 같은 선수 수는 위 산점도에서 직선 l 위의 점 중 점 A를 제외한 점의 개수와 같으므로 2명이다.

전략

먼저 산점도를 보고 1차 점수가 높은 쪽에서부터 선수 수를 세어 서정이의 1차 점수를 구한다.

08 답 4등

지원이의 예선 1차 점수를 x점, 2차 점수를 y점이라고 하면 예선 1차 점수의 평균이 7.6점이므로

$\frac{5+6+6+7+7+9+9+9+10+x}{10}=7.6$

$68+x=76 \qquad \therefore x=8$

예선 2차 점수의 평균이 7.8점이므로

$\frac{5+6+7+7+7+8+9+10+10+y}{10}=7.8$

$69+y=78 \qquad \therefore y=9$

즉 지원이의 예선 1차 점수는 8점, 2차 점수는 9점이므로 지원이의 점수를 나타내는 점은 오른쪽 산점도에서 점 A이다. 이때 직선 l을 제외하고 직선 l의 위쪽에 있는 점이 3개이므로 지원이는 4등으로 본선에 진출하였다.

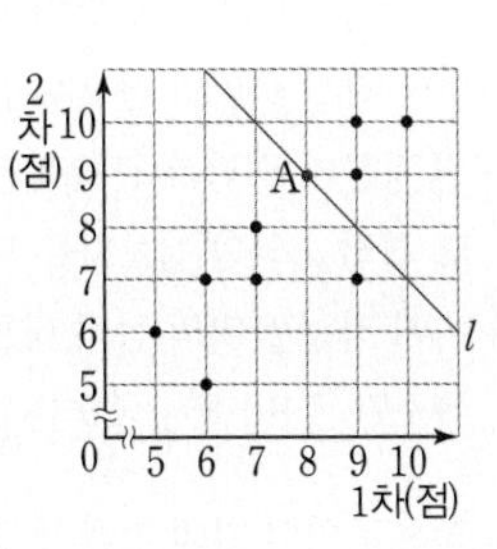

전략

먼저 본선 진출자 10명이 예선 1차와 2차에서 받는 점수의 평균을 이용하여 지원이의 예선 1차와 2차 점수를 각각 구한다.

참고

등수는 예선 1차 점수와 예선 2차 점수의 평균으로 정하므로 오른쪽 산점도와 같이 평균이 높은 순으로 직선을 그어 지원이의 등수를 구한다. 이때 오른쪽 위에 있는 직선일수록 평균이 높다.

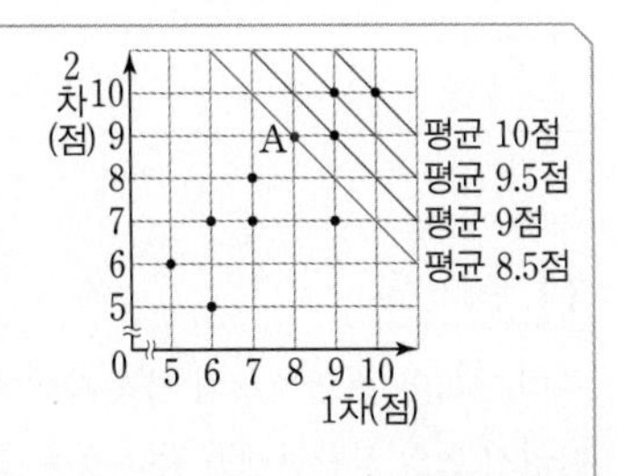

09 답 30건

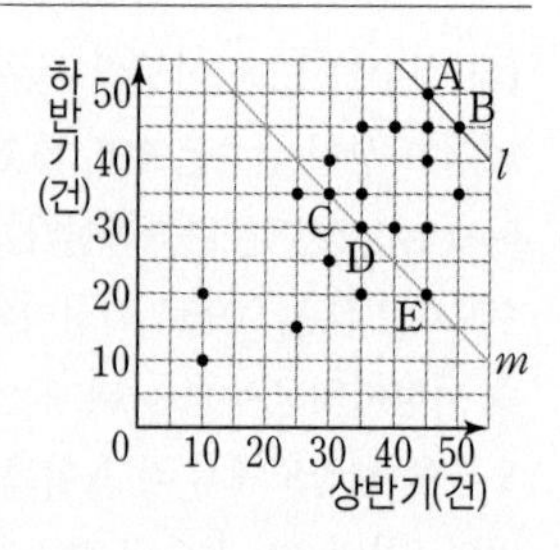

오른쪽 산점도에서 보험 판매 건수의 합이 95건으로 가장 많은 직선 l을 그으면 그 위에 두 점 A, B가 있다. 이때 하반기 보험 판매 건수가 많은 직원이 높은 등수가 되므로 A가 1등, B가 2등이다.
또 보험 판매 건수의 합이 65건인 직선 m을 그으면 직선 m을 제외하고 직선 m의 위쪽에 있는 점의 개수가 11개, 직선 m 위의 점의 개수가 3개이므로 직선 m 위에 있는 세 점 C, D, E 중 하반기 보험 판매 건수가 두 번째로 많은 직원이 13등이다.
따라서 C가 12등, D가 13등, E가 14등이므로 구하는 1등인 직원과 13등인 직원의 보험 판매 건수의 합의 차는 $95-65=30$(건)이다.

전략
보험 판매 건수의 합이 같은 점들을 연결한 직선을 그었을 때, 오른쪽 위에 있는 직선일수록 그 합이 높다. 또 한 직선에 점이 여러 개인 경우에는 위쪽에 있는 점일수록 등수가 높다.

10 답 7.5점 이상 8점 미만

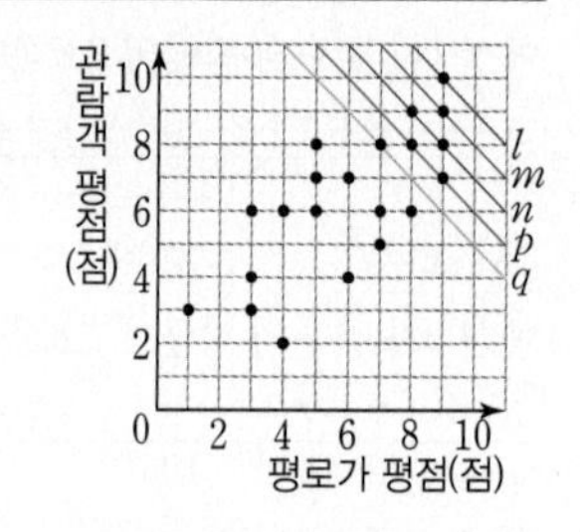

오른쪽 산점도에서 평론가 평점과 관람객 평점의 평균이 같은 점들을 연결한 직선을 그었을 때, 오른쪽 위에 있는 직선일수록 평균이 높다.
직선 l 위의 점이 1위, 직선 m 위의 점이 2위, 직선 n 위의 점 2개가 3위, 직선 p 위의 점 2개가 5위이므로 A 영화가 상위 7위가 되려면 평론가 평점과 관람객 평점의 평균이 직선 p 위의 점보다는 작고 직선 q 위의 점보다는 크거나 같아야 한다.
이때 직선 p 위의 점의 평론가 평점과 관람객 평점의 평균은
$\frac{9+7}{2}=\frac{8+8}{2}=\frac{16}{2}=8$(점)이고
직선 q 위의 점의 평론가 평점과 관람객 평점의 평균은
$\frac{7+8}{2}=\frac{15}{2}=7.5$(점)이므로 A 영화의 평론가 평점과 관람객 평점의 평균의 범위는 7.5점 이상 8점 미만이다.

전략
A 영화의 순위를 나타내는 점이 직선 p 위에 있으면 A 영화의 순위는 5위가 되므로 7위가 되기 위해서는 직선 p 위의 점이 될 수 없음에 유의한다.

11 답 ②, ③

주행 거리와 중고 자동차 가격 사이에는 음의 상관관계가 있다.
따라서 음의 상관관계를 갖는 것은 ②, ③이다.
①, ⑤ 양의 상관관계
④ 상관관계가 없다.

전략
자동차의 주행 거리가 길수록 중고 자동차의 가격이 낮아지므로 음의 상관관계가 있다.

12 답 ㉠, ㉢

㉠ 어머니의 키가 증가함에 따라 딸의 키도 대체로 증가하므로 어머니의 키와 딸의 키 사이에는 양의 상관관계가 있다.
㉡ 두 점 A, B를 지웠을 때, 어머니의 키가 증가함에 따라 딸의 키가 증가하는지 감소하는지 분명하지 않다. 따라서 어머니의 키와 딸의 키 사이에는 상관관계가 없다.
㉢ 오른쪽 그림과 같이 산점도에 주어진 5개의 점을 추가하면 이전보다 더 분명한 상관관계를 가진다.

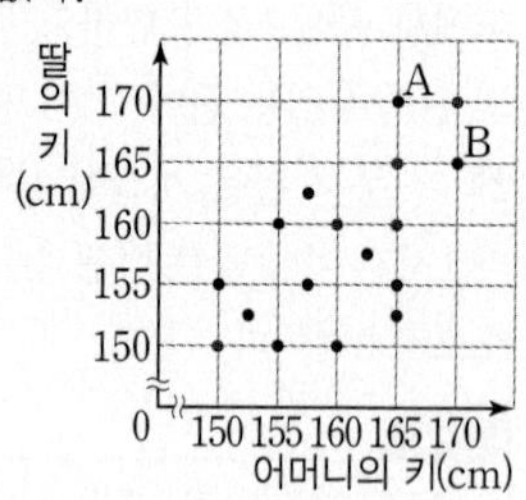

따라서 옳은 것은 ㉠, ㉢이다.

전략
자료의 개수가 많아질수록 산점도를 그렸을 때, 상관관계가 더 분명해진다.

13 답 20분

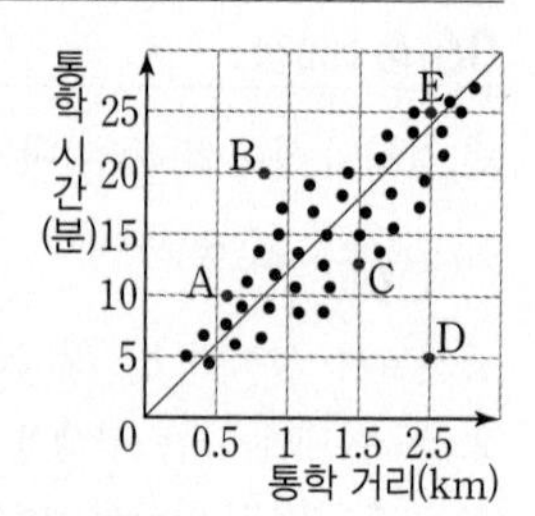

통학 거리에 비하여 통학 시간이 가장 짧은 학생은 오른쪽 산점도에서 대각선의 아래쪽에 있는 점 중 대각선에서 가장 멀리 떨어져 있는 점이므로 D이고 D 학생의 통학 시간은 5분이다.
또 통학 거리도 멀고 통학 시간도 긴 학생은 E이고 E 학생의 통학 시간은 25분이다.
따라서 D, E 두 학생의 통학 시간의 차는 $25-5=20$(분)이다.

전략
통학 거리에 비하여 통학 시간이 짧은 학생은 산점도에서 대각선의 아래쪽에 있다.

14 답 ㉢, ㉣

㉠ A, B, C, D 중 스마트폰 사용 시간이 가장 긴 학생은 D가 2.5시간으로 가장 길다.
㉡ A, B, C, D의 스마트폰 사용 시간과 수면 시간의 차를 차례대로 구하면
$9-0.5=8.5$(시간), $7.5-1.5=6$(시간), $7-2=5$(시간), $6.5-2.5=4$(시간)이므로 그 차가 가장 큰 학생은 A이다.

㉣ C보다 스마트폰 사용 시간이 긴 학생 수는 오른쪽 산점도에서 직선 l을 제외하고 직선 l의 오른쪽에 있는 점의 개수와 같으므로 3명이다.

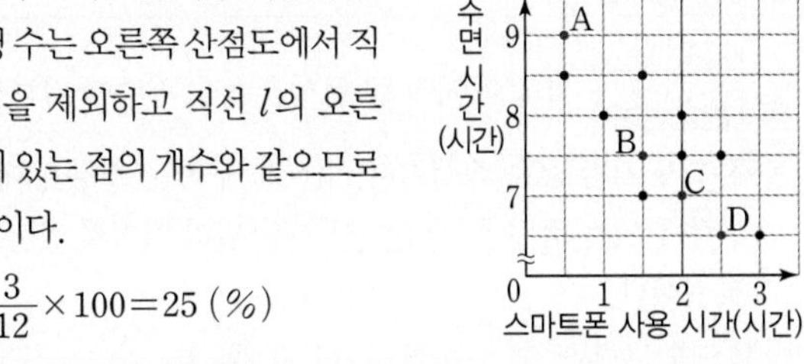

$\therefore \frac{3}{12}\times 100=25\ (\%)$

따라서 옳은 것은 ㉢, ㉣이다.

전략

㉡ A, B, C, D 중 스마트폰 사용 시간과 수면 시간의 차이가 가장 큰 학생을 구하려면 스마트폰 사용 시간과 수면 시간을 각각 구하여 그 차이를 계산한다.

15 답 ②, ⑤

① A, B, C, D 중 100 m 달리기 기록이 가장 좋은 학생은 기록이 가장 짧은 A이다.

② B의 오래 매달리기 기록이 C의 오래 매달리기 기록보다 좋으므로 B와 C의 오래 매달리기 기록은 다르다.

⑤ D는 100 m 달리기 기록도 나쁘고 오래 매달리기 기록도 나쁜 편이다.

따라서 옳지 않은 것은 ②, ⑤이다.

전략

100 m 달리기는 기록이 짧을수록 기록이 좋고 오래 매달리기 기록이 길수록 기록이 좋다.

16 답 ②, ③

① 낮 최고 기온이 34 °C 이하일 때는 낮 최고 기온이 높을수록 생수 판매량이 늘어나고, 낮 최고 기온이 34 °C 이상일 때는 낮 최고 기온이 높을수록 생수 판매량이 줄어드는 경향이 있다.

③, ④ 낮 최고 기온이 34 °C 이하일 때는 낮 최고 기온과 생수 판매량 사이에 양의 상관관계가 있고, 낮 최고 기온이 34 °C 이상일 때는 낮 최고 기온과 생수 판매량 사이에 음의 상관관계가 있다.

⑤ A, B, C 중 생수 판매량이 같은 날은 B와 C이다.

따라서 옳은 것은 ②, ③이다.

전략

낮 최고 기온이 34 °C일 때를 기준으로 생수 판매량의 증감상태가 달라진다.

STEP 3 전교 1등 **확실하게** 굳히는 문제 p. 85~86

1 25 % **2** 2가지 **3** ㉡, ㉢ **4** ㉠, ㉡, ㉢

1 답 25 %

$16\le x+2y\le 24$를 만족하는 국가 수는 오른쪽 산점도에서 색칠한 부분에 있는 점의 개수와 같으므로 7개이다.

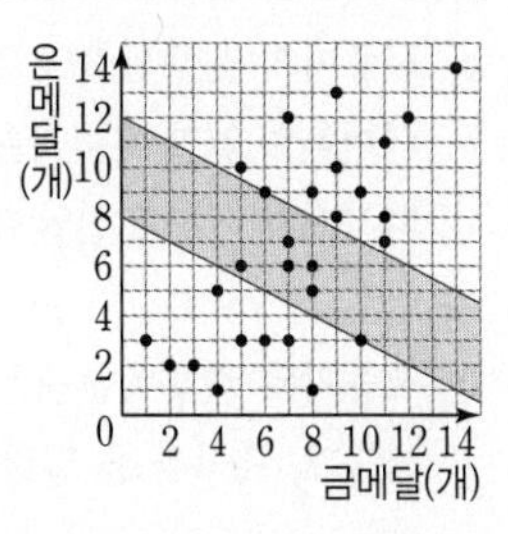

$\therefore \frac{7}{28}\times 100=25\ (\%)$

전략

두 직선 $y=-\frac{1}{2}x+8$과 $y=-\frac{1}{2}x+12$를 주어진 산점도에 그려 본다.

2 답 2가지

오른쪽 산점도에 22개의 점이 있으므로 얼룩진 부분에는 2개의 점이 있어야 한다. 즉 말하기 점수보다 듣기 점수가 높은 학생 수는 오른쪽 산점도에서 직선 l을 제외하고 직선 l의 위쪽에 있는 점의 개수와 같으므로 $7+2=9$(명)이다.

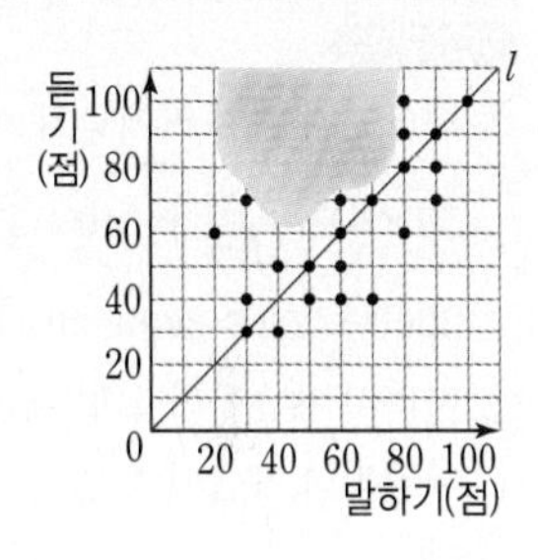

(ⅰ) 얼룩진 부분에 있는 학생 2명의 말하기 점수를 각각 x점, y점 $(x\le y)$이라고 하면 말하기 점수의 평균이 50점이므로

$\frac{20+30+30+40+60+80+80+x+y}{9}=50$

$340+x+y=450$

$\therefore x+y=110$

그런데 얼룩진 부분의 말하기 점수는 30점 이상 70점 이하이므로 가능한 x, y의 값은 $x=40$, $y=70$ 또는 $x=50$, $y=60$

(ⅱ) 얼룩진 부분에 있는 학생 2명의 듣기 점수를 각각 a점, b점 $(a\le b)$이라고 하면 듣기 점수의 평균이 70점이므로

$\frac{40+50+60+70+70+90+100+a+b}{9}=70$

$480+a+b=630$

$\therefore a+b=150$

그런데 얼룩진 부분의 듣기 점수는 70점 이상 100점 이하이므로 가능한 a, b의 값은 $a=70$, $b=80$

(ⅰ), (ⅱ)에서 구한 값을 순서쌍 (말하기 점수, 듣기 점수)로 나타내면 ㉠ (40, 70)과 (70, 80), ㉡ (40, 80)과 (70, 70), ㉢ (50, 70)과 (60, 80), ㉣ (50, 80)과 (60, 70)의 4가지이다.

그런데 ㉡에서 (70, 70)과 ㉣에서 (60, 70)은 위 산점도에서 중복되는 점이므로 ㉡, ㉣은 얼룩진 부분의 자료가 될 수 없다.

따라서 얼룩진 부분의 자료는 ㉠, ㉢의 2가지로 나올 수 있다.

전략

말하기 점수보다 듣기 점수가 높은 학생들의 말하기 점수의 평균이 50점이고 듣기 점수의 평균이 70점임을 이용하여 얼룩진 부분의 자료가 몇 가지로 나오는지 구한다. 이때 중복되는 점은 얼룩진 부분의 자료가 될 수 없음에 주의한다.

3 답 ㉡, ㉢

㉡ 선풍기의 일일 매출액은 $200\times2.5=500$(만 원),
에어컨의 일일 매출액은 $10\times300=3000$(만 원)이다.
따라서 에어컨의 일일 매출액은 선풍기의 일일 매출액의 6배이다.

㉢ 제습기의 일일 매출액은 $50\times40=2000$(만 원)이므로 선풍기, 제습기, 에어컨 중 일일 매출액이 가장 낮은 제품은 선풍기이다.

㉣ 제습기의 일일 판매량이 50 % 증가한 경우 제습기의 일일 매출액은 $50\times\left(1+\frac{50}{100}\right)\times40=3000$(만 원)이므로 제습기의 일일 매출액이 에어컨의 일일 매출액보다 많아지려면 제습기의 일일 판매량이 50 %보다 더 증가해야 한다.

따라서 옳지 않은 것은 ㉡, ㉢이다.

다른 풀이

㉣ 제습기의 일일 판매량이 x % 늘어났다고 하면

$50\times\left(1+\frac{x}{100}\right)\times40>3000$

$2000+20x>3000$, $20x>1000$ $\quad\therefore x>50$

따라서 제습기의 일일 매출액이 에어컨의 일일 매출액보다 많아지려면 제습기의 일일 판매량이 50 %보다 더 증가해야 한다.

전략

(일일 매출액)=(일일 판매량)×(제품 한 대당 판매 가격)

4 답 ㉠, ㉡, ㉢

㉡ $\frac{(\text{면접 점수})}{(\text{논술 점수})}$의 값이 가장 큰 학생은 논술 점수에 비하여 면접 점수가 가장 높은 학생이다. 따라서 구하는 학생은 대각선의 위쪽에 있는 점 중 대각선에서 가장 멀리 떨어져 있는 점이므로 E이다.

㉢ 오른쪽 그림과 같이 두 점 A, C에서 세로축에 내린 수선의 발을 각각 A′, C′이라고 하면 A와 C 두 학생의 면접 점수의 평균은 $\overline{A'C'}$의 중점과 같고 D 학생의 면접 점수보다 위쪽에 있다.

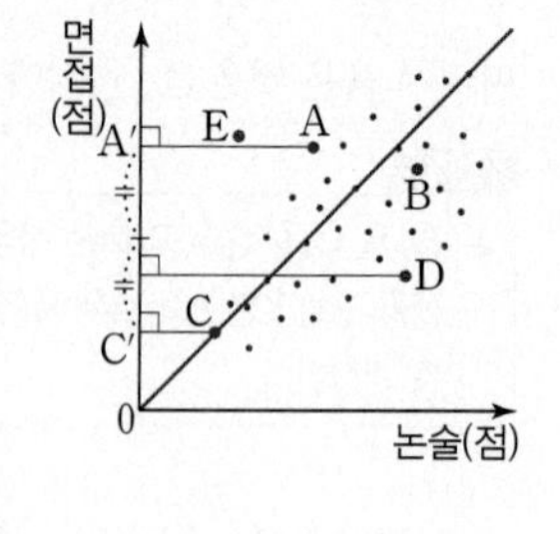

따라서 A와 C 두 학생의 면접 점수의 평균은 D 학생의 면접 점수보다 높다.

㉣ 오른쪽 그림과 같이 논술 점수와 면접 점수의 평균이 같은 점들을 연결한 직선을 그었을 때, 오른쪽 위에 있는 직선일수록 평균이 높다. 따라서 A와 B 두 학생의 논술 점수와 면접 점수의 평균을 비교하면 B 학생이 A 학생보다 더 높다.

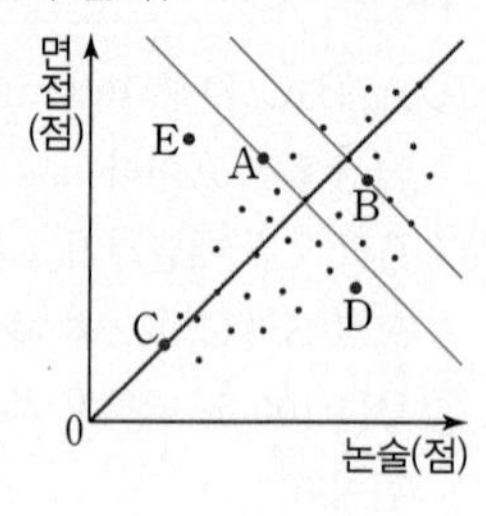

따라서 옳은 것은 ㉠, ㉡, ㉢이다.

전략

두 학생 A와 C의 면접 점수의 평균은 $\overline{A'C'}$의 중점과 같다.

참고

㉡ 오른쪽 그림과 같이 원점과 다섯 개의 점 A, B, C, D, E를 각각 연결한 직선의 기울기는 $\frac{(\text{면접 점수})}{(\text{논술 점수})}$의 값을 의미한다.
따라서 점 E를 지나는 직선의 기울기가 가장 크므로 $\frac{(\text{면접 점수})}{(\text{논술 점수})}$의 값이 가장 큰 학생은 E이다.

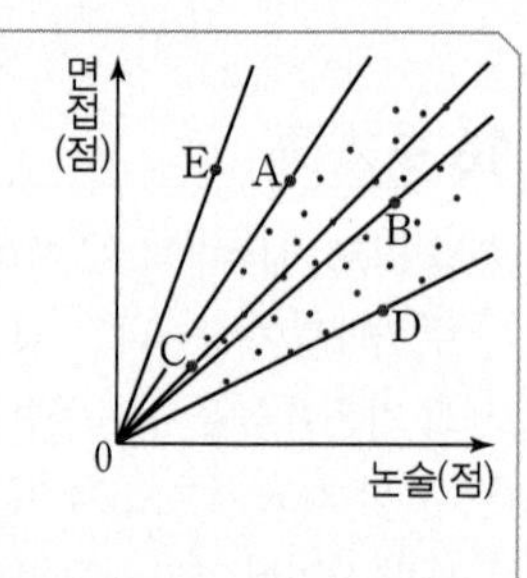

최강 TOT

정답과 풀이

최강
TOT

교육의 변화는 이미 시작되고 있습니다

- 수학의 미래를 고민하는 사람들, 수미고 이야기

천재교육에는 특별한 모임이 있습니다.
수학 연구 · 개발 분야의 베테랑이 모인
'수미고(수학의 미래를 고민하는 사람들)' 회의가 그것이지요.
아무리 바쁘더라도 일주일에 한 번은 꼭 모여
수학의 미래를 함께 고민하고 토론하는 자리를 가집니다.
우리 교육을 더 강하게 만드는 힘은
한 발 앞선 생각과 발 빠른 혁신에서 온다는 믿음이 있기 때문이죠.
1981년 <해법수학>부터 지켜온 수학 강자의 명성은
어제, 오늘, 그리고 내일까지 이렇게 이어지고 있습니다.

오늘의 도전이 내일의 희망으로 돌아온다고 믿는
한결같은 진심, 변하지 않겠습니다.